A geração dos corpos organizados em Maupertuis

A geração dos corpos organizados em Maupertuis

Maurício de Carvalho Ramos

editora 34

São Paulo, 2009

Projeto editorial: Associação Filosófica Scientiæ Studia
Direção editorial: Pablo Rubén Mariconda e Sylvia Gemignani Garcia
Projeto gráfico e capa: Camila Mesquita
Editoração: Guilherme Rodrigues Neto
Revisão: Beatriz de Freitas Moreira

Serviço de Biblioteca e Documentação da FFLCH-USP

R175
Ramos, Maurício de Carvalho
A geração dos corpos organizados em Maupertuis / Maurício de Carvalho Ramos. — São Paulo: Associação Filosófica Scientiae Studia : Editora 34, 2009.
368 p. (Coleção História da Ciência).

ISBN 978-85-61260-03-3 (Associação Scientiæ Studia)
ISBN 978-85-7326-434-0 (Editora 34)

1. História da ciência. 2. História da biologia. 3. Geração de organismos. 4. Maupertuis, Pierre-Louis Moreau (1698-1759). I. Título. II. Série.

CDD 501

Associação Filosófica Scientiæ Studia
Rua Santa Rosa Júnior, 83/102
05579-010 • São Paulo • SP
Tel./Fax: (11) 3726-4435
www.scientiaestudia.org.br

editora 34

Rua Hungria, 592
01455-000 • São Paulo • SP
Tel./Fax: (11) 3816-6777
www.editora34.com.br

Sumário

PREFÁCIO

Pierre-Louis Moreau de Maupertuis é um autor ainda pouco conhecido, apesar de sua importância central para a história e a filosofia da ciência moderna. Tal importância revela-se ainda maior se considerarmos o modo singular que comparecem em sua obra estudos que hoje classificaríamos como físicos e biológicos. Ele contribuiu decididamente para o desenvolvimento do projeto geral de construção da física matemática no âmbito da astronomia, da dinâmica, da estática e da óptica. No âmago desta contribuição Maupertuis utiliza o já questionado e em boa medida rejeitado recurso ao pensamento teleológico. Para Maupertuis, as leis físicas explicam os fenômenos porque elas são regidas por um princípio de economia universal que afirma existir na natureza uma tendência de minimizar a quantidade de ação gasta na produção de todos os fenômenos. Na mesma época em que esses estudos amadureciam, Maupertuis oferece sua original contribuição para o estudo da geração dos seres vivos. Neles também aparece o uso do pensamento teleológico, mas agora na forma de uma aplicação mais forte, a saber, através da atribuição de propriedades psíquicas à matéria, propriedades que assumiriam o papel de produzir, manter e transmitir para futuras gerações a ordem especial exibida pelos organismos. Tanto na física matemática como nas pesquisas sobre geração, Maupertuis entendeu que explicar os fenômenos justificava o apelo a certo finalismo cientificamente controlado pela necessidade de obter explicações empiricamente mais adequadas. É assim que, com a combinação de propriedades físicas e psíquicas nas partes seminais, Maupertuis ofereceu uma explicação mais de acordo com os fenômenos do que ofereciam as teorias oficiais da época fundadas na preexistência do germe.

Este livro contém uma exposição dos passos dados por Maupertuis na construção dessas duas realizações teóricas, com destaque especial para a teoria da geração orgânica. Sob o problema da geração estão incluídos de modo relativamente unificado estudos sobre reprodução, embriologia, hereditariedade e transformação das espécies, todos eles representativos dos principais campos de investigação biológica que viriam a se especializar com o advento da biologia de caráter mais experimental no século XIX. As soluções encontradas por Maupertuis para explicar os difíceis fenômenos da esfera do orgânico contou ainda com uma original fundamentação metafísica presente em suas conjecturas sobre a primeira formação dos seres organizados. Nelas vemos um significativo ensaio de enfrentamento da origem da vida em um período em que a penetração da história na história natural ainda dava seus primeiros passos. Esperamos que o presente livro possa oferecer a oportunidade de conhecer com algum detalhe um projeto de pesquisa típico da ciência natural iluminista que enfrentou as tensões e limitações existentes na extensão do mecanicismo ao estudo dos fenômenos vitais.

A publicação deste livro contou com o auxílio de pessoas e instituições para as quais desejo deixar meus sinceros agradecimentos. Primeiramente gostaria de agradecer aos seguintes professores: Pablo Rubén Mariconda, pela orientação e apoio permanentes para a realização da tese de doutorado a partir da qual obtive o principal material para este livro e pelo apoio indispensável para sua publicação, Michel Paty, pela acolhida na Équipe RHESEIS (*Recherches Epistémologiques et Historiques sur les Sciences Exactes et les Institutions Scientifiques*), onde pude repartir e discutir os primeiros resultados de minha pesquisa, e Nelson Papavero, por mostrar a importância do estudo do fascinante autor que é objeto deste livro. Também agradeço à Fundação de Amparo à Pesquisa de São Paulo pela bolsa de pós-doutorado que permitiu, além da realização de um fecundo período de pesquisas, aprofundar e refinar elementos centrais da teoria de Maupertuis. Foi também a Fapesp que financiou parte importante da publicação desta obra.

INTRODUÇÃO

Pierre-Louis Moreau de Maupertuis (Saint-Malo, 1698 – Basileia, 1759) começou sua carreira científica essencialmente como geômetra, ingressando na *Académie des Sciences de Paris* em 1723. Viaja para Londres em 1728, onde conhece a filosofia natural de Newton e é recebido como membro da *Royal Society*. Retornando para a França, logo inicia seus estudos em física tornando-se, então, o principal divulgador de Newton no continente.

Em 1732, aparece o *Discours sur les différentes figures des astres avec une exposition des systêmes de MM Descartes et Newton* (*Discurso sobre as diferentes figuras dos astros com uma exposição dos sistemas dos senhores Descartes e Newton*) onde, juntamente com questões técnicas de astronomia, Maupertuis desenvolve reflexões filosóficas em torno da noção de atração e estabelece elementos metodológicos de investigação científica fundados no newtonianismo. Nessa obra, Maupertuis procura justificar a aceitação da possibilidade da atração como propriedade geral da matéria e discute o papel de Deus na produção de leis reguladoras dos fenômenos naturais. A partir de então, apresenta na *Académie* vários trabalhos em mecânica, astronomia e geodesia. Por volta de 1740, Maupertuis começa uma nova série de estudos sobre temas mais gerais da física e que podem ser interpretados como parte de um projeto de construção de uma Cosmologia que, a julgar por seu resultado final, visava utilizar os princípios gerais da ciência na formulação de uma prova racional da existência de Deus. A realização desse projeto, para o qual Maupertuis faz convergir várias posições filosóficas ao mesmo tempo em que se afasta parcialmente do newtonianismo, resultou na produção de trabalhos de caráter científico cada vez mais associados aos objetivos metafísicos visados; estes aparecerão plenamente desenvolvidos no *Les lois du mouvement et du repos déduites d'un principe de métaphysique* (*As leis do movimento e do repouso deduzidos de um princípio metafísico*) (1746) e depois no *Essai de cosmologie* (*Ensaio de cosmologia*) em 1750. Em 1740, Maupertuis propõe uma lei geral para os corpos em equilíbrio em seu *Loi du repos* (*Lei do repouso*), cuja formulação fundou-se num princípio que, uma vez generalizado, viria a ser seu célebre princípio da mínima ação. Em 1744 apresenta a memória *Accord de différentes lois de la nature qui avaient jusqu'ici paru incompatibles* (*Acordo de diferentes leis de natureza que até agora tinham parecido incompatíveis*), onde o mesmo princípio é utilizado na dedução das leis da óptica, tendo ainda como fundamento o princípio metafísico de que "a natureza, na produção de seus efeitos, age sempre pelos meios mais simples" (O4, p. 12).[1] Já como presidente da *Académie de Sciences et Belles Lettres de Berlin* publica em 1746, nas *Mémoires* dessa academia, o *Les lois du mouvement*, onde, utilizando agora a forma mais geral do princípio da mínima ação, pretende deduzir as leis do movimento de corpos rígidos e elásticos. Apresenta ainda nessa memória uma prova da existência de Deus a partir das leis gerais da natureza, na qual propõe uma interpretação do papel dos atributos de Deus na produção dos fenômenos. Tal interpretação, como já aparece parcialmente no estudo sobre óptica, também se relaciona com o princípio metafísico de simplicidade anteriormente mencionado. Essa obra contém o essencial das ideias que aparecerão em 1750 no *Essai de cosmologie* (*Ensaio de cosmologia*).

Entre 1744 e 1746, período em que podemos considerar já formulada boa parte das bases metafísicas da cosmologia de Maupertuis, o autor comporá sua primeira obra importante sobre questões biológicas (em 1723 e 1731 já publicara estudos sobre salamandras e escorpiões). Trata-se da *Dissertation physique à l'occasion du negre blanc* (*Dissertação física por ocasião do negro branco*), de 1744, que, apesar do tema anunciado no título, contém a pri-

1 A explicação sobre o símbolo utilizado nesta citação está na nota 1 do capítulo 1.

meira formulação da teoria de Maupertuis sobre a geração dos animais. No ano seguinte aparecerá o *Vénus physique* (*Vênus física*) que inclui, juntamente com o texto anterior, uma segunda parte em que aparece, então, um estudo dos fenômenos de hereditariedade envolvidos na produção das variações biológicas nas raças humanas. A teoria que aparece nessa obra, juntamente com as opiniões de Maupertuis diante das explicações disponíveis na época para o problema da geração, já representam uma ruptura com várias posições há muito consagradas, além de sugerir a aceitação de propriedades psíquicas (o instinto) nas partículas materiais.

Em 1745 Maupertuis decide partir para Berlim após vários convites de Frederico II e assumir a presidência da *Académie de Sciences et Belles Lettres*, o que possivelmente teria exigido dele uma atividade filosófica mais pronunciada. Após o texto citado de 1746, segue-se uma importante fase de composição de obras sobre temas filosóficos variados (filosofia natural, epistemologia, moral etc.) e, como já dissemos, o autor publica seu *Essai de cosmologie* em 1750. No ano seguinte aparece sua obra biológica mais importante: a *Dissertatio inauguralis metaphysica, pro gradu doctoris habita* (*Dissertação metafísica inaugural para obtenção do grau de doutor*), publicada sob o pseudônimo de Dr. Baumann e que posteriormente aparece em francês como *Essai sur la formation des corps organisés* (*Ensaio sobre a formação dos corpos organizados*) e mais tarde como *Système de la nature* (*Sistema da natureza*). É nessa obra que Maupertuis expõe de modo mais sistematizado sua teoria da geração, desenvolvendo plenamente sua hipótese das propriedades psíquicas na matéria. Sendo estas as atividades intelectuais de Maupertuis que consideramos mais significativas para nosso estudo, passaremos a expor os elementos teóricos a serem explorados.

Dentro do que chamamos o projeto da cosmologia de Maupertuis, o autor vai incorporar, desenvolver e criticar elementos da filosofia natural de Newton. Aceitará a cosmologia fundada na lei de atração dos corpos, mas procurará por um princípio ainda mais geral que explique as demais leis físicas até então consideradas como mais fundamentais. Tal princípio vincula-se metafisicamente a uma concepção de Deus como produtor de leis capazes de garantir a estrutura do universo tal como revelam os fenômenos, e *fisicamente* a uma lei de conservação das ações envolvidas na produção desses mesmos fenômenos. Trata-se do já citado princípio da mínima ação: "quando ocorre alguma mudança na natureza, a quantidade de ação necessária para tal mudança é a menor possível" (O4, p. 36). Com tal princípio Maupertuis pretende ter descoberto qual seria a verdadeira grandeza física que é economicamente despendida na natureza, a saber, a quantidade de ação, definida como o produto da massa dos corpos por sua velocidade e pelo espaço que percorrem. Com a expressão matemática deste princípio Maupertuis pretendeu deduzir as leis da óptica, do repouso e do movimento dos corpos. Assim, uma vez que o princípio se mostrou cientificamente impecável, Maupertuis tentará, como escreveu na memória de 1746, "derivar da mesma fonte verdades de um gênero superior e mais importantes" (Maupertuis, 1985 [1746], p. 103), a saber, "buscar as provas da existência de Deus nas leis gerais da Natureza" (*idem*, p. 112).

Como vimos no histórico anterior, as partes essenciais desse projeto cosmológico estavam desenvolvidas em 1746 – mesmo antes provavelmente –, que é também a época em que Maupertuis já compusera a primeira versão de sua teoria da geração. Na prova da existência de Deus da qual falamos, Maupertuis fez um exame de outras provas do gênero e criticou aquelas de Newton e de seus seguidores, "tiradas da uniformidade e da conveniência das diferentes partes do Universo" (Maupertuis, 1751, p. 32). Além de não aceitar como suficiente o argumento baseado na necessidade de uma escolha para o estabelecimento do movimento dos planetas, atacou duramente certas provas oriundas da conveniência das partes dos animais em relação às suas necessidades.

Nessas provas, abundantemente desenvolvidas pelos naturalistas newtonianos, cada detalhe da estrutura dos organismos é vinculado a uma função vital específica e, assim, a perfeição com que todas as necessidades dos organismos são satisfeitas provaria a ação da Providência divina nos mínimos detalhes da natureza. Cada novo conhecimento acerca da estrutura e o modo de vida dos organismos seria uma prova adicional da existência de Deus. Mas, para Maupertuis, essas provas ingênuas e muitas vezes ridículas multiplicaram-se de maneira abusiva e, ao invés de provarem a presença do Criador em suas obras, poderiam servir como apoio ao ateísmo. É assim que o autor proporá, entre outras ideias, uma explicação semelhante à atomista antiga para a organização dos corpos como alternativa às explicações que visavam encontrar a Providencia no detalhe dos fenômenos. Mas o encontro ao acaso dos átomos apagaria todo traço de finalidade nessas produções particulares da natureza: estariam elas isentas da influência reguladora do princípio de economia de ação, sendo apenas a consequência necessária das propriedades dos corpos elementares? Maupertuis acredita que não e veremos como ele procura introduzir certa finalidade na geração espontânea dos organismos.

Por entender que teve sucesso na dedução de praticamente todas as mais fundamentais leis da natureza a partir do princípio da mínima ação, Maupertuis convenceu-se da necessidade das causas finais em física. Não obstante, criticará o *abuso* ou o uso indevido de tais causas. O modo correto de utilizá-las seria vinculando-as às leis mais gerais, que são confirmadas pelos fenômenos e que expressam a grandeza real que é economizada na produção dos fenômenos. Tais exigências não poderiam ser atendidas, segundo Maupertuis, senão por seu princípio da mínima ação. A noção metafísica que fundamenta o princípio físico da mínima ação, e que estabelece a relação de Deus com a natureza, é, resumidamente, a seguinte: "todas as coisas estão ordenadas de tal modo que uma matemática cega e necessária executa o que a inteligência mais iluminada e a mais livre prescreveria" (Maupertuis, 1985 [1746], p. 114). Tal concepção permitiria privilegiar conjuntamente a sabedoria e o poder divinos e, mais importante, garantiria certa autonomia da natureza mas que está, ao mesmo tempo, subordinada à vontade de Deus.

Vimos que no *Vênus física* (composto em 1745) o autor sugere o instinto como propriedade da matéria capaz de explicar a geração dos corpos. Vimos também que ele supõe na argumentação do *Ensaio de cosmologia* (argumentação que já estava presente em 1746), mas sem assumi-lo explicitamente, um processo de geração atomista, no qual a ordem dos corpos se estabeleceria espontaneamente. Contudo, tal concepção de geração poderia ter igualmente um lugar na cosmologia de Maupertuis, se pudéssemos associá-la de alguma forma ao princípio metafísico que fundamenta a noção de mínima ação. Parece-nos que é justamente essa associação que será tentada em 1751 na teoria da geração presente no *Sistema da natureza*: as formas orgânicas aparecem espontaneamente a partir de partículas materiais gerativas ou seminais que, em função de sua dinâmica, podem tanto manter um padrão morfológico ao longo do tempo como transformá-lo graças à ocorrência de mudanças fortuitas nos elementos seminais. Mas essa produção, conservação e alteração das formas orgânicas estariam reguladas por um mecanismo de geração que Maupertuis teria perseguido como principal objeto de suas pesquisas sobre os seres vivos. A explicação metafísica por trás de tal mecanismo seria que, na criação do mundo, Deus teria dotado as partículas seminais de uma percepção capaz de orientá-las no sentido de estabelecer as ligações materiais necessárias à estruturação dos organismos. Vemos aqui uma clara consistência com a noção metafísica associada ao princípio da mínima ação: tanto a produção dos fenômenos mecânicos mais fundamentais como a geração da diversidade de corpos organizados seria fruto de uma mecânica cega regulada por leis instauradas por Deus desde o princípio da formação do mundo. Maupertuis não chega a falar numa lei da geração, mas afirma que "explicaríamos por um mesmo princípio todas essas produções sobre as quais nada poderíamos compreender atualmente" (O2, p. 170-1). Nessas produções estariam incluídos não apenas os animais, mas também os demais corpos terrestres organizados, vegetais e minerais.

O presente livro é uma tentativa de reconstruir os principais passos teóricos dados por Maupertuis rumo à elaboração dessa importante teoria sobre a geração dos organismos como parte da ciência iluminista francesa.

Capítulo 1

Introdução à física e à filosofia natural de Maupertuis: estudo da figura dos astros

Dentre as questões presentes no confronto entre cartesianos e newtonianos no século xviii, com as quais Maupertuis se envolveu, são particularmente interessantes para o tema deste capítulo os problemas decorrentes da aceitação da atração e da gravidade como propriedades fundamentais da matéria. Isso é tratado no *Discurso sobre a figura dos astros com uma exposição dos sistemas dos senhores Descartes e Newton*,[1] primeiro texto newtoniano de Maupertuis, e que tem por tema central os primeiros elementos de sua obra astronômica. Tal obra, segundo Brunet, "encontra [...] em sua inspiração newtoniana tanto sua unidade como sua característica geral. Contra as tentativas dos cartesianos para salvar a hipótese dos turbilhões, ela mostrou-se sempre e desde o começo de seus trabalhos firmemente ligada às explicações fundadas sobre a atração" (1929, p. 43).

É, pois, a partir desse texto que introduziremos nosso estudo da filosofia natural de Maupertuis.

O capítulo ii, cujo título é "Discussão metafísica sobre a atração", contém as primeiras reflexões filosóficas de Maupertuis no

1 Paris, 1732 e 1742. Utilizaremos a versão que tem por título *Discours sur les différentes figures des astres – où l'on essaye d'expliquer les principaux phénomenes du ciel* (*Discurso sobre as diferentes figuras dos astros – onde tentamos explicar os principais fenômenos do céu*), incluída no volume i da edição de 1768 das obras de Maupertuis: Maupertuis, P.-L. M. de. *Oeuvres*. 4 v. Hildesheim: Georg Olms, 1974 (fac-símile da edição das obras de Maupertuis publicada em Lyon, 1768). Doravante referiremos abreviadamente esta obra como "O", seguido do número do volume (O1, O2 etc.).

interior do confronto entre os sistemas newtoniano e cartesiano. Seu tema central é um dos mais críticos nesse debate, a saber, as dificuldades teóricas apontadas pelos cartesianos decorrentes da introdução da noção de atração no interior da física. Nesse capítulo, a determinação da figura dos astros, tema específico do tratado, amplia-se numa discussão filosófica mais geral acerca da natureza da gravidade e da atração: "A figura dos corpos celestes depende da gravidade e da força centrífuga. Sobre esta última não há qualquer diversidade de sentimentos entre os filósofos; o mesmo não acontece para a gravidade" (O1, p. 90). A divergência em questão diz respeito às interpretações cartesiana e newtoniana para a gravidade, a primeira atribuindo-a ao efeito da força centrífuga de certa matéria circulante em torno dos corpos e a segunda entendendo-a como propriedade inerente aos corpos. Maupertuis evidentemente penderá para esta segunda interpretação, mas sua posição é ainda prudente: "Não cabe a mim pronunciar-me sobre uma questão que divide os maiores Filósofos, mas me é permitido comparar suas ideias" (O1, p. 90).

Segundo o texto, o princípio da impulsão não era, como queriam os cartesianos, capaz de tudo explicar em física. Apesar da conveniência de sua simplicidade teórica, apresentava grandes dificuldades para explicar uma série de detalhes que a experiência revelava. Insatisfeito com tais explicações, diz Maupertuis, Newton teria estabelecido na natureza, ao lado da impulsão, outro princípio de ação: "todas as partes da matéria pesam umas em direção às outras. Estabelecido este princípio, Newton explica maravilhosamente todos os fenômenos; e quanto mais se detalha, quanto mais se aprofunda seu sistema, mais ele [o princípio] parece confirmado" (O1, p. 91). Contudo, esta vantagem real com relação a Descartes teria um ônus importante, pois, com a inclusão do novo princípio, o sistema de Newton não apenas perderia em simplicidade, mas exigiria a crença numa ação à distância entre os corpos. Tal crença, além de ser mais dificilmente concebível que uma ação por contato, poderia implicar ainda a reintrodução das qualidades ocultas banidas da física por Descartes.

Maupertuis responde à acusação de vínculo da atração com as qualidades ocultas dizendo, basicamente, que o conhecimento da causa da gravidade, seja ela uma qualidade oculta ou não, é supérfluo no sistema de Newton e que ele jamais teria entendido a atração como explicação para a gravidade:

> é uma justiça que se deve fazer a Newton [que] ele jamais considerou a atração como uma explicação da gravidade dos corpos uns na direção dos outros: que ele advertiu muitas vezes que empregava este termo apenas para designar um fato, e não uma causa; que ele o empregou apenas para evitar os sistemas e as explicações; que seria mesmo possível que esta tendência fosse causada por alguma matéria sutil que emanasse dos corpos, e fosse o efeito de uma verdadeira impulsão; mas seja o que fosse, era sempre um primeiro fato do qual se podia partir para explicar outros fatos que dela dependiam (O1, p. 91).

Podemos dizer que Maupertuis procura ressaltar o caráter operativo do sistema de Newton, no qual o tratamento matemático da gravidade é mais importante e independe do conhecimento de sua causa: "tudo o que é suscetível de mais ou de menos é de sua competência [da competência dos matemáticos], seja qual for sua natureza; e a utilização que dela farão será tão segura quanto aquela que fariam dos objetos cuja natureza fosse absolutamente conhecida" (O1, p. 91). Ser objeto do domínio da matemática parece aqui significar ser capaz de comparecer em cadeias dedutivas envolvidas na explicação de fenômenos ou ainda ser uma hipótese que se possa expressar quantitativamente. Exigir que esta física-matemática opere apenas com objetos cuja natureza é absolutamente conhecida implicaria mesmo uma limitação do conhecimento, pois com tal exigência "os limites da filosofia seriam extremamente restringidos" (O1, p. 91). Lembra Maupertuis que Galileu pode nos dar uma teoria muito bela e certa da gravidade sem conhecer sua causa. Em resumo,

> Tudo deveria, pois, se reduzir a examinar se é verdade que os corpos têm esta tendência uns na direção dos outros: se descobrirmos que efetivamente eles a têm, podemos contentar-nos em dela deduzir a explicação dos fenômenos da natureza, deixando aos Filósofos mais sublimes a busca da causa desta força (O1, p. 93).

Com base nestas considerações poderíamos assim resumir a argumentação de Maupertuis contra a acusação de vínculo com as qualidades ocultas atribuída à interpretação newtoniana da gravidade: faria sentido invocar a noção de qualidade oculta apenas quando o conhecimento da causa da gravidade fosse fundamental e, no sistema de Newton, conforme o entende Maupertuis, tal conhecimento é indiferente. Indo um pouco mais longe, Maupertuis não apenas dá prioridade ao exame dos efeitos que decorreriam da aceitação da gravidade mas vê mesmo restrições de outro tipo quanto ao conhecimento de sua causa: "Este partido parece-me tão mais sábio que eu não acredito que nos seja permitido chegar às primeiras causas, nem compreender como os corpos agem uns sobre os outros" (O1, p. 93). Vemos aqui o autor atribuir um segundo tipo de limite teórico para um sistema físico-matemático como o de Newton, pois, além da restrição de ordem metodológica que lhe é própria, aparece ainda uma limitação no interior do conhecimento que poderia integrar um sistema de filosofia natural. Maupertuis afirma tal limitação pelo menos para dois elementos: o conhecimento de causas primeiras e o do modo de ação dos corpos entre si.

Além da objeção concernente ao vínculo do princípio da atração com as qualidades ocultas, há ainda o problema de que uma ação à distância entre os corpos é algo difícil de conceber, principalmente quando pensamos que esta ideia é contraposta à clareza intuitiva que uma ação por contato parece proporcionar. Segundo Maupertuis, aqueles que rejeitam a atração consideram-na um "monstro metafísico" e "creem sua impossibilidade tão bem provada que, por mais coisas que a natureza pareça dizer em seu favor, seria preferível aceitar uma ignorância total do que utilizar nas explicações um princípio absurdo" (O1, p. 94). Podemos ver aqui que o problema é outro: mesmo que não se possa associar a atração com as qualidades ocultas, mesmo que se a utilize como um instrumento teórico capaz de explicar efeitos fenomênicos, ela seria *a priori* absurda à razão e isto poderia ser usado como prova da impossibilidade de estabelecê-la como um princípio. Temos, pois, uma objeção em um nível filosófico fundamental que sustenta a inteligibilidade obtida racionalmente com prejuízo da inteligibilidade fenomênica da natureza. Maupertuis apresentará sua resposta mostrando que a atração não é contraditória com outras propriedades reconhecidas fenomenicamente nos corpos e que não se pode afirmar sua impossibilidade *a priori*: "Vejamos, então, se a atração, mesmo que se a considere como uma propriedade da matéria, encerra algum absurdo" (O1, p. 94).

Maupertuis começa argumentando que uma resposta categórica à existência da atração – ou de qualquer outra propriedade da matéria – dependeria de um conhecimento absoluto da natureza dos corpos: "Se tivéssemos ideias completas dos corpos, de modo que conhecêssemos bem o que são em si mesmos, e quais são suas propriedades, como e em que número neles residem, não nos embaraçaríamos para decidir se a atração é uma propriedade da matéria" (O1, p. 94). Segundo o autor, estamos longe de tal conhecimento, pois "conhecemos os corpos apenas a partir de algumas propriedades, sem conhecer de maneira nenhuma o sujeito no qual estas propriedades se encontram reunidas" (O1, p. 94). Posto isso, o que se pode então dizer com segurança acerca dos corpos? Basicamente duas coisas: conhecemos conjuntos de propriedades que nos permitem identificar este ou aquele corpo particular e podemos também distinguir diferentes ordens de universalidade de tais propriedades. Segundo a extensão de sua ocorrência nos corpos, as propriedades podem ser classificadas em dois grupos principais: aquelas que ocorrem de forma variável – forma, cor etc. – e aquelas que, além de comuns a todos os corpos, nunca variam. A extensão e a impenetrabilidade caem nesta última categoria: "A mínima atenção nos faz reconhecer que a extensão é uma destas propriedades invariáveis [...]. Eu descubro também que não há corpo que não seja sólido ou impenetrável" (O1, p. 95). Tais propriedades ditas primordiais ou essenciais são ainda como substratos para as demais propriedades; por exemplo, referindo-se à extensão, as propriedades variáveis "não podem subsistir sem ela e delas é o sustentáculo" (O1, p. 95). Mas dentre as propriedades variáveis há algumas que o são de uma maneira especial e que poderíamos designar como propriedades de estado, pois são universais apenas para certas condições em que se encontram os corpos. É o caso da

> propriedade que os corpos em movimento possuem de mover os outros que eles encontram. Esta propriedade, embora menos universal que aquelas das quais falamos, uma vez que elas não ocorrem senão enquanto o corpo está num certo estado pode, entretanto, ser tomada de algum modo como uma propriedade geral relativamente a este estado, pois ela se encontra em todos os corpos que estão em movimento (O1, p. 96).

Em resumo, sabemos que os corpos apresentam agrupamentos de propriedades que os distinguem e que as propriedades tomadas em conjunto podem ser hierarquizadas segundo a sua universalidade e o modo pelo qual ocorrem. Esta hierarquia será doravante uma referência que atuará como um quadro fenomênico sistemático a partir do qual Maupertuis interpretará as relações possíveis entre as propriedades dos corpos; com este quadro será julgado o que pode ou não ser dito acerca da vigência ou não de certas propriedades, de seu lugar na hierarquia e do modo pelo qual interagem. Como se trata aqui de examinar a atração como propriedade de tipo primordial, serão as relações nesta categoria de propriedades que Maupertuis analisará, formulando uma resposta geral para o problema particular da atração, a saber, que ela é ao menos concebível como integrante da estrutura que se aceita como fundamental para o mundo físico.

As propriedades ditas primordiais são aquelas que a experiência nos mostra existirem invariavelmente em todos os corpos. Maupertuis já disse que nada sabemos sobre quantas e quais são estas propriedades fundamentais, mas agora enfatiza que igualmente nada sabemos sobre o modo pelo qual elas se relacionam ou, nos seus termos, como residem nos corpos: "a extensão não subsistiria sem a impenetrabilidade? Devo prever pela propriedade da extensão que outras propriedades a acompanhariam? É isto que não vejo de maneira alguma" (O1, p. 95). Isto significa dizer que, mesmo reconhecendo certas propriedades como essenciais, não podemos inferir a partir delas quais deverão ou não pertencer a esta mesma categoria – não poderíamos nem mesmo saber quando se esgotaria a lista. Este desconhecimento impede-nos de afirmar qualquer coisa sobre a necessidade da conexão destas propriedades fundamentais. Duas propriedades que a experiência mostra existirem universalmente nos corpos não poderão se excluir entre si e, assim,

> Seria ridículo querer atribuir aos corpos outras propriedades além daquelas que a experiência nos ensina neles se encontrarem; mas talvez o seria mais ainda querer, após um pequeno número de propriedades que mal se conhecesse, pronunciar dogmaticamente a exclusão de qualquer outra; como se tivéssemos

> a dimensão da capacidade dos sujeitos quando os conhecemos apenas por este pequeno número de propriedades (O1, p. 96).

Não podemos inventar ou imaginar propriedades que a experiência não nos revela e as únicas que podemos de direito excluir são aquelas contraditórias às propriedades que sabemos existir nos corpos; por exemplo, "a mobilidade, encontrando-se na matéria, podemos dizer que a imobilidade nela não se encontra" (O1, p. 97). Assim, apenas da contrariedade com o que já se conhece fenomenicamente se pode deduzir a exclusão de uma propriedade. Conclui então Maupertuis, "Mas os corpos, além das propriedades que deles conhecemos, têm eles ainda a de pesar ou de tender uns na direção dos outros, ou de etc.? Cabe à experiência, à qual já devemos o conhecimento das outras propriedades dos corpos, ensinar-nos se eles possuem ainda estas outras" (O1, p. 97). A atração não é contraditória com propriedades já conhecidas e, sendo apenas da relação de contrariedade que se pode deduzir a impossibilidade de existência de uma propriedade, resta apenas verificar se a atração existe como um fato revelado pelos fenômenos. Devemos ressaltar que, em princípio, este argumento pode ser aplicado para postular a possibilidade de existência de qualquer propriedade na matéria. Veremos que Maupertuis dele valer-se-á, em seus estudos biológicos, para defender a existência do pensamento como propriedade dos corpos.

Se com tais raciocínios a aceitação da atração deixa de ser absurda, ela ainda parece ser bem menos concebível que a noção de impulsão. Parece mais natural falar em uma força que "empurra" os corpos no choque do que dizer que eles são puxados por uma força invisível: "As pessoas comuns não se surpreendem quando veem um corpo em movimento comunicar este movimento a outros; o hábito que têm de ver tal fenômeno impede-os de nele perceber o maravilhoso: mas os Filósofos estariam bem longe de acreditar que a força impulsiva seja mais concebível do que a atrativa" (O1, p. 98). Os problemas implicados em conceber-se uma força de impulsão no interior de um corpo que, comunicada a outro corpo, o coloca em movimento, não são menores que os implicados quando concebemos uma força que atrai corpos distantes. É apenas o hábito gerado pela frequente observação do choque dos corpos que torna a impulsão aparentemente mais concebível. Bastaria interrogar-se mais detidamente sobre o que se passa em tais situações que o maravilhoso do processo revelar-se-ia: "O que é esta força impulsiva? Como ela reside no interior dos corpos; quem poderia adivinhar que ela neles reside antes de ter visto corpos se chocarem?" (O1, p. 98). Alguém que nunca tivesse presenciado os corpos chocarem-se teria grande dificuldade em conceber algo como uma força de impulsão. Seria ainda mais difícil entender intuitivamente onde ou como esta força de impulsão encontra-se antes do choque. Se dissermos que a propriedade se instala apenas no momento mesmo do choque, ela deverá possuir uma procedência diferente do próprio corpo e, neste caso, o espaço para o ocasionalismo está aberto – Maupertuis dele tratará mais adiante. Mas se dissermos que a propriedade já se encontrava no corpo antes do choque, será tão difícil de concebê-la como qualquer outra propriedade. Se é difícil entender como dois corpos próximos exercem entre si uma atração que poderá colocá-los em movimento, será igualmente difícil entender que um corpo que não se choca com outro contém uma propriedade impulsiva.

Em resumo, conceber a forma pela qual as propriedades residem nos corpos é sempre difícil e, mais do que isso, tal conhecimento será mesmo inacessível se lembrarmos que ele exige a aceitação da necessidade da conexão entre as propriedades. Antes ou depois do choque, a maneira pela qual a força de impulsão atua nos corpos será sempre desconhecida. Se o mesmo ocorre para qualquer propriedade, pode-se negar, a partir desta inacessibilidade do conhecimento sobre o modo de "residência" das propriedades nos corpos, o conhecimento do modo de conexão entre elas. Isto leva ainda a uma crítica da postulação de qualquer propriedade como sendo essencial, no sentido de que de sua existência não se pode deduzir a existência de qualquer outra, nem mesmo a extensão: "Como a impenetrabilidade e as outras propriedades viriam reunir-se à extensão? Estes sempre serão mistérios para nós" (O1, p. 98).

Maupertuis passa então a analisar a posição ou solução ocasionalista, a saber, a de que os corpos não possuem qualquer força impulsiva ou propriedade de mover outros corpos por contato, mas é Deus que os põe em movimento quando se chocam. Para tal interpretação Maupertuis diz:

> Mas, talvez se diga que os corpos não possuem a força impulsiva. Um corpo não imprime o movimento ao corpo que ele choca; é o próprio Deus que move os corpos chocados, ou que estabeleceu leis para a comunicação destes movimentos [...]. Se os corpos em movimento não têm a propriedade de mover outros; se quando um corpo se choca com outro, este se move apenas porque Deus o move, e se se estabelecem leis para esta distribuição de movimento, com que direito poderíamos assegurar-nos de que Deus não poderia querer estabelecer leis idênticas para a atração? Desde que é preciso recorrer a um Agente todo-poderoso, e que cede apenas ao contraditório, seria preciso que disséssemos que o estabelecimento de semelhantes leis encerraria alguma contradição: mas é isto que não poderíamos dizer (O1, p. 99).

Atribuir a Deus a causa do movimento afasta o problema da existência ou não de propriedades intrínsecas aos corpos, mas implica novas exigências. Em primeiro lugar, esta ação divina é interpretada segundo uma concepção particular dos atributos de Deus e Maupertuis formula sua objeção apoiada em tal concepção.

Para ele, mesmo um Agente todo-poderoso não poderia agir contraditoriamente e, não sendo contraditório o estabelecimento de leis da atração ao lado de leis da impulsão, a onipotência de Deus poderia em princípio estabelecer ambas. Deus move diretamente os corpos, mas, como revela a própria regularidade dos fenômenos, não o faz de qualquer maneira. O movimento é distribuído por Deus segundo regras ou leis e, então, a questão agora é decidir por quais leis ele o faz.

Esta possível solução da questão implica ainda outro problema. Mesmo sendo ambas as leis igualmente concebíveis com relação à sua origem na ação de Deus, pode-se argumentar que a lei da impulsão é mais necessária que a da atração, argumento que, segundo Maupertuis, é o mais sólido que se possa fazer contra a atração:

> A impenetrabilidade dos corpos é uma propriedade que os Filósofos de todos os partidos admitem. Estabelecida esta propriedade, um corpo que se move na direção de outro não poderia continuar a se mover se não o penetrar: mas os corpos são impenetráveis; é preciso então que Deus estabeleça alguma lei que faça concordar o movimento de um com a impenetrabilidade dos dois: eis, então, o estabelecimento de uma nova lei tornar-se necessário no caso do choque. Mas dois corpos permanecendo distantes, não vemos que haja qualquer necessidade de estabelecer uma nova lei (O1, p. 100).

No caso das leis do choque, pode-se acrescentar à sua origem divina uma necessidade que decorre da própria natureza dos corpos; o mesmo não se pode fazer com relação à lei da atração. Apenas no caso do choque a impenetrabilidade opõe-se ao movimento, exigindo assim uma espécie de ajuste entre estas duas propriedades para que a impulsão se produza. O estado de movimento de dois corpos penetráveis que se encontrassem não seria alterado; contudo, estando separados, estes mesmos corpos poderiam, em princípio, atraírem-se mutuamente. A impenetrabilidade que é reconhecidamente existente como propriedade geral dos corpos poderia ser contingente se o movimento fosse produzido por atração.

Maupertuis responde a esta objeção primeiramente reafirmando o que já dissera anteriormente: para as propriedades primordiais da matéria não se pode estabelecer qualquer conexão necessária e, daí, não se pode deduzir a existência de uma a partir das outras. Desse modo pode afirmar que toda a sua argumentação é apenas no sentido de mostrar que a atração é possível. O estabelecimento de propriedades primordiais depende inteiramente do exame dos fenômenos e, feito isso, não se pode dizer que uma propriedade é mais necessária que outra. Contudo, como afirmou o autor, tais propriedades poderão servir de base ou fundamento para outras propriedades, mas sempre de ordem inferior em generalidade. É apenas nesse sentido que se poderia dizer que a existência de uma propriedade – de primeira ordem – é necessária para a existência de outra – de ordem inferior. O tipo de relação de propriedades que se estabelece no caso particular da impulsão é "se propriedades de diferentes ordens vierem a se encontrar em oposição (pois duas propriedades primordiais não poderiam assim encontrar-se), será preciso que a propriedade inferior ceda e acomode-se à mais necessária, que não admite qualquer variedade" (O1, p. 101). No choque, a impenetrabilidade é mais necessária e não pode variar; é o movimento que variará pois "o corpo pode mover-se ou não se mover; ele pode mover-se de uma maneira ou de outra; mas é preciso que ele seja sempre impenetrável, e impenetrável da mesma maneira. Acontecerá pois no movimento do corpo algum fenômeno, que será uma consequência da subordinação entre as duas propriedades" (O1, p. 102). É, então, a partir dessa interpretação da suposta maior necessidade da impulsão que Maupertuis conclui seu argumento: a atração está sendo defendida como possível propriedade primordial da matéria e, assim, não se pode exigir que ela seja uma consequência da interação de propriedades, como é o caso da impulsão. Nos termos do autor, "Mas se a gravidade fosse uma propriedade de primeira ordem, se ela estivesse ligada à matéria, independentemente das outras propriedades, nós não veríamos que seu estabelecimento fosse necessário, pois ele não seria devido à combinação de outras propriedades anteriores" (O1, p. 102). Parece-nos que Maupertuis pretendeu mostrar que a objeção apresentada decorre apenas de uma confusão acerca do local ocupado por uma propriedade na hierarquia que estabeleceu, pois afirma que "Fazer contra a atração o raciocínio que acabamos de dizer é como se, do fato de se estar em condição de explicar algum fenômeno, conclui-se que esse fenômeno é mais necessário que as primeiras propriedades da matéria, sem prestar atenção a que este fenômeno subsiste apenas em consequência dessas primeiras propriedades" (O1, p. 102).

Esclarecido este ponto, o autor pode, então, invocar novamente o exame dos fenômenos como única instância de decisão da vigência ou não de uma propriedade primordial da matéria:

> Tudo isso que acabamos de dizer não prova que há atração na natureza; eu também não o pretendi provar. Eu me propus examinar se a atração, mesmo considerando-a como uma propriedade inerente à matéria, seria metafisicamente impossível. Se ela assim fosse, os fenômenos mais prementes da natureza não poderiam admiti-la: mas se ela não encerra nem impossibilidade nem contradição, pode-se examinar livremente se os fenômenos a provam ou não. A atração não é mais, por assim dizer, uma questão de fato; é no sistema do universo que é preciso ir buscar se este é um princípio que tenha efetivamente lugar

> na natureza, até o ponto que seja necessário para explicar os fenômenos, ou enfim, se é inutilmente introduzido para explicar fatos que se explicam bem sem ele (O1, p. 103).

Se filosoficamente não é absurdo admitir a possibilidade da atração como propriedade dos corpos, trata-se de examinar as vantagens que esta admissão teria para o estudo dos fenômenos: "Dentro desta visão, eu acredito que não será inútil dar aqui alguma ideia dos dois grandes sistemas que dividem atualmente o mundo filosófico. Eu começarei pelo sistema dos turbilhões, não apenas tal como Descartes o estabeleceu, mas com todas as acomodações que aí se fizeram. Eu exporei em seguida o sistema de Newton, tanto quanto puder fazê-lo" (O1, p. 104). Na continuidade do texto, Maupertuis expõe os dois sistemas e, após objetar um a um os pontos da mecânica de Descartes, convida o leitor a decidir se a atração é ou não um princípio inutilmente estabelecido.

Capítulo 2

Da atração à mínima ação

Atividades de 1732 a 1746

Da publicação, em 1732, do *Discurso sobre a figura dos astros* até aproximadamente 1740, a atividade central de Maupertuis esteve relacionada com o problema da determinação da forma da Terra. Foi neste período que o autor travou uma intensa disputa com os Cassini sobre a questão e ganhou notoriedade e respeito nos meios acadêmicos. Em 1736, parte para a Lapônia no comando de uma expedição organizada para medir um grau do meridiano o mais próximo possível do polo norte. Tal medida visava decidir, juntamente com as obtidas pela equipe de La Condamine enviada ao Equador, se a Terra era ou não, como pretendia Newton, um elipsoide de revolução achatado. Esse conjunto de atividades, que se relacionam com a defesa do newtonianismo para questões científicas particulares, especialmente de astronomia e geodesia, constitui uma parte da obra de Maupertuis já bem conhecida e estudada, além de possuir uma ligação distante com o tema que pretendemos investigar. Desse modo, como fizemos para seus trabalhos em geometria anteriores a 1732, não trataremos dessas questões.

Entre 1740 e 1746, Maupertuis incluirá em suas investigações problemas mais gerais em física teórica, estudando sucessivamente estática (1740), óptica (1744) e dinâmica (1746). Nos textos que publica para esses domínios, Maupertuis explicita gradativamente os princípios que fundamentam sua filosofia natural e sua ciência. Nossa principal tarefa, a partir daqui, será identificar tais princípios e destacar o papel cumprido pelo mais importante deles, o princípio da mínima ação. Este princípio é formulado nos trabalhos em estática e óptica de Maupertuis, temas do presente capítulo.

Ainda em 1740, Maupertuis publicará seu primeiro texto exclusivamente filosófico, o *Reflexions philosophiques sur l'origine des langues et la signification des mots* (*Reflexões filosóficas sobre a origem das línguas e do significado das palavras*). Algumas das circunstâncias referentes à composição do texto, as possíveis razões do interesse de Maupertuis pelo tema e o papel que ele ocupará junto do que vinha desenvolvendo serão discutidos no capítulo 4.

Foi também durante esses seis anos que Maupertuis se envolveu com os problemas relativos à geração dos organismos. Por ocasião da passagem do cometa de 1742, Maupertuis escreve, no mesmo ano, a *Lettre sur la comète* (*Carta sobre o cometa*). Este texto já trata de problemas referentes aos seres vivos e dá indicações importantes sobre o que o autor pensa acerca do papel das transformações da Terra sobre os organismos. Em 1744-5 aparecem os dois primeiros estudos específicos sobre a geração, a *Dissertação física por ocasião do negro branco* e o *Vênus física*. É também nesse período que Maupertuis se estabelece em Berlim como presidente da *Académie de Belles Lettres*, reorientando suas pretensões intelectuais numa direção mais francamente filosófica. A análise dessas obras e das circunstâncias históricas com elas envolvidas será feita a partir do capítulo 6.

Estudos em estática

Passaremos agora a analisar o primeiro texto da série mencionada de trabalhos em física, o *Lei do repouso*, apresentado à *Académie de Paris* em 20 de fevereiro de 1740. Conforme anuncia o título da obra, Maupertuis proporá uma lei geral para os corpos em equilíbrio. O texto é introduzido por uma discussão acerca dos tipos de princípios que devem fazer parte da ciência e do papel que nela eles cumprem. Segundo o autor, as ciências podem se fundar em "princípios simples e claros desde o primeiro aspecto, de onde dependem todas as verdades que [nessa ciência] são objeto". Tais princípios "não têm muita necessidade de demonstração, pela evidência que eles têm desde que o espírito os examine". Ao lado desses há ainda "outros princípios, menos simples à verdade, e frequentemente difíceis de descobrir, mas que, uma vez descobertos, são de grande utilidade". Eles seriam "as leis que a natureza segue em certas combinações de circunstâncias e nos ensinam aquilo que ela fará em ocasiões semelhantes" (O4, p. 45). Quanto à validade desses dois tipos de princípios, o primeiro parece ser claramente dependente de evidência racional *a priori*. O segundo expressa algo próximo de leis empíricas ou fenomênicas cuja validade depende da indução. Eles são obtidos através da observação repetida de sequências específicas de fenômenos e podem gerar leis capazes de fazer predições. Esses princípios "não [terão] demonstração geral, pois é impossível percorrer geralmente todos os casos em que eles se dão" (O4, p. 45); a força da indução deverá bastar para afastar a dúvida de sua validade, pois "Quando se tiver visto em mil ocasiões *a natureza* agir de uma certa maneira, não há homem de bom senso que creia que na milésima primeira ela seguirá outras leis" (O4, p. 46). Doravante uniformizaremos nossa referência a esses dois princípios chamando os primeiros de primeiros princípios e os segundos de leis indutivas.

As leis indutivas não possuem demonstração geral e "não parece que a física as possa dar; elas parecem pertencer a alguma ciência superior" (O4, p. 46). Vemos aqui uma clara distinção de dois domínios do conhecimento que, em termos muito gerais, podemos designar como físico e metafísico. Ainda segundo o autor, as leis indutivas, mesmo sem uma demonstração geral, possuem uma certeza suficiente para que "vários matemáticos não hesitem em fazê-las os fundamentos de suas teorias e delas servirem-se todos os dias para a resolução de problemas cuja solução, sem elas, custar-lhes-ia muito mais trabalho". Posto isso, Maupertuis apresenta uma definição bastante precisa do papel das leis indutivas:

> Nosso espírito, sendo tão pouco extenso como é, tem frequentemente muita distância [a vencer] dos primeiros princípios até o ponto aonde quer chegar [...]. Estas leis das quais falamos o dispensa de uma parte do caminho: ele parte daí com todas as forças e frequentemente não tem mais que alguns passos a fazer para chegar até onde deseja (O4, p. 46).

Temos aqui um elemento fundamental da ciência de Maupertuis que, ao mesmo tempo, cumpre um papel filosófico preciso, a saber, a partir de primeiros princípios pode-se chegar até resultados ou explicações particulares por meio de leis indutivas. As leis indutivas servem basicamente para compensar a incapacidade da razão de explicar os fenômenos particulares deduzindo-os diretamente dos primeiros princípios.

No texto, apenas as leis indutivas são claramente exemplificadas, não havendo referência do que poderia cumprir o papel de primeiro princípio. São leis indutivas "o princípio tão conhecido e tão útil na estática ordinária que, em todas as reuniões de corpos, seu centro de gravidade comum desce o mais baixo que lhe é possível" e o "princípio da conservação das forças vivas" (O4, p. 45). Para o autor, é na estática e na dinâmica que as leis indutivas são particularmente necessárias, pois os fenômenos tratados por tais disciplinas são bastante complexos: "a complicação que nelas se encontra da força com a matéria, tornam-nas mais necessárias que nas ciências simples" (O4, p. 47). A dinâmica conta nesse sentido com o princípio da conservação das forças vivas, assim definido por Maupertuis: "em todos os sistemas de corpos elásticos em movimento, que agem uns sobre os outros, a soma dos produtos de cada massa pelo quadrado da velocidade, isto que chamamos a força viva, permanece inalteravelmente a mesma" (O4, p. 47). Embora ambos os princípios caiam na mesma categoria, o princípio de conservação da força viva parece cumprir um papel mais fundamental comparativamente ao princípio ordinário da estática e o objetivo de Maupertuis é encontrar para essa ciência um princípio com o mesmo estatuto:

> Meditando sobre a natureza do equilíbrio, procurei [saber] se não haveria na estática alguma lei desta espécie; se não haveria para os corpos mantidos em repouso por forças uma lei geral necessária para o repouso desses corpos; e eis aqui aquela que encontrei que a natureza segue:
>
> *Seja um sistema de corpos que pesam, ou que são atraídos pelo centro por forças que agem cada uma sobre cada um* [dos corpos], *como uma potência N de suas distâncias dos centros: para que todos estes corpos permaneçam em repouso, é preciso que a soma dos produtos de cada massa, pela intensidade da força e pela potência N + I da distância ao centro de sua força (que podemos chamar a soma das forças de repouso), seja um maximum ou um minimum* (O4, p. 47).

A avaliação do significado preciso desse princípio – que doravante designaremos como lei do repouso – para a estática depende de análises técnicas dessa ciência que ultrapassariam os objetivos de nosso estudo. Apresentamos nesse sentido as considerações de Brunet para, em seguida, discutir o papel que a lei do repouso poderia cumprir no escopo mais amplo da filosofia natural de Maupertuis.

Segundo Brunet (cf. 1929, p. 207), a fecundidade do princípio aparece no escólio apresentado no texto de Maupertuis após sua demonstração matemática:

> Consideraram-se agora todos os lugares das forças reunidos, e todas as forças reunidas em um só ponto, e a força que aí está permanece como constante e agindo sobre todos os corpos; vê-se que o sistema estará em equilíbrio quando a soma dos corpos multiplicados cada um por sua distância ao centro de força for um máximo ou um mínimo.
>
> E se supomos esta força a uma distância infinita do sistema, é claro que para que o sistema esteja em equilíbrio *é preciso que o centro de gravidade de todos os corpos esteja o mais baixo ou o mais alto que seja possível, ou o mais próximo ou o mais distante do centro de forças*. E este princípio fundamental da estática ordinária não é senão uma consequência e um caso particular do nosso (O4, p. 54).

Ainda segundo Brunet, Maupertuis pretendeu mostrar a partir daqui que seria possível derivar diretamente dessa lei do repouso a solução das diversas questões concernentes às alavancas e ao centro de gravidade dos corpos: "Ele calculou, então, que, se o centro da força está a uma distância infinita ou se a força age na razão direta da distância ao centro, a condição de equilíbrio é realizada se as massas dos dois corpos estão na razão inversa dos braços da alavanca" (Brunet, 1929, p. 209). Os resultados obtidos por Maupertuis para os problemas aludidos não seriam novos em si mesmos, mas o método que empregou inaugurava uma tentativa diferente de tudo o que se fizera até então. Comparativamente aos métodos empregados para tratar das mesmas questões, a saber, os de Fermat e de Varignon, o de Maupertuis era, primeiramente, bem mais simples, conforme afirma o próprio autor: "Temos imediatamente com esse teorema a solução de várias questões de mecânica que tinham outrora detido hábeis geômetras e para os quais eles deram soluções particulares que lhes custaram muito esforço e muito tempo" (O4, p. 55). Mas para Brunet, Maupertuis visava mais que simplificar os cálculos, "havia no pensamento de Maupertuis um tipo de unificação de um conjunto de conhecimentos agrupados entre si de modo mais estreito" (Brunet, 1929, p. 210). Nesse sentido, o autor cita a avaliação que Euler fez, em 1751, da lei do repouso de Maupertuis:

> esse princípio de equilíbrio é não apenas perfeitamente bem constatado, mas ele nos leva completamente a todas as pesquisas que se fez até aqui em estática ou dinâmica, de modo que, por meio de um único princípio, toda a ciência do equilíbrio poderia ser explicada em toda a sua extensão, sem que tenhamos necessidade de empregar qualquer outro princípio que seja (Euler *apud* Brunet, 1929, p. 211).

Brunet esclarece finalmente a relação da lei do repouso com o princípio da mínima ação. Citando a mesma *Mémoire* de 1751, Euler apresentaria uma possível objeção ao princípio: "há casos onde a soma dos esforços torna-se = 0; mas tanto não é verdade que estes casos sejam contrários ao princípio que eles antes o confirmam ainda mais. Pois, a natureza tendo, por assim dizer, em vista tornar mínima a soma dos esforços, a meta tende sem dúvida a fazê-la desaparecer completamente" (Euler *apud* Brunet, 1929, p. 212-3). Para Brunet isso significa que, embora o princípio coloque a possibilidade de um mínimo e um máximo, o último se realizaria apenas para alguns casos enquanto o mínimo é geralmente a regra; e isso aproximaria a lei do repouso do princípio da mínima ação (cf. Brunet, 1929, p. 213).

Vimos que Maupertuis tomou o princípio ordinário da estática e o princípio da conservação das forças vivas como exemplos de leis indutivas que funcionariam como pontes entre os primeiros princípios e os fenômenos que se deseja explicar (no caso específico, a compreensão do que ocorre no interior da complicação da força com a matéria; cf. O4, p. 47). A lei do repouso de Maupertuis viria a ter para a estática um mesmo grau de generalidade que tem o princípio de conservação da força viva para a dinâmica.

Maupertuis chegou à lei do repouso meditando sobre a natureza do equilíbrio e demonstrou-a dedutivamente – dela segue-se o princípio ordinário da estática bem como todos os casos de sistemas de corpos em equilíbrio. A seguir, afirmou que a lei é observada pela natureza, mas, pelo modo que a obteve, isso não pode significar ter sido derivada a partir da observação de regularidades dos fenômenos. Em outras palavras, para estabelecer sua lei do repouso Maupertuis tomou leis indutivas particulares, lançou a hipótese de uma lei mais geral que abarcaria essas leis indutivas e, confirmando dedutivamente sua hipótese, elevou-a ao mesmo estatuto epistemológico que as leis indutivas possuem em sua categorização, a saber, estabelecer pontes dos princípios gerais até os fenômenos. Acreditamos que esse procedimento pode ser identificado como um elemento preciso da metodologia de Maupertuis.

Podemos dizer que há duas vias que o espírito pode percorrer para explicar os fenômenos, estabelecer leis e, enfim, construir uma ciência. Da observação da regularidade de certas combinações de fenômenos chega-se a certas leis indutivas. Poder-se-ia continuar buscando por regularidades cada vez mais gerais e assim obter leis indutivas também cada vez mais gerais mas, num certo ponto, o campo fenomênico estudado se tornaria muito grande e complexo. Tal inconveniente poderia ser evitado com a formulação de hipóteses que serão confirmadas dedutivamente por leis mais particulares e mais simples. Até agora estaríamos num mesmo âmbito de leis mas, uma vez que o procedimento permitiria lançar hipóteses para campos fenomênicos cada vez maiores, uma determinada lei poderia ser geral o bastante para sugerir um vínculo com os primeiros princípios, mencionados por Maupertuis na introdução de seu texto, e que pertencem a um outro âmbito de conhecimento. Este será justamente o papel do princípio da mínima ação: aparecer como intermediário numa cadeia dedutiva que vai dos atributos de Deus às leis da óptica, do movimento e do repouso dos corpos.

Estudos em óptica

Em 1744, Maupertuis publica o *Acordo de diferentes leis da natureza que até agora tinham parecido incompatíveis*, no qual propõe uma dedução das leis da óptica a partir de um princípio metafísico de simplicidade, a saber, que "a natureza, na produção de seus efeitos, age sempre pelos meios mais simples" (O4, p. 12). O princípio da mínima ação, que agora aparece como um princípio geral, é utilizado como ponte entre esse princípio metafísico e as três leis da óptica, a saber, da propagação, da reflexão e da refração da luz. Conforme discutiremos posteriormente, trata-se da aplicação integral do método exposto anteriormente no *Lei do repouso* que, para Maupertuis, resolve um problema que até então desafiara os maiores físicos e matemáticos.

A incompatibilidade aludida no título da obra, e que Maupertuis pretende ter resolvido, diz respeito à lei da refração. Embora válida na explicação dos fenômenos, essa lei mostrava-se matematicamente incompatível ao se tentar unificá-la com as duas outras leis, da propagação e da reflexão, sob um princípio geral para o comportamento da luz em todas as situações possíveis. Tal unificação vinha sendo tentada a partir das leis gerais do movimento e de um princípio de simplicidade da natureza e, principalmente no último caso, a incompatibilidade ganhava um sentido filosófico mais amplo. Sobre isso diz Maupertuis:

> Não devemos exigir que os diferentes meios que temos para aumentar nossos conhecimentos conduzam-nos todos às mesmas verdades, mas será lamentável ver que as proposições que a filosofia nos dá como verdades fundamentais encontram-se desmentidas pelos raciocínios da geometria ou pelos cálculos da álgebra (O4, p. 3).

Pelo desenvolvimento do texto veremos que a verdade filosófica fundamental ameaçada pela matemática é o princípio de simplicidade mencionado, sendo o cerne da solução apresentada por Maupertuis uma reinterpretação do sentido de tal simplicidade à luz de seu princípio da mínima ação.

As leis da óptica que, segundo o autor, "Desde a renovação das Ciências, mesmo desde sua primeira origem, não fizemos nenhuma descoberta mais bela" (O4, p. 4), determinam o comportamento da luz em três situações: na propagação livre através de um meio uniforme, quando ainda nesse mesmo meio é refletida pela superfície de um corpo opaco e quando atravessa corpos diáfanos que a obriga a mudar de trajetória.

Segundo o autor, a primeira lei, conhecida já pelos antigos, diz que "em um meio uniforme ela [a luz] se move em linha reta" (O4, p. 6). Esta lei é a mesma que seguem todos os corpos que se movem em linha reta, desde que nenhuma força estranha os desvie.[1]

A segunda lei, também conhecida desde a Antiguidade, reza que "quando a luz encontra um corpo que ela não pode penetrar é refletida e o ângulo de sua reflexão é igual ao ângulo de sua incidência" (O4, p. 6). Esta lei é a mesma que segue uma bola elástica lançada contra uma superfície inflexível que, conforme demonstra a mecânica, é refletida segundo um ângulo igual àquele que formou no encontro com a superfície.

A terceira lei, bem mais recente, havia sido descoberta somente no século anterior (no caso, o século XVII) por Snell e afirma que "quando a luz passa de um meio diáfano para outro, sua rota, após o encontro do novo meio, faz um ângulo com aquela [rota] que ela [a luz] tinha no primeiro [meio], e o seno do ângulo de

1 Na comparação do movimento da luz com o movimento dos corpos em geral, há aqui uma analogia parcial com o princípio de inércia: em ambos os casos o movimento retém a trajetória retilínea, mas Maupertuis nada afirma sobre a constância ou não da velocidade de propagação da luz. Como veremos, o autor sustentará que a manutenção da trajetória retilínea obedece ao princípio de simplicidade da natureza.

refração está sempre na mesma relação com o seno do ângulo de incidência" (O4, p. 6). Ao contrário dos dois casos anteriores, a explicação da refração da luz pelas leis do choque não era assim tão simples, pois "Quando a luz passa de um meio para outro, os fenômenos são bem diferentes daqueles que [ocorrem quando] uma bola atravessa diferentes meios; e de qualquer maneira que se tente explicar a refração, encontram-se dificuldades que ainda não foram superadas" (O4, p. 7). Descartes pretendeu fazê-lo, mas foi criticado por Fermat e, a partir de então "esta matéria foi objeto de pesquisa dos maiores geômetras sem que até agora se tenha conseguido fazer concordar esta lei com uma outra que a natureza deve seguir ainda mais inviolavelmente" (O4, p. 5).

Maupertuis divide as tentativas de superar as dificuldades mencionadas para a lei da refração em três classes. A primeira inclui as tentativas de "deduzir a refração apenas de princípios mais simples e mais ordinários da mecânica" (O4, p. 8), desenvolvidas por Descartes e seus seguidores. Nelas, tanto na reflexão como na refração o movimento da luz é considerado igual ao movimento de um corpo qualquer. A luz comportar-se-ia como uma bola que ricocheteia sobre uma superfície que não lhe cede ou que, cedendo, continuaria a avançar mudando apenas a direção de sua rota. Nesta categoria de explicação não se vê problema em reduzir o comportamento da luz ao comportamento dos corpos em geral e, portanto, não se vê igualmente problema em deduzir todas as leis da óptica a partir das leis do choque. Esses resultados, embora tivessem o mérito de fundamentarem-se nas leis mais simples da mecânica, foram primeiramente contestados por Fermat e, segundo vários matemáticos, implicavam paralogismos. Clariaut teria ainda mostrado claramente a insuficiência da explicação de Descartes (cf. Beeson, 1992, p. 167-71).[2]

---

2 Beeson desenvolve mais detidamente o papel de Fermat e Clariaut na polêmica, na qual participa J.-J. Dourtous de Mairan, além de Descartes, Leibniz e Newton. Segundo o autor,

A segunda classe compreende "as explicações que, além dos princípios da mecânica, supõem uma tendência da luz na direção dos corpos, seja que se a considere uma atração da matéria, seja como o efeito de tal causa aquilo que quisermos" (O4, p. 8). É o caso de Newton que, "renunciando deduzir os fenômenos da refração daquilo que acontece com um corpo que se move contra obstáculos ou que é empurrado através dos meios que lhes resistem diferentemente, recorreu à sua atração" (O4, p. 9) e pode assim explicar exata e rigorosamente os fenômenos da refração. Clariaut explicou com igual clareza esses fenômenos propondo a existência de uma espécie de atmosfera que, produzindo os mesmos efeitos da atração, seria a causa da "tendência da luz na direção dos corpos diáfanos" (O4, p. 10).

Por fim, vêm as explicações fundadas apenas em princípios metafísicos, "leis às quais a própria natureza parece ter sido sujeita por uma Inteligência superior, que na produção dos efeitos a faz proceder sempre da maneira mais simples" (O4, p. 8). Nesta categoria estaria Fermat que, embora não fosse contrário à explicação pela presença de atmosferas atrativas ou ao princípio da atração, procurou deduzir os fenômenos da refração a partir de um princípio puramente metafísico. Maupertuis discute mais detidamente este último modo de explicação no qual, como veremos a seguir, fundamentará sua própria solução do problema reinterpretando a explicação oferecida por Fermat.

Quando a luz ou qualquer outro corpo vai de um ponto a outro por uma linha reta, o faz pelo menor caminho e no tempo mais curto. Assim se explica a lei de propagação da luz a partir de um princípio de simplicidade da natureza: a luz propaga-se em linha

---

as duas fontes principais de informação que Maupertuis utilizou na composição do *Acordo* são o *Suite des recherches physico-mathématiques sur la réflexion des corps* (*Continuação das pesquisas físico-matemáticas sobre a reflexão dos corpos*) (1723) de Mairan e o *Sur les explications Newtonienne & Cartesienne de la réfraction de la lumiére* (*Sobre as explicações newtoniana e cartesiana da refração da luz*) (1739) de Clairaut.

reta porque esta é a forma mais simples de se propagar. Quando a luz em propagação é refletida, dada a igualdade dos ângulos de incidência e reflexão, seu percurso ainda é o mais curto e o que se realiza num menor intervalo de tempo. Pode-se demonstrar que para ir igualmente pelo caminho mais curto e mais rápido, uma bola que vai de um ponto a outro tocando em seu trajeto uma superfície plana também deve fazer sobre esse plano um ângulo de refração igual ao de incidência: se esses dois ângulos são iguais à soma das duas linhas pelas quais a bola vai e vem, é o mais curto e é percorrido em menos tempo do que para qualquer outra soma de duas linhas obtida pela soma de ângulos diferentes. Daí, conclui Maupertuis,

> o movimento direto e o movimento refletido da luz parecem depender de uma lei metafísica, que sustenta que *a natureza, na produção de seus efeitos, age sempre pelos meios mais simples*. Se um corpo deve ir de um ponto a outro sem encontrar qualquer obstáculo, ou se ele deve ir após ter encontrado um obstáculo invencível, a natureza o conduz pelo caminho mais curto e no mais breve tempo (O4, p. 12).

Maupertuis expõe, então, como Fermat explica o fenômeno da refração por este princípio de simplicidade. Para um raio de luz ir de um ponto a outro situados em dois meios contíguos, o caminho mais curto ainda é a linha reta. Contudo, supõe-se nesse caso "por qualquer causa que tal ocorra, que a luz se move em cada meio com diferentes velocidades" (O4, p. 13) e, em virtude de tal variação de velocidade, a trajetória retilínea não é a que se percorre no tempo mais curto. Para que isso ocorra, "é preciso [...] que ao encontrar a superfície comum [aos dois meios] ele [o raio de luz] quebre-se de maneira que a maior parte de sua rota seja feita no meio onde ele se move mais rapidamente e a menor no meio onde ele se move mais lentamente" (O4, p. 13). Desse modo, obtém-se que o tempo é sempre economizado para todos os três tipos de movimento da luz, embora na propagação e na reflexão o espaço também o seja. A simplicidade que aparentemente relacionava-se ao espaço e ao tempo é, na verdade, relativa apenas ao último.

A solução de Fermat sugere que a variação da velocidade da luz acontece em função da densidade do meio e, como seria razoável, o autor não hesitou em concluir que a velocidade diminui com o aumento da densidade. Mas essa conclusão ou consequência da prova de Fermat é falsa para Maupertuis e destrói a explicação: "poderíamos acreditar num primeiro momento que a luz atravessasse mais facilmente e mais rapidamente o cristal e a água do que o ar e o vazio? Entretanto é isso que acontece" (O4, p. 14). O "paradoxo" de que a luz se move mais rapidamente nos meios mais densos é confirmado ou necessariamente suposto por "Todos os sistemas que dão alguma explicação plausível dos fenômenos da refração" (O4, p. 15). Embora não apareça explicitamente, Maupertuis está se referindo às explicações de Newton e Clariaut que, como dissera anteriormente, explicaram adequadamente o fenômeno da refração. Nesse caso, a luz, ao atravessar meios mais densos, sofre maior atração com consequente aumento de sua velocidade; com isso "todo o edifício que Fermat construíra é destruído" (O4, p. 15).

Apesar de aceitar a explicação newtoniana da refração, Maupertuis proporá uma outra explicação que tenta recuperar o estatuto "científico" do princípio de simplicidade. Isso evidencia o afastamento de Maupertuis com relação a Newton na fase de pesquisas em física teórica iniciada em 1740. A dúvida entre valer-se da atração ou de princípios metafísicos aparecerá novamente no centro da formulação do mecanismo de geração dos animais, do qual trataremos oportunamente.

A proposta de Maupertuis começa nos seguintes termos:

> Meditando profundamente sobre esse assunto, pensei que quando a luz passa de um meio para outro, abandonando já o ca-

> minho mais curto, bem poderia também não seguir aquele do tempo mais breve. Com efeito, que preferência deveria aqui haver do tempo sobre o espaço? A luz não podendo mais ir ao mesmo tempo pelo mais curto e no tempo mais breve, por que iria antes por um do que por outro desses caminhos? (O4, p. 16).

Esta pergunta conduz diretamente ao centro do problema, pois se desejamos manter um princípio de simplicidade na natureza, o mais importante será apresentar o sentido no qual, de fato, essa simplicidade manifesta-se universalmente nos fenômenos. Em outras palavras, trata-se de descobrir que quantidade é realmente economizada na produção dos efeitos naturais. Maupertuis pretende ter descoberto tal quantidade ao perceber que a luz poderia não seguir nem o caminho mais curto nem o caminho mais rápido: "ela toma uma rota que tem uma vantagem mais real: *o caminho que ela toma é aquele no qual a quantidade de ação é mínima*" (O4, p. 17). Essa quantidade de ação é explicada por Maupertuis da seguinte maneira: para que um corpo seja levado de um ponto a outro é preciso certa ação; esta, por sua vez, depende da velocidade do corpo e do espaço que ele percorre, não sendo assim nem a velocidade nem o espaço tomados separadamente. A quantidade de ação será tão maior quanto maior for a velocidade do corpo e quanto mais longo for o caminho por ele percorrido; ela é "proporcional à soma dos espaços multiplicada cada um pela velocidade com a qual o corpo percorre (como aqui há apenas um corpo, abstraímos sua massa)" (O4, p. 17). Assim definindo a quantidade de ação, Maupertuis faz a primeira afirmação do caráter universal do princípio: "é esta quantidade de ação que é aqui o verdadeiro gasto da natureza" (O4, p. 17). Temos, assim, a primeira formulação explícita do princípio da mínima ação como lei geral da natureza, mas que é ainda aplicado ao âmbito particular da óptica.

Sem entrarmos nos detalhes matemáticos da demonstração da validade do princípio para o caso da refração, Maupertuis prova essencialmente que, sendo mínima a quantidade de ação despendida para que um raio de luz vá de um ponto a outros situados em meios diferentes contíguos, o raio deve passar por um ponto da superfície comum aos dois meios que será justamente o ponto que se obtém pela lei de Snell. Daí conclui que:

> Todos os fenômenos da refração concordam agora com o grande princípio que a natureza, na produção de seus efeitos, age sempre pelas vias mais simples. Deste princípio segue que, quando a luz passa de um meio a outro, o seno de seu ângulo de refração está para o seno de seu ângulo de incidência em razão inversa das velocidades que a luz tem em cada meio (O4, p. 19).

Vemos que do princípio metafísico de simplicidade segue-se a lei de Snell e isso graças ao princípio da mínima ação que indica, como diz Maupertuis, a *vrai dépanse* da natureza.

Do mesmo modo, as outras duas leis da óptica também podem ser deduzidas do princípio metafísico de simplicidade:

> Nos dois casos, da reflexão e da propagação, a velocidade da luz permanecendo a mesma, a menor quantidade de ação determina ao mesmo tempo o caminho mais curto e o tempo mais breve. Mas este caminho mais curto e mais rápido percorrido é apenas uma consequência da menor quantidade de ação: é esta consequência que Fermat tomara por princípio (O4, p. 20).

Analogamente ao que ocorreu com o princípio ordinário da estática, o princípio de Fermat é reduzido teoricamente pelo princípio de mínima ação (representado na obra anterior pela lei do repouso) e dele passa a ser um caso particular. Contudo, aqui temos uma diferença importante: é o princípio metafísico de simplicidade que aparece no topo da cadeia dedutiva e, nesse caso, Maupertuis utilizou integralmente o método que expôs na introdução do *Lei do repouso*. Deduzindo leis naturais de um princípio metafísico, ele completa a cadeia dedutiva que vai dos princípios mais simples e claros até os detalhes dos fenômenos.

Maupertuis passa então a tratar de uma questão mais filosófica, a saber, que deduzir as leis da óptica a partir de um princípio de simplicidade significa utilizar causas finais na física: "Eu conheço a repugnância que vários matemáticos têm pelas causas finais aplicadas na física e mesmo aprovo-a até certo ponto" (O4, p. 20). Para o autor, o problema não está na utilização mesma do princípio, mas na precipitação em se tomar como princípio o que são apenas consequências. Mais precisamente, o erro não está na adoção do princípio, mas, como fez Fermat, na maneira pela qual se interpreta a expressão dessa simplicidade na natureza. Maupertuis pretendeu ter encontrado a verdadeira quantidade que é economicamente despendida na natureza e, consequentemente, a verdadeira forma de expressão natural e fenomênica da simplicidade. Temos aqui uma clara articulação dos domínios físico e metafísico na filosofia científica de Maupertuis. Mesmo sendo possível garantir o vínculo das causas finais com as leis indutivas, o domínio metafísico ainda se expressaria na aceitação da ação de Deus na produção dos fenômenos, a qual depende por sua vez de uma interpretação filosófica particular da relação que essa ação mantém com os atributos da divindade. Nesse sentido afirma Maupertuis:

> Não se pode duvidar que todas as coisas sejam reguladas por um Ser supremo que, enquanto imprimiu na matéria forças que denotam sua potência, a destinou a executar efeitos que marcam sua sabedoria: e a harmonia desses dois atributos é tão perfeita, que sem dúvida todos os efeitos da natureza poder-se-iam deduzir de cada um tomado separadamente (O4, p. 21).

A regularidade dos fenômenos reveladas nas leis é, em última análise, um efeito da ação de Deus sobre a natureza. Forças produzidas diretamente por Deus tornam a matéria capaz de produzir ações que refletem o poder divino e os efeitos dessa ação devem ocorrer numa direção que denote a sabedoria de Deus.

Todos os efeitos naturais são, para Maupertuis, uma expressão do poder e da sabedoria divinas. O ato que vincula esses atributos à natureza é uma espécie de força impressa na matéria por Deus. Tal força, ao expressar a potência ou poder de Deus, determina certas propriedades na matéria das quais se seguem necessariamente os fenômenos. Mas, ao mesmo tempo, essa força expressa a sabedoria de Deus, de modo a produzir efeitos num sentido preestabelecido que vai na direção do mais simples, do mais conveniente, do mais econômico. A harmonia desses dois atributos torna-os equivalentes quanto à sua expressão nos fenômenos naturais. É por isso que se pode, em princípio, deduzir os efeitos da natureza tanto mecanicamente, através do cálculo de propriedades (seguindo a via da potência expressa pela força), como finalisticamente, através da identificação do sentido para o qual tendem os fenômenos em suas manifestações. Mas nosso espírito não pode, por sua própria natureza limitada, seguir os dois caminhos indiferentemente na explicação dos fenômenos. O cálculo mecânico dos efeitos a partir das propriedades dos corpos é mais seguro e mais adequado em função da natureza de nosso espírito, mas não nos leva muito longe – não permite explicar grandes campos fenomênicos. É o caso da dedução das leis do movimento a partir das propriedades da matéria. A identificação das finalidades na natureza leva-nos mais longe – postulando-se uma lei metafísica de generalidade máxima ela abarcaria todo o campo fenomênico –, mas está muito mais sujeita a erros. Maupertuis recomenda utilizar ambos os métodos para combinar a segurança com a profundidade. Tudo parece indicar que o que fez no seu trabalho de óptica – e na formulação do princípio da mínima ação – foi exatamente a aplicação perfeitamente combinada desses dois métodos.

Capítulo 3

A conclusão do projeto da física: as leis do movimento e a prova científica da existência de Deus

Em seu *As leis do movimento e do repouso deduzidas de um princípio de metafísica*,[1] Maupertuis conclui o desenvolvimento de seus estudos em física teórica com a dedução das leis do movimento a partir do princípio da mínima ação. Já havia deduzido as leis do equilíbrio e da óptica e, agora, irá propor a solução de um problema ainda mais fundamental da mecânica da época: explicar com o mesmo conjunto de leis o movimento de corpos rígidos e elásticos. O princípio da mínima ação, além de ser a base para a solução desse problema particular, é agora apresentado como fundamento das leis mais gerais da física. Esse é um dos temas que estudaremos neste capítulo. Mas tal resultado não teve consequências apenas no domínio da física. Vimos que, na dedução das leis da óptica, o princípio vinculava as leis dessa ciência com o princípio de simplicidade da natureza e este, por sua vez, relacionava-se com os atributos de Deus. Em *As leis do movimento*, Maupertuis retoma tal relação e propõe uma prova da existência

---

1 Publicado nas *Mémoires de l'Académie des Sciences et Belles Lettres (Berlin)*, vol. II, p. 267-294, 1746. O texto está dividido em três partes, reproduzidas com modificações no *Ensaio de cosmologia*, de 1751. Uma reprodução da terceira parte sem a prova da lei do repouso aparece no volume IV das Obras de Maupertuis (1768) sob o título *Recherches des lois du mouvement* (*Pesquisas sobre as leis do movimento*). Uma tradução para o espanhol do texto em sua forma original aparece ainda na coletânea Maupertuis, P.-L. M. de, *El orden verosímil del cosmos*. Madrid, Alianza, 1985. No sentido de acompanhar a sequência de exposição do texto original, utilizaremos essa última tradução ao longo de nossa discussão comparando-a com as partes correspondentes que aparecem em francês nos dois textos acima citados.

de Deus a partir das leis mais gerais da física, prova que terá "a vantagem da evidência que caracteriza as verdades matemáticas" (Maupertuis, 1985 [1746], p. 113). Esta prova será outro tema central que aqui exploraremos.

Essa dupla pretensão, científica e filosófica, do texto, bem como a época em que foi composto, o torna muito especial para nossa análise. O processo de dedução das leis físicas que estivemos acompanhando chega à sua máxima generalização e, ao mesmo tempo, Maupertuis aplica os resultados que obteve numa direção francamente filosófica. Por tais razões, tomamos o estudo deste texto como fechamento desse exame da filosofia natural de Maupertuis. Contudo, se essa obra pode ser vista como conclusão de um projeto, ela igualmente inaugura novas questões e cria novos dilemas que ainda devemos examinar. A argumentação que Maupertuis faz para sua prova científica da existência de Deus inclui uma crítica das provas derivadas da contemplação das maravilhas do universo, tais como as apresentadas por Newton e seus seguidores. Dentre elas há em especial aquelas que se fundamentam na conveniência da organização das partes dos animais com suas necessidades de sobrevivência. As críticas de Maupertuis para tais provas levam a uma série de problemas que discutirei posteriormente ao tratar da geração dos animais. Assim, não tratarei aqui da primeira parte de *As leis do movimento* que é devotada a tais problemas. Feitas essas considerações, passemos à análise do texto.

Referindo-se ao princípio da mínima ação, Maupertuis escreve no prefácio da obra: "Vou tentar derivar da mesma fonte verdades de um gênero superior e mais importante" (Maupertuis, 1985 [1746], p. 103). Trata-se de derivar a existência de Deus a partir da relação de seus atributos com as leis gerais da física utilizando o referido princípio. Tais verdades não devem ser procuradas "nos pequenos detalhes, nessas partes do universo das quais conhecemos muito pouco as relações", mas, sim, "nos fenômenos cuja universalidade não sofre qualquer exceção e sua simplicidade expõe-se completamente à nossa visão" (Maupertuis, 1985 [1746], p. 112); a prova deve valer-se das "leis primeiras que ele [Deus] impôs à natureza, nas regras universais, segundo as quais o movimento se conserva e se distribui, e não nos fenômenos que são consequências demasiado complicadas dessas leis" (Maupertuis, 1985 [1746], p. 113). Mas a dificuldade na realização de tal tarefa exige o auxílio da matemática, "um guia seguro na marcha, embora não tenha ainda levado seus passos aonde queremos ir". Para o autor, "até agora a matemática quase não teve por fim senão necessidades grosseiras dos corpos ou especulações inúteis do espírito". Além de ela aparecer em obras "que não tem da matemática senão o ar e a forma e que, no fundo, não são senão a metafísica mais incerta e tenebrosa" (Maupertuis, 1985 [1746], p. 112), seu método foi utilizado na dedução de verdades relativas a objetos que lhe são estranhos – que não se expressam apenas como número e extensão – e que, portanto, carecem da simplicidade própria dos objetos matemáticos. A certeza matemática "não depende nem das grandes palavras [tais como Lema, Teorema e Corolário], nem inclusive do método que seguem os geômetras, senão da simplicidade dos objetos que consideram" (Maupertuis, 1985 [1746], p. 113).

Com tais afirmações, podemos ver que Maupertuis pretende que sua prova da existência de Deus possua a certeza das demonstrações matemáticas e, para tanto, deverá não apenas aplicar o método dedutivo como também utilizar objetos cuja simplicidade seja equivalente à dos objetos específicos da matemática. Assim procedendo, sua prova terá "a vantagem da evidência que caracteriza as verdades matemáticas" e "Aqueles que não têm bastante confiança nos raciocínios metafísicos encontrarão mais segurança nesse gênero de provas e aqueles que não fazem muito caso das provas populares encontrarão nessa mais exatidão e elevação" (Maupertuis, 1985 [1746], p. 113).

Os fenômenos abarcados pelas leis do movimento e do repouso possuem a universalidade exigida pela prova pretendida por Maupertuis, mas, tal como foram desenvolvidas pela física e pela matemática até então, não possuem toda a simplicidade que exige uma prova de natureza puramente matemática: "aqueles que nos deram [essas leis] apoiaram-se sobre hipóteses que não eram puramente geométricas", ou seja, aplicaram à matemática objetos distintos da extensão e dos números e, assim, "sua certeza não parecia estar fundada sobre demonstrações rigorosas". É por isso que, mesmo podendo, em princípio, "partir dessas leis, tal como nos dão os matemáticos e tal como a experiência as confirma e buscar ali os caracteres da sabedoria e do poder do Ser supremo", Maupertuis acreditou ser mais seguro e mais útil "deduzir essas leis dos atributos de um Ser todo-poderoso e sapientíssimo" (Maupertuis, 1985 [1746], p. 113).

Nesse ponto do argumento não fica claro se Maupertuis está dizendo implicitamente que tais atributos gozam da simplicidade que tornam os objetos adequados para uma prova matemática. De qualquer forma, podemos fundamentar a escolha desse caminho dedutivo no método de investigação que Maupertuis descreveu em seu estudo da óptica. Podemos obter leis naturais calculando as propriedades dos corpos a partir da hierarquia de propriedades reveladas pela experiência. Mas as leis assim obtidas incluem imprecisões oriundas da empiria que comprometem a simplicidade exigida para as certezas matemáticas; daí, as leis não nos levam com segurança até verdades superiores e mais importantes. O método que aparece para suprir tal limitação funda-se na busca de finalidades na natureza que, por sua vez, depende de uma consulta dos desejos da Inteligência que faz mover os corpos (cf. O4, p. 22), desejos que devem condizer a um Ser onisciente e onipotente. É por essa via que Maupertuis elabora sua prova e que tem como fundamento o seguinte raciocínio: "Se as [leis] que encontro por essa via são as mesmas que de fato são observadas no universo, não é a mais forte prova de que este Ser existe e de que é ele o autor dessas leis?" (Maupertuis, 1985 [1746], p. 114).

Na óptica, Maupertuis percebeu que no movimento do raio luminoso havia uma tendência da natureza no sentido de economizar a quantidade de ação despendida em todas as modalidades desse movimento (propagação livre, com reflexão e com refração). Com tal economia era possível deduzir as leis da óptica do princípio de simplicidade. No final de *As leis do movimento* (terceira parte), Maupertuis demonstra matematicamente que a mesma quantidade é economizada no movimento de qualquer tipo de corpo. Parece-nos, portanto, que o esforço de Maupertuis será no sentido de mostrar que apenas um Ser em que a onipotência e a onisciência estão em perfeita harmonia poderia determinar um conjunto de leis que obedecessem a tal tendência.

Logo após anunciar o caminho teórico que sua prova seguirá, Maupertuis apresenta a ideia que a sustenta, mas o faz juntamente com o exame de uma importante objeção que a ela poderia ser feita. Tal objeção, que se relaciona igualmente com os dois métodos de investigação aludidos anteriormente, é a seguinte:

> embora as regras do movimento e do repouso não tenham sido até agora demonstradas senão por hipóteses e experiências, que são talvez consequências necessárias da natureza dos corpos; e não tendo nada de arbitrário em seu estabelecimento, [por que] atribuis a uma Providência o que não é senão o efeito da necessidade? (Maupertuis, 1985 [1746], p. 114).

Mesmo que ainda não se tenha chegado a um princípio físico universal, as leis obtidas a partir do exame dos fenômenos – do cálculo de propriedades – não fazem qualquer suposição adicional sobre tendências da natureza e, talvez, seja possível futuramente resolver por essa via os desacordos que ainda impedem a identificação do princípio mais universal que reduz as leis do movimento e do repouso a um mesmo princípio. Se isso acontecesse, todo traço de finalidade poderia ser apagado da natureza e, aparentemente, não haveria sentido em dizer que é uma Providência que regula os fenômenos, já que as leis que os regem são consequências necessárias da própria natureza dos corpos. Essa possibilidade já foi criticada por Maupertuis dado seu caráter restritivo: embora o método das hipóteses e experiências seja mais seguro, ele não nos leva muito longe, pois a complexidade implicada para grandes conjuntos de fenômenos combinada com a pouca extensão de nosso espírito limita necessariamente a profundidade de nossas deduções. Mas, mesmo que isso ocorresse, Maupertuis sustentaria sua prova e apresenta, então, o seu fundamento:

> Se é certo que as leis do movimento e do repouso são consequências indispensáveis da natureza dos corpos, isso mesmo prova ainda mais a perfeição do Ser supremo, isto é, que todas as coisas estão ordenadas de tal modo, que uma matemática cega e necessária executa o que a inteligência mais iluminada e mais livre prescreveria (Maupertuis, 1985 [1746], p. 114).

Mesmo em um universo cujas leis são consequências necessárias da natureza dos corpos, Maupertuis nele encontra espaço para uma finalidade providencial. A matemática – ou mecânica, como disse em obras anteriores – cega e necessária que opera na conformação dos fenômenos às suas propriedades está a serviço de uma Inteligência divina.

A sustentação dessa opinião depende de uma avaliação dos resultados das pesquisas no sentido de buscar pelos princípios da física e pelos fundamentos da filosofia natural. Esforços foram feitos tanto no sentido de deduzir as leis mais gerais a partir de suposições filosóficas sobre o papel de Deus e das tendências na natureza como no sentido de deduzir as leis a partir da experiência. Maupertuis faz uma exposição comentada dessas questões.

Começando pelos antigos, afirma que, enquanto os fenômenos do equilíbrio já eram bem conhecidos, a dificuldade que encontraram em explicar o movimento levou à negação de sua existência. Segundo o autor, os argumentos que utilizaram "poderia negar o movimento apenas com raciocínios que destruiriam a existência de todos os objetos externos a nós próprios, que reduziria o universo a nosso próprio ser e todos os fenômenos às nossas percepções" (Maupertuis, 1985 [1746], p. 114). Mas, sendo assim, indaga, logo a seguir, se tal consequência (que, como veremos no próximo capítulo sobre a linguagem, Maupertuis estaria disposto a aceitar) aplicar-se-ia apenas ao movimento. Pergunta ele: "há muitas outras coisas que conhecemos de outro modo?". O mesmo ocorreria para outros conceitos centrais da física como a "força motriz'' ou "potência que tem um corpo em movimento de mover outros" que são apenas "palavras inventadas para suprir nossos conhecimentos e que designam apenas os resultados dos fenômenos". Retomando o argumento desenvolvido no *Discurso sobre a figura dos astros*, reafirma que "o hábito nos impede de sentir tudo o que há de maravilhoso na comunicação do movimento" (Maupertuis, 1985 [1746], p. 114) e, de fato, desconhecemos como os corpos agem uns sobre os outros. Evocando novamente a hierarquia de propriedades como fonte fenomênica de compreensão do que se passa no choque, apresenta uma síntese de suas reflexões sobre o problema, agora mudando um pouco os termos da explicação:

> Vemos partes de matéria em movimento, vemos outras em repouso; o movimento não é então uma propriedade essencial da matéria: é um estado no qual ela pode encontrar-se ou não se encontrar, e não vemos que ela própria possa ser encontrada.
>
> As partes da matéria que se movem na natureza têm recebido então seu movimento de alguma causa estranha, que até agora me é desconhecida. E como elas próprias são indiferentes ao

> movimento ou ao repouso, as que estão em repouso nele permanecem e as que se movem uma vez, continuam movendo-se até que uma causa mude seu estado.
>
> Quando uma parte de matéria em movimento encontra outra em repouso, comunica-lhe uma parte de seu movimento ou inclusive todo o seu movimento. E como o encontro de duas partes de matéria, na qual uma está em repouso e a outra em movimento, ou que estão uma e outra em movimento, é sempre seguido de alguma mudança no estado dos dois, o choque parece a causa desta mudança, embora fosse absurdo dizer que uma parte de matéria que não pode mover a si mesma possa mover uma outra (Maupertuis, 1985 [1746], p. 116).

Um estado é propriedade de algo mas não é algo e, daí, a dificuldade em identificá-lo ou caracterizá-lo em si mesmo. O estado de inércia é interpretado como uma espécie de indiferença natural dos corpos ao movimento ou ao repouso. Sendo indiferente, esse algo que se manifesta no choque pode modificá-la e a expressão dessa modificação constitui o conjunto de fenômenos mais importantes da física: as mudanças de estado de movimento e de repouso dos corpos. A causa fenomênica dessas mudanças parece ser o choque, mas, e antes do choque, o que ocorre? Seja considerando o que acontece antes de cada choque individual, seja para um suposto primeiro choque (seja interpretando o termo "primeiro" na ordem dos eventos que compõem um fenômeno mecânico particular, ou tomando primeiro na ordem de todos os eventos do universo), o problema da causa primeira do movimento aparece em pauta e Maupertuis dele passa a tratar.

Citando Aristóteles, que "Para encontrar a primeira causa do movimento [...] recorreu a um primeiro motor imóvel e indivisível", passa logo em seguida a tratar da solução ocasionalista de Malebranche: "Um filósofo moderno reconheceu Deus não apenas como autor do primeiro movimento imprimido à matéria, mas também acreditou continuamente necessária a ação de Deus em todas as distribuições e modificações do movimento" (Maupertuis, 1985 [1746], p. 116). Na avaliação do autor, tal proposta negava que os corpos teriam o poder de mover outros porque não se podia compreender como isso ocorria: "colocaram a causa do movimento em Deus por não saber onde colocá-la; não podendo conceber que a matéria tivesse qualquer eficácia para produzir, distribuir e destruir o movimento recorreram a um Ser imaterial" (Maupertuis, 1985 [1746], p. 117). Apesar dessa crítica, devemos lembrar que Maupertuis está claramente tentando estabelecer uma interpretação sobre a ação de Deus na natureza. Para se estabelecer a verdadeira interpretação deve-se, antes de tudo, como vimos nos estudos em óptica, conhecer a verdadeira quantidade despendida na produção dos fenômenos que, por sua vez, revela a expressão fenomênica do princípio de simplicidade. Assim, a proposta de Malebranche pode ser entendida como precipitada, pois:

> Seria preciso saber que todas as leis do movimento e do repouso estavam fundadas sobre o princípio mais conveniente para ver que deviam seu estabelecimento a um Ser todo-poderoso e sapientíssimo, seja que este Ser atue imediatamente, seja que tenha dado aos corpos o poder de atuar uns sobre os outros, seja que tenha empregado algum outro meio que nos é menos conhecido ainda (Maupertuis, 1985 [1746], p. 117).

Malebranche já opta pela ação imediata de Deus antes de conhecer o princípio conveniente para o exercício dessa ação.

Esse ponto é crucial para a compreensão de boa parte dos problemas que trataremos. Primeiramente porque Maupertuis apresenta três possibilidades de interpretação da ação de Deus na produção dos fenômenos: (1) imediata, (2) mediada por um poder que Deus atribui imediatamente aos corpos ou (3) por um outro meio desconhecido. Aqui, em *As leis do movimento*, o autor não opta explicitamente por nenhuma delas, mas, como discutiremos mais abaixo, seu pensamento vai na direção da segunda proposta. Em segundo lugar, o autor exige que o princípio que se utilize para estabelecer qualquer dessas três possibilidades seja *conveniente*. Essa conveniência pode ser entendida em dois sentidos distintos, mas que se complementam. O princípio deve (1) ser capaz de estar de acordo com os atributos de Deus e (2) dele devem deduzir-se as leis mais gerais da natureza, tal como foram descobertas por hipóteses e experiências. A argumentação que se segue vai no sentido de mostrar a falência dos sistemas de filosofia natural em atender a essa segunda exigência.

Para o autor, a lei do repouso ou do equilíbrio é de há muito conhecida, mas não se sabe até hoje o que elas têm a ver com as leis do movimento, que são muito mais difíceis de descobrir. Estando atrasados quanto ao conhecimento do movimento, os antigos apenas sofismaram sobre o que seria sua natureza ou negaram sua existência. Depois que se introduziu o verdadeiro modo de filosofar, as especulações foram abandonadas e procurou-se saber "segundo que leis [o movimento] distribui-se, conserva-se e destrói-se: sentiu-se que essas leis eram o fundamento de toda a filosofia natural" (Maupertuis, 1985 [1746], p. 117). Descartes procurou-as e fracassou, mas Huygens, Wallis e Wren tiveram êxito; os matemáticos também o tiveram, mas por outras vias. Estes últimos estavam de acordo quanto às leis para os corpos elásticos, mas discordavam para aquelas dos corpos rígidos.

O desacordo sobre como o movimento é distribuído entre corpos rígidos que se chocam levou à negação da existência de tais corpos na natureza: eles seriam, na realidade, corpos elásticos cuja alteração da forma no choque é imperceptível. Experiências com esferas de marfim, aço ou vidro que se chocam e em cuja superfície são pintadas manchas de tinta mostraram que tais corpos usualmente considerados rígidos eram, de fato, elásticos. A essas experiências, continua Maupertuis, somaram-se raciocínios metafísicos: "pretende-se que a dureza tomada no sentido rigoroso exigiria na natureza efeitos incompatíveis com certa lei de continuidade" (Maupertuis, 1985 [1746], p. 118). Dois corpos absolutamente rígidos teriam, no choque, alterações instantâneas de velocidade, sem passar por estágios ou valores intermediários, o que violaria a expressão da continuidade nessa grandeza. Respondendo a tais questões, Maupertuis faz suas primeiras reflexões sobre a constituição dos corpos e sobre a natureza de suas partes elementares. Para o autor,

> Não sei se se conhece bastante a maneira pela qual o movimento se produz ou esgota-se para poder dizer que a lei de continuidade estivesse aqui violada; inclusive, não sei bem o que é essa lei. Quando se supõe que a velocidade aumenta ou diminui por graus, não haveria sempre falhas de um grau para outro? E as falhas imperceptíveis não violariam tanto a continuidade que seria a destruição súbita do universo? (Maupertuis, 1985 [1746], p. 119).

Sabemos que para Maupertuis a existência de corpos rígidos é fundamental, visto que as leis que descrevem especificamente o movimento desses corpos são deduzidas do princípio da mínima ação e, portanto, são válidas. Se aqui rejeita a aplicação da lei da continuidade para essa questão particular, mas crucial, vê-lo-emos aceitando o princípio para outras questões.[2] Faz sentido, pois, ter aqui declarado sua dúvida sobre o que seja exatamente tal lei. De qualquer modo, sua resposta vai no sentido de que sempre é possível imaginar variações discretas no intervalo de uma grandeza que se considera contínua.

---

2 No *Vênus física*, texto composto dois anos antes, para sustentar que a diversidade dos processos de reprodução nos animais são variações de um mesmo processo geral, o autor afirmou que a natureza não faz saltos.

Quanto às experiências aludidas, elas mostrariam para Maupertuis apenas que podemos confundir a dureza com a elasticidade – que há corpos que vulgarmente consideramos duros quando, de fato, são elásticos. Mas isso não prova de modo algum que dureza e elasticidade são a mesma coisa, que todos os corpos que ordinariamente se considera rígidos são, de fato, elásticos. Ao contrário, "desde que se refletiu sobre a impenetrabilidade dos corpos, parece que ela não é diferente de sua dureza; ou ao menos parece que a dureza dela seja uma consequência necessária" (Maupertuis, 1985 [1746], p. 119). A dureza ou rigidez poderia não existir sem a impenetrabilidade, que é uma das mais fundamentais propriedades dos corpos e cuja existência é unanimemente reconhecida em física. Além disso, para que a maioria dos corpos apresente elasticidade é preciso que suas partes se separem ou "dobrem-se" entre si e "isso ocorre apenas porque os corpos são acúmulos de outros corpos: os corpos simples, os corpos primitivos que são os elementos de todos os demais, devem ser rígidos, inflexíveis e inalteráveis" (Maupertuis, 1985 [1746], p. 119). Temos, pois, uma tendência claramente atomista em Maupertuis. Os corpos em geral são constituídos por corpos elementares que devem ser rígidos, inflexíveis e inalteráveis e, podemos inferir, indivisíveis. A elasticidade de um corpo parece, então, conforme tem mostrado o exame dessa propriedade, "depender apenas de uma estrutura particular dos corpos, que deixa entre suas partes intervalos nos quais se pode dobrar" (Maupertuis, 1985 [1746], p. 119). Daí conclui:

> Parece, então, que seria mais fundado sustentar que todos os corpos primitivos são duros do que pretender que não haja corpos duros na natureza. Contudo, não sei se a maneira pela qual conhecemos os corpos permite um ou outro acerto. Se se quer reconhecê-lo, convir-se-á que a razão mais sólida que se teve para não admitir senão corpos elásticos tenha sido a impotência

em que se estava para encontrar as leis da comunicação do movimento dos corpos duros (Maupertuis, 1985 [1746], p. 119).

Na dúvida sobre a constituição dos corpos elementares, Maupertuis optaria por um atomismo no qual as partes elementares da matéria seriam corpos rígidos e indivisíveis. Leibniz e seus seguidores consideraram que todos os corpos são elásticos porque não puderam encontrar a lei que explicasse a comunicação do movimento no choque de corpos rígidos. Descartes admitiu a existência de corpos rígidos mas, por tomar incorretamente a conservação da quantidade de movimento como princípio geral, as leis do movimento que deduziu eram falsas. Filósofos posteriores acreditaram que o que se conservava invariável era a quantidade de força viva e, mesmo que não se tome tal conservação como um princípio geral, dela podem deduzir-se as leis do movimento. Mas tal conservação ocorre apenas no choque entre corpos elásticos. Com tais resultados, Maupertuis apresenta como saldo final das pesquisas da época que: "A conservação do movimento não é certa senão em certos casos. A conservação da força viva não tem lugar senão para certos corpos. Nem uma nem outra podem passar por um princípio universal, nem por um resultado geral das leis do movimento" (Maupertuis, 1985 [1746], p. 120).

Os que refletiram sobre o estabelecimento desses princípios – conservação da quantidade de movimento e conservação da força viva – viram que eles não concordavam entre si e ambos não concordavam com a lei do repouso. Desse modo, reconheceram que nenhuma das propostas era conveniente e, portanto, ainda não se chegara a um princípio realmente universal. Maupertuis pretende tê-lo feito:

Após tantos grandes homens terem trabalhado sobre essa matéria, quase não me atrevo a dizer que descobri o princípio universal sobre o qual estão fundadas todas as leis que se esten-

> dem igualmente aos corpos duros e aos corpos elásticos, de onde depende o movimento e o repouso de todas as substâncias corporais (Maupertuis, 1985 [1746], p. 121).

Trata-se, evidentemente, do princípio da mínima quantidade de ação que, aparecendo pela primeira vez no *Acordo de diferentes leis da natureza*, ao ser aplicado no âmbito da óptica, reaparece agora aplicado às leis do movimento:

> No choque dos corpos, o movimento distribui-se de maneira que a quantidade de ação que supõe o movimento ocorrido é a menor que seja possível.[3] No repouso, os corpos que estão em

3 A demonstração matemática dessa proposição, que aparece na terceira parte da *Memória*, não inclui novos desenvolvimentos filosóficos além daqueles que aparecem nas duas primeiras e, assim, apresentaremos aqui apenas um esquema geral da prova. Quanto à dedução da lei do repouso, a prova que aparece é essencialmente a mesma que apresentou no texto de 1740 e que leva o mesmo nome. Difere apenas que, agora, o princípio da mínima ação aparece como lei geral da natureza (e não apenas como lei geral da estática).

O resultado teórico principal da aplicação do princípio da mínima ação às leis do movimento é a demonstração da validade tanto do princípio de conservação da quantidade de movimento como do princípio de conservação da força viva, se interpretados segundo a economia de ação na produção dos movimentos. Vimos que, segundo a exposição de Maupertuis, tanto um como outro desses princípios não podiam ser tomados como princípios gerais, já que o primeiro se aplicava apenas a certos casos e o segundo não era válido para os choques com corpos rígidos. A verdadeira grandeza que é economizada na natureza em todos os fenômenos mecânicos (como foi demostrado também ser verdadeiro para o movimento da luz) é a quantidade de ação. A prova de Maupertuis revela que, tanto na conservação da quantidade de movimento no choque de corpos rígidos como na conservação da quantidade de força viva nos choques de corpos elásticos, o que está ocorrendo é, na realidade, uma tendência de minimizar nos dois casos a quantidade de ação despendida na produção dos efeitos que o choque terá no movimento dos corpos. Podemos dizer que essa diferença de grandezas que se conservam segundo o tipo de corpo envolvido é um efeito secundário ou uma espécie de ajuste para que a quantidade de ação seja a mínima possível. Assim, os princípios de conservação da quantidade de movimento e da força viva passam a ser casos particulares do princípio da mínima quantidade de ação.

Um desenvolvimento completo das deduções com notação matemática mais moderna aparece como apêndice em Beeson (cf. 1992, p. 273-6).

> equilíbrio devem estar situados de tal modo que, se experimentassem algum pequeno movimento, a quantidade de ação seria a menor (Maupertuis, 1985 [1746], p. 121).

Sendo este, então, o princípio verdadeiramente conveniente para o estabelecimento da prova da existência de Deus, ela aparece logo a seguir como último parágrafo e conclusão da segunda parte da obra:

> As leis do movimento e do repouso deduzidas deste princípio encontram-se precisamente as mesmas que são observadas na natureza: podemos admirar sua aplicação em todos os fenômenos. O movimento dos animais, a vegetação das plantas, a revolução dos astros não são senão as consequências, e o espetáculo do universo faz-se muito maior, mais belo, mais digno de seu Autor quando se faz com que um pequeno número de leis, as mais sublimes estabelecidas, bastassem para todos esses movimentos. É assim que se pode ter uma ideia justa do poder e da sabedoria do Ser supremo e não quando se julga por alguma pequena parte da qual não conhecemos nem a construção, nem o uso, nem a conexão que tem com as outras. Que satisfação para o espírito humano, ao contemplar essas leis, que são o princípio do movimento e do repouso de todos os corpos do universo, encontrar a prova da existência daquele que o governa! (Maupertuis, 1985 [1746], p. 121).

Para que aqui possamos identificar mais claramente a prova anunciada pelo autor é preciso analisá-la à luz de outros resultados e discussões feitas em obras anteriores.

Como já ressaltamos, o princípio da mínima ação foi obtido segundo um método que exige uma consulta dos desejos da Inteligência que faz mover os corpos (cf. O4, p. 22). Assim, a relação mais estreita que podemos imaginar entre os atributos de Deus e o princípio da mínima ação é que, de algum modo, a economia condiz com a ação de um Ser cuja onipotência e onisciência estejam em perfeita harmonia.[4] Mas resta esclarecer melhor como, para Maupertuis, a ação de Deus teria estabelecido as leis que regulam os fenômenos. Para tanto podemos novamente retomar o estudo sobre óptica. Nele, bem como no texto que estamos analisando, o autor afirma que a ordem de todas as coisas é tal que uma mecânica ou matemática cega e necessária executa o que a inteligência mais iluminada e mais livre prescreve, mas a explicação de como Deus ordenou as coisas para que tal matemática ou mecânica se instaurasse aparece apenas no primeiro texto. Como vimos ali, Deus imprimiu à matéria forças que denotam sua potência e o fez de modo que tal força agisse no sentido de executar efeitos que marcam sua sabedoria. Assim, dos atributos de Deus decorre a natureza de sua ação na determinação da estrutura do universo. Foi preciso pelo menos uma ação imediata de Deus sobre a matéria – na forma de uma força impressa –, cujos efeitos posteriores são mecânicos. Deus não precisa regular ou aplicar as leis e agir sobre os fenômenos o tempo todo (como diria Malebranche), pois tem uma mecânica necessária à sua disposição. Temos a prova de que o universo foi criado e é regulado por um Ser cuja infinitude da potência não entra em conflito com a liberdade da inteligência quando descobrimos que no universo existe uma necessidade a serviço de uma finalidade.

---

4 No texto sobre óptica, tal relação estava sustentada no princípio de simplicidade. Aqui no *As leis do movimento*, Maupertuis não menciona o princípio, mas podemos dizer que ele está implicitamente implicado em seu argumento. Acreditamos que a simplicidade se expresse ainda numa economia de leis: um universo onde um pequeno número de leis bastasse para produzir todos os fenômenos seria "muito maior, mais belo e mais digno de seu Autor" (Maupertuis, 1985 [1746], p. 21). Esse pequeno número de leis seria a marca da fonte divina do universo; analogamente, um pequeno número de princípios, e dos princípios mais simples, que explica o máximo de fenômenos, é a marca do melhor sistema de filosofia natural.

Capítulo 4

Uma incursão filosófica dentro do projeto da física: estudos sobre a linguagem

Sobre a composição e o significado da obra

Antes de apresentarmos, no próximo capítulo, uma síntese e uma conclusão de nosso estudo da filosofia natural de Maupertuis, trataremos no presente capítulo do primeiro texto filosófico do autor, o *Reflexões filosóficas sobre a origem das línguas e do significado das palavras*, obra que contém importantes elementos de sua epistemologia. Através de um estudo detalhado sobre a composição dessa obra, Beeson estabeleceu que o ano de publicação de sua primeira edição é 1740 e não, como até então se considerou, 1748. O autor mostra que, em uma carta de 2 de maio de 1740, Maupertuis consulta Joahann (II) Bernoulli sobre a publicação da obra e em 15 de novembro do mesmo ano Maupertuis recebe as primeiras cópias do trabalho. Sabemos, então, que o texto foi composto na mesma época em que iniciou a construção de sua física e a elaboração do princípio da mínima ação.[1]

---

1 Escreve Beeson, "Em 2 de maio de 1740 Maupertuis escreve para Joahann (II) Bernoulli perguntando se 'os livreiros da Basileia imprimem sem permissão e se eu poderia rogar-vos de me fazer imprimir algo que demandaria que vós revísseis as provas'. Não é, entretanto, até sua carta de 1º de agosto que nós conhecemos o título do texto em questão: 'eu vos rogo de me imprimir da melhor maneira possível in-8º. Como ele é extremamente curto, é preciso aumentar o volume pela beleza e pela espessura do papel [...] eu não quero qualquer vinheta nem 'Cul de lampe'; mas o título repetido no alto de cada página assim entre duas linhas – Origine des Lingues – eu não quero dele tirar senão 50 exemplares ou 100 no máximo'. Por volta de 15 de novembro de 1740, Maupertuis recebeu as primeiras cópias do tra-

O tema fundamental do texto é a relação da linguagem com o conhecimento e propõe como ideia central a contingência do último em função do modo de construção da primeira. Que sentido teriam esses estudos ao lado das pesquisas em física que Maupertuis vinha realizando? Para Beeson, a composição do *Reflexões filosóficas* em 1740 é significativa, pois, além de mostrar a originalidade de Maupertuis (sua obra passa a ser anterior à de Condillac, cuja influência sobre Maupertuis era afirmada como evidente antes da redatação da obra), "significa que o trabalho pertence ao período de transição entre as duas maiores épocas da carreira intelectual de Maupertuis, refletindo preocupações que vêm do período anterior, mas que também estabelece vários dos temas que marcariam seu trabalho posterior" (Beeson, 1992, p. 154).

Há ainda um fato que nos parece relacionado com a composição da obra, a saber, o encontro de um monumento arqueológico com estranhas inscrições localizado pela equipe de Maupertuis durante a expedição à Lapônia. O estudo que faremos do texto já indica o sentido de tal relação: em suas conjecturas sobre a origem das línguas, Maupertuis supõe a existência, no passado, de línguas primitivas compostas por caracteres simples. Porém não aprofundaremos aqui a discussão do sentido da relação que estamos sugerindo, pois ela depende da análise dos estudos de Maupertuis sobre a geração dos organismos que, juntamente com outros detalhes, faremos posteriormente. O mesmo pode ser dito para algumas consequências filosóficas do texto – em especial o papel da percepção e da memória no conhecimento – que são

---

balho. Ele escreveu na época a Bernoulli com pesar sobre a doença recente, embora pareça dizer respeito mais ao seu texto do que ao amigo" (1992, p. 153). O autor localizou um exemplar da edição de 1740: ela corresponde à descrição e está cheia de erros, o que justifica igualmente as reclamações de Maupertuis na carta. Beeson (cf. 1992, p. 153) conclui ser a primeira edição isolada (fora de coletâneas) do *Reflexões filosóficas* de 1740 – e não a de 1748 (como se considerava até então).

aprofundados posteriormente em outras obras do autor. Assim, apresentaremos nesta seção uma descrição do conteúdo do texto enfocando os aspectos epistemológicos que se relacionam mais diretamente com a construção da filosofia natural de Maupertuis. Tal relação, por sua vez, será discutida mais detalhadamente no próximo capítulo.

Os temas do *Reflexões filosóficas* que se vinculam diretamente com os elementos da filosofia natural de Maupertuis são (1) a relação do conhecimento com a percepção e desta com a linguagem, (2) a crítica das noções de substância e modo e (3) o problema da relação da causa das percepções com a existência do mundo exterior. Dividiremos a análise do texto segundo esses três temas fundamentais.

A relatividade do conhecimento em função da linguagem

O ensaio propõe um estudo da origem das línguas através de uma série de suposições sobre como teriam sido construídas as primeiras línguas humanas. Maupertuis imagina um processo geral de formação das línguas que começa com a atribuição de signos simples às primeiras percepções e que, a seguir, vai se sofisticando pela análise e comparação dos componentes ou partes dessas primeiras percepções individuais juntamente com a decomposição dos signos simples no sentido de designarem as partes comuns e não comuns das diversas percepções. Com esse processo Maupertuis não pretende identificar as origens temporal e espacial das línguas humanas, mas mostrar as consequências que a gênese das línguas têm para o conhecimento que elas expressam, especialmente no que diz respeito ao significado de noções filosóficas fundamentais. Assim, acreditamos que o *Reflexões filosóficas* é, fundamentalmente, um ensaio de epistemologia. Maupertuis diz que a investigação que irá realizar é importante "não apenas pela influência que as línguas têm sobre nossos conhecimentos, mas, também, por podermos reencontrar na construção das línguas vestígios dos primeiros passos dados pelo espírito humano" (O1, p. 261). As condições iniciais sob as quais as primeiras línguas foram construídas são, para o autor, epistemologicamente privilegiadas na medida em que operaram com percepções "puras" ainda não mediadas pela linguagem. Como consequência desse acesso imediato aos fenômenos, o conteúdo expresso nas proposições dessas línguas primitivas seria mais verdadeiro. A transformação das línguas de seu estado original até o atual (até o século XVII para Maupertuis) teria ocorrido de forma variada, o que teria, por sua vez, determinado, em diversos graus, um afastamento da expressão original das percepções e um obscurecimento da verdade expressa pela linguagem. Teríamos por fim, como consequência de todos esses fatores, os desacordos presentes nas teorias científicas e nos sistemas filosóficos elaborados ao longo do tempo. Desse modo, Maupertuis acredita que a raiz dos problemas teóricos enfrentados pelo homem está na gênese da linguagem, cujo estudo pode recuperar o verdadeiro e original significado das palavras e dos conceitos que elas engendraram.

O alvo inicial da análise do processo de elaboração da linguagem seria um conhecimento não expresso por qualquer linguagem ou que o fosse através de uma língua primitiva e simples capaz de ainda guardar uma relação mais direta com os fenômenos. Maupertuis aponta como fontes desse conhecimento imediato (1) "povos selvagens o bastante para nos instruir na pesquisa de uma verdade pura que cada geração obscureceu" (O1, p. 263) e (2) o conhecimento que obtemos nas primeiras fases de nossa vida, principalmente logo após o nascimento, quando nossas percepções ainda não foram transfiguradas pela linguagem. Contudo, não temos acesso a essas duas fontes, pois todas as línguas em estado de simplicidade original provavelmente já desapareceram e as percepções das primeiras fases da vida foram esquecidas ou obscurecidas ao longo do crescimento e da educação através da aprendizagem e do uso das línguas atualmente disponíveis. Em vista disso, Maupertuis apresenta um processo hipotético de formação da linguagem a partir de uma série de conjecturas sobre os diversos estágios envolvidos em sua elaboração.

Primeiramente Maupertuis supõe que

> com as mesmas faculdades que possuo de perceber e de raciocinar, eu tivesse perdido a lembrança de todas as percepções e de todos os raciocínios que fiz; que, após um sono que me fez de tudo esquecer, eu me encontrasse subitamente tocado por percepções tais como o acaso me apresentasse (O1, p. 264).

A essas percepções imediatas Maupertuis associa signos simples cuja função é apenas identificar e distinguir as percepções entre si. Atribui assim os signos *A* e *B* às percepções que atualmente experimentamos quando dizemos "eu vejo uma árvore" e "eu vejo um cavalo", respectivamente. Aumentando o número de percepções, a elas seriam do mesmo modo atribuídos novos símbolos simples. Num dado momento, conjectura Maupertuis, a memória não mais reteria o conjunto dos signos atribuídos e isso tornaria necessária a construção de outra linguagem. Isso ocorreria, basicamente, através de uma comparação das percepções de modo a identificar o que têm ou não em comum; veríamos que "certas percepções têm algo de parecido e uma mesma maneira de afetar-me que eu poderia compreender sob um mesmo signo" (O1, p. 265). Tomando os dois exemplos anteriores, percebe-se que as duas percepções são distintas em função do que é percebido (árvore e cavalo) mas iguais com respeito ao modo pelo qual a percepção nos afeta (visualmente). Os signos simples passam a ser compostos no sentido de designar distintamente o objeto percebido e o tipo de percepção: o signo *A* passa a ser *CD* e o signo *B* passa a ser *CE*, onde *C* simboliza "eu vejo" e *D* e *E* simbolizam "árvore" e "cavalo", respectivamente.

Enquanto a parte invariável de uma percepção não muda, o signo simples pode continuar o mesmo; caso contrário, deve-se subdividir ainda mais o signo. Assim, para designar as percepções "eu vejo dois leões" e "eu vejo três corvos", Maupertuis utiliza os signos *CGH* e *CIK*. Através desse processo, "adquiro assim signos para as partes dessas percepções que poderiam entrar na composição de signos de que eu me serviria para exprimir outras percepções que teriam partes semelhantes àquelas das percepções precedentes" (O1, p. 266). O processo poderia continuar e, enquanto não quisermos descrever uma dada parte de uma percepção, um signo basta para designá-la; se quisermos analisar as partes de uma parte, é preciso ainda subdividir os signos. Segundo os exemplos dados, o signo *C*, que agora é explicitado como designando "eu vejo", mudará quando quisermos designar outra forma pela qual uma percepção nos afeta.

É desse modo que Maupertuis diz que as línguas se formam e que, assim sendo, podem levar a erros capazes de alterar todo o nosso conhecimento. Portanto, "é da maior importância conhecer a origem das primeiras proposições, o que elas eram antes das línguas estabelecidas ou o que seriam se se tivessem estabelecido outras línguas", pois "O que chamamos nossas ciências dependem [...] intimamente das maneiras pelas quais nos servimos para designar as percepções". Dessa dependência Maupertuis tira duas importantes conclusões: "parece-me que as questões e as proposições seriam todas diferentes se se tivesse estabelecido outras expressões a partir das primeiras percepções" (O1, p. 268) e "Parece-me que jamais teríamos feito nem questões, nem proposições se nos tivéssemos detido nas primeiras expressões simples *A*, *B*, *C*, *D* etc." (O1, p. 268).

Maupertuis atribui como causa inicial de todo o processo de construção das línguas atuais a limitação da memória humana, e isso o leva a concluir que "nesta ocasião mais do que em qualquer outra, pode-se dizer que a memória é oposta ao julgamento" (O1, p. 268). É essa limitação que nos levou a combinar coisas entre si "para nelas descobrir suas relações de conveniência ou de oposição; e é disso que nascem o que chamamos nossas ciências" (O1, p. 269) . Um suposto povo que, mesmo com uma memória limitada, tivesse um pequeno número de percepções para expressar e que utilizasse apenas signos simples, poderia não formular as mesmas questões que possuímos. Mas um segundo povo hipotético que tivesse todas as percepções que temos atualmente, e que sua memória permitisse valer-se apenas de símbolos simples, estaria na mesma situação do primeiro. O número de percepções poderá ser igual entre dois povos, mas aquele que possui a linguagem simples aludida não levanta questões e desacordos quanto ao que se percebe.

A crítica das noções de substância e modo

Maupertuis passa então a explicar como teriam sido estabelecidas nas linguagens atuais noções filosóficas particularmente problemáticas, a saber, as de substância e de modo, lembrando que, como dissemos anteriormente, o autor pretende com essa análise buscar pelo verdadeiro significado das palavras e dos conceitos. Conforme já foi explicado, a incapacidade de a memória reter e operar apenas os signos simples levou, ao longo do estabelecimento das linguagens, a um exame das percepções no sentido de verificar o que nelas ocorria mais ou menos frequentemente. Com a sofisticação desse processo, as partes que ocorriam mais frequentemente foram consideradas como sujeitos ou base para as partes menos frequentes e a elas atribuíram-se um signo geral. Por oposição a essa parte mais uniforme das percepções, designou-se as partes mais sujeitas a variar por outro signo geral.

Desse modo formaram-se as ideias de substância e de modo. A partir daqui, Maupertuis procurará argumentar que isso é tudo o que se pode dizer da diferença entre essas duas noções.

Maupertuis critica inicialmente a ideia de que as substâncias podem ser concebidas sozinhas e os modos não:

> Em *árvore* acreditaram que a parte dessa percepção que chamamos *extensão* e que encontramos também em *cavalo*, *leão* etc. podia ser tomada por essa substância; e que as outras partes, como *cor*, *figura* etc., que diferem em *árvore*, em *cavalo*, em *leão*, deviam ser consideradas apenas como *modos*. Mas eu bem gostaria que se examinasse se, caso todos os objetos do Mundo fossem verdes, não teríamos a mesma razão para tomar a *verdura* por substância (O1, p. 272).

Não podemos conceber árvore – ou qualquer outro corpo – abstraindo sua extensão, mas abstraindo a verdura ainda podemos conceber uma árvore – visto que há árvores que perderam as folhas, há árvores mortas etc. Isso mostraria que sem a noção de extensão não conceberíamos a noção de cor. Mas Maupertuis objeta dizendo que foi uma contingência da construção de nossa língua associar o nome árvore a objetos com uma dada forma, independentemente de sua cor, ou pelo menos independentemente de ser verde. Diz o autor que "se a Língua tivesse um nome completamente diferente para exprimir uma árvore sem verdura e sem folhas, e que o nome árvore fosse necessariamente associado à verdura, não mais seria possível dele suprimir a verdura do que a extensão" (O1, p. 273). Acrescenta ainda que se a percepção que temos de árvore fosse bem delimitada, não se poderia dela nada extrair sem a destruir; assim, a extensão de uma árvore não é mais fácil de ser concebida do que sua verdura – ou qualquer outra coisa a ela relacionada.

A forte evidência da contingência da distinção entre substância e modo está no desacordo entre os homens acerca do que seja uma coisa e outra. Os não escolados terão mesmo dificuldade em concebê-las separadamente e, entre os que as assim concebem, os filósofos, não há acordo:

> Estes tomam o *espaço* como uma substância e acreditam que podemos concebê-lo isolado independentemente da *matéria*: aqueles dele o fazem senão um *modo* e acreditam que não poderia subsistir sem a matéria. Uns consideram o *pensamento* apenas como o *modo* de alguma outra *substância*, outros o tomam pela própria *substância* (O1, p. 274).

Esses desacordos seriam ainda mais acentuados para filosofias desenvolvidas em línguas diferentes, entre filósofos que jamais se tivessem comunicado ao longo da elaboração de suas ideias. Para Maupertuis, se todos viessem de repente a falar uma mesma língua, "encontraríamos por toda parte raciocínios bem estranhos, ou, antes, não nos compreenderíamos de modo algum" (O1, p. 275). Em vista de todas essas considerações, conclui que:

> Eu não acredito, entretanto, que a diversidade de sua filosofia veio da diversidade em suas primeiras percepções, mas creio que elas viriam da linguagem habitual de cada nação, *desta destinação dos signos às diferentes partes das percepções: destinação na qual entra muito de arbitrário e que os primeiros homens puderam fazer de várias maneiras, mas que uma vez feita desta ou daquela maneira, lançada nesta ou naquela proposição, tem influências contínuas sobre todos os nossos conhecimentos* (O1, p. 275).

A causa das percepções e a existência do mundo exterior

Maupertuis passa então a tratar de outra questão essencial, a saber, da existência de objetos exteriores à percepção. Fundamentalmente, irá analisar a partir de seu modelo de construção da linguagem a origem de proposições do tipo "há" ou "existe alguma coisa". Para tanto, Maupertuis compara as percepções não quanto às suas partes comuns e não comuns, mas com respeito à sua força: "noto que certas percepções, ao invés de diferir por suas partes, diferem apenas por uma espécie de enfraquecimento no todo; essas percepções não parecem senão imagens das outras" (O1, p. 277). Retomando os signos utilizados anteriormente, exemplifica isso da seguinte maneira: "Eu vejo uma árvore", *CD* possui uma "força" maior do que "Eu vi uma árvore", que passa a designar por *cd*. Devemos notar que, em função de suas partes componentes, as duas percepções apresentadas são as mesmas, mas, em função do tempo (ou da posição temporal), elas são diferentes (junto da árvore vem a percepção do tempo em que ela foi percebida). Posto isso, Maupertuis dirá que, do mesmo modo, um contexto de proposições que se apresentam juntas pode levar à criação de proposições diferentes quanto à sua força, mas que ainda assim possuem as mesmas partes: "Se, por exemplo, a percepção *cd, eu vi uma árvore*, encontra-se junta dessas outras, *eu estou em minha cama*, *eu dormi* etc., estas percepções far-me-ão mudar minha expressão *cd*, *eu vi uma árvore* em, *eu sonhei com uma árvore*" (O1, p. 278). Com isso, Maupertuis mostrou como uma mesma proposição poderia ser gradativamente enfraquecida segundo um contexto de percepções. Mostrará que o caminho inverso pode ser feito; a associação de circunstâncias pode dar mais realidade a uma determinada percepção:

> eu tenho a percepção *eu vi uma árvore*, junta da percepção *eu estava num certo lugar*, eu tenho aquela [percepção] *eu retornei neste lugar, eu vi esta árvore, eu retornei de novo no mesmo lugar, eu vi a mesma árvore* etc.; esta repetição e as circunstâncias que a acompanham formam uma nova percepção, *eu verei uma árvore todas as vezes que for a este lugar*: enfim, *há uma árvore* (O1, p. 279).

A força ou realidade dessa última percepção tem algo de especial, pois "transporta, por assim dizer, sua realidade sobre seu objeto e forma uma proposição sobre a existência da árvore como independente de mim" (O1, p. 279). Mas essa proposição que pretende designar a percepção de uma realidade externa não existiria se o processo descrito não ocorresse, se não houvesse a repetição das percepções na sequência descrita. Se designássemos cada percepção por um signo simples poderíamos designar toda a série de percepções que na linguagem elaborada leva a proposições acerca da realidade exterior dos objetos e obter uma proposição que designasse um resumo de todas elas que nada afirma sobre a existência externa das coisas:

> se minha memória fosse vasta o bastante para não temer a multiplicação dos signos de minhas percepções e que eu me tivesse apegado às expressões simples *A*, *B*, *C*, *D* etc. para cada uma, talvez eu jamais tivesse chegado à proposição *há*, mesmo que eu tivesse todas as mesmas percepções que me fizeram pronunciá-la. Não seria essa proposição apenas um resumo de todas as *eu vejo*, *eu vi*, *eu verei* etc.? (O1, p. 280).

Cada proposição não é senão um signo de percepções e numa proposição sobre a existência das coisas não há nada além do que há em qualquer outra proposição. Lembremos, porém, que tudo isso é válido apenas dentro da ampla concepção de percepção aceita por Maupertuis, que deve incluir não apenas as abstrações oriundas da análise das percepções singulares, mas também a memória e o processo mental de indução.[2]

Essa análise mostra que as proposições sobre a existência de objetos exteriores são também contingentes à construção da linguagem e, assim, não identificam com certeza o objeto externo da percepção. Contudo, há algo que causa as percepções, conforme Maupertuis afirmará claramente mais adiante e, desse modo, o autor passa a analisar essa questão. Ela é abordada em três situações: quanto à natureza dos objetos externos que causariam as percepções, quanto ao porquê de um mesmo objeto poder ser percebido de diferentes maneiras (a existência de feixes de percepção que se concentram num suposto objeto real) e o problema da ordem das percepções (que poderiam corresponder ao comportamento desses objetos reais).

Em nossa experiência, diz Maupertuis, nós representamos os sons como tendo uma existência externa. Mas a filosofia (a acústica, no caso) mostrou que o que eles têm de externo é apenas o movimento do ar causado por objetos sonoros e o que se percebe quando se diz "eu escuto sons" em nada se assemelha a esse movimento. O mesmo aconteceria para as percepções visuais, embora a óptica ainda não saiba o que existe de exterior nas visões: "Ainda que eu talvez possa seguir mais longe o que se passa nessa percepção [a visão de uma árvore], mesmo que as experiências da óptica ensinem-me que se pinta uma imagem de uma árvore sobre minha retina, nem essa imagem, nem a árvore assemelham-se à minha percepção" (O1, p. 281).

Maupertuis considera a seguir o fato de que há diferentes percepções que parecem ter a mesma causa, que "talvez haja percepções que nos venham de várias maneiras" (O1, p. 281), o que, em

---

2 Essa noção de percepção se ampliará ainda mais em sua teoria sobre a geração dos corpos, aparecendo como propriedade das partículas seminais.

princípio, poderia indicar a existência de um objeto externo. É o que acontece com a visão e o tato: "[A percepção] 'eu vejo uma árvore' que é dada à minha visão é ainda confirmada pelo meu tato" (O1, p. 281). A suposta imagem que se forma sobre a retina e certa sensação que experimentamos na pele produziriam a mesma percepção. Nos termos de Maupertuis, uma percepção confirma a outra e a composição dessas confirmações poderia fixar um objeto como tendo uma existência externa e real. Assim, a proposição sobre sua existência não seria mais contingente à construção da linguagem. A isso Maupertuis responde, essencialmente, que este acordo de percepções é simplesmente um produto do hábito: "Mas ainda que o tato pareça acordar-se com a visão em várias ocasiões, veremos que não é senão por uma espécie de hábito que esse sentido pode confirmar as percepções que adquirimos por outro" (O1, p. 281). Se sempre tocássemos e víssemos separadamente, as percepções táteis não confirmariam as visuais. Voltando aos signos anteriores, afirma então que "as duas percepções que eu exprimo hoje pelos signos *CD* [eu vejo uma árvore] e *PD* [eu toco uma árvore] não poderiam mais se exprimir senão por *CD* e *PQ*, que não teriam nenhum parte em comum e seriam absolutamente diferentes" (O1, p. 282). Não sendo confirmado pela visão, o objeto percebido pelo tato receberia outra designação. É, pois, uma interação de percepções contingentes que nos leva a dizer que percebemos um mesmo objeto. Mudando as combinações de percepções construímos proposições que designam objetos diferentes. Daí Maupertuis generaliza esse caso particular: "A mesma coisa poderia ser dita para a percepção que parece ser confirmada por um maior número de maneiras" (O1, p. 282).

Que há uma causa para as percepções, conforme afirmam os filósofos, é algo que Maupertuis aceita, pois, valendo-se do princípio de razão suficiente, afirma: "Eu aceito que há uma causa da qual dependem todas as nossas percepções, *pois nada é como é sem razão*" (O1, p. 283). Contudo, sobre a possibilidade de conhecer essa causa, Maupertuis retoma o que disse anteriormente sobre a natureza do que é supostamente externo à percepção: "do que serviria dizer que há alguma coisa que é a causa das percepções que eu tenho *'eu vejo' 'eu toco' 'eu escuto'* se jamais isso que eu vejo, eu toco, eu escuto não se lhe parecem?", e acrescenta: "Eu não posso penetrá-la visto que nada do que eu tenho assemelha-se a ela" (O1, p. 283). A causa das percepções é algo que está além do limite de nossa inteligência e a ele devemos nos restringir.

Analisa por fim a razão para a sucessão temporal das percepções, um último ponto que falaria em favor da existência de uma ordem externa que corresponderia a uma ordem interna nas percepções. De saída coloca a causa dessa ordem também fora do acesso de nossa inteligência: "Por que a percepção que eu tenho *eu vou ao local onde eu vi uma árvore* é seguida da percepção *eu vejo uma árvore?* Descobrir a causa dessa ligação é verdadeiramente uma coisa acima de nossa capacidade" (O1, p. 283). Analisa o que estaria envolvido no modo pelo qual percebemos o tempo e a sucessão das percepções, afirmando que "é preciso prestar bastante atenção [ao fato de que] nós não podemos ser nós mesmos os juízes da sucessão de nossas percepções" (O1, p. 284). Essa sucessão é medida pelo número de percepções que nosso espírito identifica no interior de certa duração, cujas partes utilizamos igualmente para contar a distância existente entre as percepções individuais. Mas o que é essa duração? "O curso dos astros, os relógios e instrumentos semelhantes aos quais eu não tenho acesso senão como eu expliquei, podem eles ser medidas suficientes?" (O1, p. 284). A sucessão das percepções é medida, pois, por outras percepções e, assim, não oferecem nenhuma garantia adicional quanto à sua fixidez ou estabilidade.

Mesmo que aceitemos que nosso espírito tem uma percepção "interna" de duração, ela é medida pelo número de percepções que o espírito coloca em diferentes intervalos dessa duração que "não parece mais a mesma quando eu sofro, quando me aborreço, ou quando tenho prazer" (O1, p. 284). Acrescenta ainda que conhecemos essa duração interna apenas pelas "suposições que eu faço de que minhas percepções seguem sempre com o mesmo ritmo" (O1, p. 285), o que, objetivamente, poderia não ser o caso: "não poderiam decorrer tempos imensos entre duas percepções que eu considerasse como se seguindo muito de perto?" (O1, p. 285). A própria distinção entre percepções passadas e presentes é questionada: "como eu conheço as percepções passadas senão pela lembrança, que é uma percepção presente?" (O1, p. 285), chegando a questionar por fim sobre a realidade mesma da sucessão de distintas percepções, que poderiam ser partes de uma única percepção: "Todas as percepções passadas são elas outra coisa senão partes dessa percepção presente? No primeiro instante de minha existência eu não poderia ter uma percepção composta de mil outras como passadas; e não teria eu o mesmo direito que tenho de pronunciar sobre sua sucessão?" (O1, p. 285).

Retrato de Pierre-Louis Moreau de Maupertuis.
Asimov, I. *Gênios da humanidade*. Rio de Janeiro, Bloch, 1976, v. 1, p. 145.

Capítulo 5

A filosofia natural de Maupertuis

A partir dos textos que estudamos até aqui podemos dividir o desenvolvimento da filosofia natural de Maupertuis em duas etapas fundamentais, que seguem de perto a natureza das pesquisas realizada em cada uma. A primeira vinculou-se mais diretamente à astronomia e aos estudos do autor sobre a figura da Terra, onde a defesa do princípio de atração e do sistema de Newton foi fundamental. Tomamos o *Discurso sobre a figura dos astros* como texto representativo dessa fase. A segunda começa a partir de 1740 com o *Lei do repouso* e vai até a publicação de *As leis do movimento e do repouso deduzidas de um princípio de metafísica*. Nessa fase Maupertuis desenvolve estudos em física teórica, cujos resultados fundamentais estão intimamente ligados à formulação do princípio da mínima ação. Em função de sua época de composição e de seu conteúdo filosófico, podemos ainda situar o *Reflexões filosóficas sobre a origem das línguas e do significado das palavras* entre as duas fases anteriores, introduzindo nesse momento as bases epistemológicas do pensamento de Maupertuis.

Sendo o newtonianismo a filosofia natural que norteia as investigações do autor na primeira fase, a explicação dos fenômenos aparece como objetivo central da filosofia e a fonte primordial de conhecimento são as propriedades dos corpos reveladas pela experiência. A experiência também nos revela que essas propriedades se distribuem hierarquicamente nos corpos segundo dois níveis: propriedades primordiais e propriedades variáveis. Entre as últimas há ainda as propriedades que variam apenas em função de certos estados dos corpos. A interação entre propriedades de mesmo nível ou de níveis diferentes determina o comportamento dos corpos e é a base para o estabelecimento de leis e princípios válidos.

O conhecimento da essência da matéria e dos corpos, da causa primeira de suas propriedades e da conexão necessária que deveria existir entre elas são considerados inacessíveis à razão. Assim, tais conhecimentos não podem e não devem servir como critério para negar ou afirmar que propriedades, leis ou princípios devem ser tomados como válidos ou mais fundamentais para um dado sistema de filosofia natural, sobretudo se eles são úteis para a explicação dos fenômenos. A cosmologia de Newton é um exemplo cabal de que se pode formular uma explicação precisa para um grande campo de fenômenos onde o conhecimento das causas primeiras é irrelevante.

O recurso à experiência que fundamentou a filosofia natural de Maupertuis na primeira fase de suas investigações ganhou estatuto filosófico bem mais amplo no *Reflexões filosóficas*. Nessa obra, o autor buscou na origem e no desenvolvimento da linguagem o papel fundamental das palavras e das proposições para a construção de todo conhecimento teórico. A percepção é estabelecida como início e fundamento de todo conhecimento e, assim, o fenômeno aparece como ingrediente essencial da epistemologia de Maupertuis. Podemos ter percepções primitivas que ocorrem quando ainda não se dispõe de uma linguagem para expressá-las (na infância) ou quando ela está num estágio primitivo de desenvolvimento (num estágio primitivo hipotético da evolução das raças humanas). A partir das simples, percepções mais elaboradas e complexas são produzidas segundo dois processos básicos: decomposição e análise das partes das percepções e associação de percepções completas. Qualquer resultado teórico final que se obtenha com a linguagem será fruto dessas operações com as percepções e todos os processos de abstração das percepções (memória, indução, análise, síntese etc.) produzem igualmente percepções.

Tal como as propriedades dos corpos, os resultados desses processos de elaboração das percepções podem ser arranjados hierarquicamente: das percepções singulares chega-se à elaboração de noções cada vez mais gerais e abstratas e que são expressas igualmente por símbolos linguísticos cada vez mais complexos. Um dos pontos culminantes desse processo foi a elaboração da noção de substância. Contudo, não se pode concluir que a essa hierarquia de percepções e de conceitos corresponda uma hierarquia das próprias coisas ou objetos externos às percepções. Isso porque o processo de elaboração das percepções é contingente e pode estabelecer diferentes hierarquias segundo o modo particular de sua evolução. Pode-se chegar a distintas noções de substância ou mesmo a não se estabelecer a própria noção (poderíamos não perceber a diferença entre substância e modo). Além disso, a noção de objeto exterior é igualmente o resultado da combinação de percepções e, assim, nada informa sobre tais objetos fora de sua relação perceptiva.

Tal posição leva, então, a uma negação da possibilidade de estabelecer-se qualquer fundamento racional para o conhecimento, visto que todos eles seriam frutos da contingente produção de percepções de percepções. Isso reforça de modo mais radical a fundamentação do sistema de filosofia natural na explicação dos fenômenos, dado que agora tudo o que for afirmado da essência dos corpos não vai além do que a experiência revela sobre eles. A impenetrabilidade, por exemplo, é reconhecida pela experiência como uma propriedade primordial dos corpos, mas como tal reconhecimento é fruto do processo de elaboração de percepções, não se pode concluir que ela represente um aspecto invariável da realidade dos objetos. O mesmo poderia ser dito para a extensão ou quaisquer propriedades que possuam os corpos de alterar o estado de movimento ou de repouso de outros corpos.

Esse resultado abre uma importante perspectiva para o método de investigação de Maupertuis: ele permite a utilização de qualquer propriedade ou princípio que possa explicar os fenômenos e ao mesmo tempo rejeita qualquer objeção de sua validade apoiada em fontes não fenomênicas de conhecimento. A limitação da razão em atingir as essências e as primeiras causas torna praticamente ilimitada as possibilidades da pesquisa empírica. Em resumo, temos uma epistemologia que estabelece uma base empirista que está em pleno acordo com o método de investigação presente em uma filosofia natural igualmente alicerçada na explicação dos fenômenos.

Mas exatamente a partir da publicação do *Reflexões filosóficas*, a filosofia natural de Maupertuis recebe importantes modificações. Uma nova etapa no delineamento do método de investigação do autor começa em 1740 com o estabelecimento de uma hierarquia de leis e princípios, com duas categorias básicas: primeiros princípios e leis indutivas. Os primeiros aparecem no topo da hierarquia como "princípios simples e claros desde o primeiro aspecto, que não têm muita necessidade de demonstração pela evidência que eles têm desde que o espírito os examine" (O4, p. 45) e deles dependem todas as verdades de uma dada ciência. Isso sugere que Maupertuis estaria incluindo em seu sistema princípios desvinculados dos fenômenos cuja validade é racionalmente estabelecida e, consequentemente, a coerência inicial entre o método de investigação e a epistemologia estaria comprometida. A partir daqui passaremos a tratar fundamentalmente dessa questão, cujos desdobramentos tocam em praticamente todos os elementos centrais que caracterizam a filosofia natural de Maupertuis.

Os dois primeiros resultados mais importantes da segunda fase de investigação do autor foram o estabelecimento da lei do repouso e a dedução das leis da óptica a partir do princípio da mínima ação. Esses resultados foram obtidos essencialmente com o mesmo procedimento: formulação de hipóteses das quais se deduziriam as leis indutivas para cada domínio de fenômeno. As duas hipóteses tinham em comum o fato de serem princípios de *extremum*, nos quais Maupertuis via a expressão de uma tendência natural na produção dos fenômenos. Posto isso, devemos então situar esses dois princípios na hierarquia estabelecida por Maupertuis no sentido de verificar que papel eles cumprem na constituição de sua teoria e que tipo de validade lhes são atribuídas.

Com a formulação da lei do repouso Maupertuis estabelece um princípio geral para a estática, tal como o era o princípio de conservação da força viva para a dinâmica e, em vista disso, podemos situá-los no mesmo nível hierárquico. Mas enquanto o princípio de conservação da força viva é claramente classificado por Maupertuis como lei indutiva, a lei do repouso foi obtida dedutivamente. Isso mostra que essa diferença na forma de obtenção dos princípios não os situa necessariamente em categorias distintas da hierarquia no que diz respeito ao papel que cumprem na construção do sistema. Mas a validade de ambos depende igualmente apenas de sustentação empírica?

A confirmação de hipóteses dedutivamente pelas leis indutivas não implica, em princípio, introdução de qualquer outra fonte de conhecimento não empírico. Independentemente do que tenha motivado a formulação da hipótese, estando sua demonstração matemática de acordo com as leis indutivas, a hipótese entra para o sistema como princípio confirmado pelos fenômenos. Assim, os procedimentos utilizados na formulação da lei do repouso podem ainda estar de acordo com a orientação empírica da filosofia natural de Maupertuis da primeira fase. Preserva-se o papel fundamental que o autor atribui à filosofia em explicar os fenômenos e não há necessariamente a introdução de conhecimento de fonte racional, estranha à epistemologia de Maupertuis.

O próprio autor se refere a esse procedimento como o de hipóteses e experiências para caracterizar a obtenção de leis diretamente das propriedades dos corpos. Podemos dizer que Maupertuis continua usando o mesmo método, mas que nele introduziu hipóteses finalistas, mostrando que elas poderia trazer resultados importantes.

Conforme expusemos, Maupertuis utilizou o procedimento acima descrito tanto no estabelecimento da lei do repouso como na do princípio da mínima ação. Contudo, no segundo caso, temos a confirmação fenomênica – posto que dedutiva e indireta – de um princípio que é hipoteticamente introduzido como lei geral da natureza (mesmo que sua aplicação ainda se tenha restringido ao domínio da óptica), a saber, o da economia de ação. Mas além dessa economia, o princípio estabelece claramente algo mais: ele prova, conforme afirmou Maupertuis, que "todos os fenômenos da refração concordam agora com o grande princípio segundo o qual a natureza, na produção de seus efeitos, age sempre pelas vias mais simples" (O4, p. 19) – princípio que Maupertuis designara como *lei metafísica*.

Aqui começa a se evidenciar o ponto controvertido do método de Maupertuis: até que ponto o autor pode levar suas hipóteses finalistas sem que suposições racionais que as motivaram interferissem na validação empírica delas?

Como o princípio da mínima ação identifica-se à verdadeira quantidade que é economizada na natureza – verdadeira porque o princípio está de acordo com as leis indutivas –, ele confirma igualmente um princípio metafísico. Isso nos leva à resposta que consideramos a mais satisfatória sobre quais seriam os primeiros princípios, que papel eles cumprem no sistema de Maupertuis e que tipo de evidência os sustenta nesse sistema.

O princípio de simplicidade, anunciado como lei metafísica, pode ser entendido como um desses primeiros princípios, mas que, assim mesmo, pode ser tomado como hipótese da qual se deduzem leis empíricas. Portanto, mesmo esses princípios do topo da hierarquia poderão ser vinculados aos fenômenos. Esse passo pode ser tomado como um claro exemplo da aplicação integral do método de Maupertuis: transferir princípios racionais para o campo fenomênico ou, em outras palavras, trocar a sustentação de verdades inicialmente válidas apenas por sua clareza intuitiva ou autoevidência por uma evidência sustentada na empiria. A lei da simplicidade, como verdade filosófica que os raciocínios geométricos desmentiriam, retoma seu estatuto científico no interior da física de Maupertuis.

Encontramos uma avaliação desse problema na própria discussão que Maupertuis faz acerca da introdução de causas finais na física. O autor é bastante claro nesse ponto: a "repugnância que vários matemáticos têm pelas causas finais" (O4, p. 20), da qual ele compartilha em certa medida, decorre da precipitação com que se propôs a via pela qual a simplicidade se manifesta na natureza. É aqui que a confirmação fenomênica do princípio da mínima ação entra em jogo: a economia de ação é algo confirmado pelas leis indutivas e, portanto, representa a *verdadeira* grandeza economizada na natureza.

Assim, se é lícito dizer que mesmo uma lei metafísica poderia receber uma confirmação nos fenômenos, por mais indireta que fosse, ainda não vemos um conflito necessário com a orientação empírica inicial de seu método e de sua epistemologia. Quando Maupertuis diz que podemos paralelamente à obtenção de leis indutivas consultar os desejos da natureza, pode estar dizendo que as hipóteses finalistas dão bons resultados na explicação dos fenômenos. A finalidade dá boas hipóteses desde que não se exagere no peso conferido a elas; mas não há exagero quando se utiliza a verdadeira interpretação da finalidade que é confirmada pelos fenômenos. Que as hipóteses são boas não há qualquer dúvida: com elas Maupertuis pretende ter resolvido os principais desacordos que dividiram os maiores filósofos de sua época.

Contudo, na mesma obra em que Maupertuis oferece a solução para o desacordo mais importante da física – o da irredutibilidade das leis do movimento a um único princípio que englobasse corpos rígidos e elásticos –, o autor dá um passo adicional: da finalidade que seu princípio revelava nos fenômenos defendeu a influência de uma Providência na sua produção o que, por sua vez, veio a ser o fundamento para uma prova da existência de Deus. Acreditamos que este passo representa uma ruptura com pressupostos centrais de seu método de investigação e de elementos que fundam sua epistemologia fenomênica. Mesmo que a existência de Deus e todas as afirmações que o autor fará para estabelecer o vínculo de sua ação na produção dos fenômenos fossem tomadas genuinamente como hipóteses a serem confirmadas dedutivamente pelas leis empíricas (o que já seria difícil de sustentar), o resultado dessa dedução não confirmaria todos os pressupostos da hipótese. Mas esses, por sua vez, são indispensáveis para o estabelecimento da prova. Passemos, então, às razões que acreditamos revelar a existência de tal ruptura.

As ideias que sustentam a prova da existência de Deus de Maupertuis aparecem tanto no *Acordo de diferentes leis da natureza* como em *As leis do movimento e do repouso*. No primeiro Maupertuis afirma o vínculo que possuem os atributos de Deus com a produção dos fenômenos, mas a prova propriamente dita, que aparece no segundo texto, não retoma essa afirmação explicitamente e a coloca como possibilidade. Contudo, como se evidenciará ao longo da discussão, essas primeiras ideias devem operar implicitamente para que a prova tenha a validade que Maupertuis lhe atribui.

O cerne da prova que aparece em *As leis do movimento e do repouso* é a dedução das leis do movimento e do repouso a partir dos atributos de Deus. A dedução é feita utilizando o princípio de mínima ação, mas para que ela proporcione a referida prova é preciso ainda explicar como Deus age na produção dos fenômenos. Essa ação divina está claramente expressa no *Acordo das leis da natureza*:

> não se pode duvidar de que todas as coisas sejam reguladas por um Ser supremo que, enquanto imprimiu na matéria forças que denotam sua potência, a destinou a executar efeitos que marcam sua sabedoria: e a harmonia desses dois atributos é tão perfeita, que sem dúvida todos os efeitos da natureza poder-se-iam deduzir de cada um tomado separadamente (O4, p. 21).

Vemos aqui declarações essenciais para a validade da prova da existência de Deus, mas que não são justificadas pela confirmação empírica do princípio da mínima ação e do finalismo natural a ele associado.

Para provar que uma quantidade de ação é economizada na natureza, Maupertuis não precisou fazer qualquer afirmação sobre a causa do movimento ou do repouso. Todo raciocínio que fundamenta a dedução das leis do movimento por esse princípio toma o choque como uma consequência necessária da interação da inércia com a impenetrabilidade dos corpos; a ação é calculada apenas a partir da velocidade, do espaço e da massa. A força ou qualquer outra expressão que pretenda explicar o que acontece na produção, distribuição ou destruição do movimento nos corpos "são apenas palavras inventadas para suprir nosso conhecimento e designam apenas os resultados dos fenômenos" (Maupertuis, 1985 [1746], p. 114).

Assim, aplicado ao domínio da física, o princípio de mínima ação explica os fenômenos sem explicar suas causas. Mas a força pela qual Deus produziu os fenômenos pode ser considerada como sua causa primeira e deve, de algum modo, atuar continuamente na produção deles.

O vínculo direto que o princípio da mínima ação mantém com a Providência está expresso na relação que Maupertuis estabelece entre necessidade e finalidade. As leis são mecanicamente reguladas pela minimização do dispêndio de ação na produção dos fenômenos, mas essa mecânica cega cumpre os desígnios da vontade divina. Esta ideia foi utilizada pelo autor para responder a uma objeção que se poderia fazer à sua prova da existência de Deus: as leis do movimento e do repouso foram estabelecidas apenas com hipóteses e experiências e são talvez uma consequência necessária das propriedades dos corpos. Assim, nada havendo de arbitrário em seu estabelecimento, que sentido haveria em dizer que há uma Providência onde não se vê senão o efeito da necessidade? Para Maupertuis, se tal necessidade fosse provada, a Providência o seria mais ainda, pois a regulação da produção dos fenômenos feita por leis necessárias é a mais perfeita e, portanto, a mais digna do Ser supremo.

Uma vez que o princípio regulador pode operar autônoma e mecanicamente, não é necessário que Deus interfira constantemente na produção dos fenômenos e, consequentemente, a explicação ocasionalista para a ação de Deus na natureza é rejeitada. Mas se Deus efetivamente age sobre a matéria e não o faz todo o tempo, deve tê-lo feito em algum momento. A solução de Maupertuis para a questão é situar tal momento anteriormente ao próprio funcionamento das leis naturais. Contudo, assim procedendo, o autor estará descrevendo um processo que ocorreu fora da esfera dos fenômenos e do qual se vale para estabelecer resultados em sua filosofia natural. É aqui, então, que encontramos a ruptura da qual falamos.

Uma vez estabelecidas as leis naturais por Deus, os fenômenos que elas regulam não mais revelam a força que as produziu originalmente; consequentemente, o método de investigação que pretende explicar os fenômenos deve restringir-se à empiria. Porém, do mesmo modo que Maupertuis aceitou pelo princípio da razão suficiente que as percepções têm uma causa, mas que a desconhecemos completamente, a prova da existência de Deus que Maupertuis oferece sugere a existência de uma força como causa dos fenômenos, mas que sua física não pode explicar.

Capítulo 6

A primeira versão da teoria da geração de Maupertuis: o *Vênus física*

Uma vez que definimos, a partir de seus estudos em física e astronomia, os elementos teóricos centrais da filosofia natural de Maupertuis, passaremos a tratar diretamente de seus estudos biológicos e de sua teoria da geração. No conjunto de sua obra, o problema da geração dos organismos é tratado com exclusividade em três textos: o *Vênus física* (1745), o *Sistema da natureza* (1751) e a *Lettre* XIV. *Sur la génération des animaux* (*Carta* XIV. *Sobre a geração dos animais*) (1752).[1] Além desses, alguns aspectos do problema são discutidos no *Ensaio de cosmologia* (1751). Nos oito capítulos seguintes faremos fundamentalmente um estudo da *Vênus física* e, no presente capítulo, discutiremos o contexto de composição da obra e os estudos realizados por Maupertuis que a antecederam.

O *Vênus física* e o "negro branco"

Em 1744, uma criança negra albina, um *nègre blanc*, chega a Paris. Esse menino de pele branca, filho de pais, negros foi exibido nos salões da cidade, onde animou as discussões sobre os problemas em torno da geração. Maupertuis refere-se a essa criança nos seguintes termos:

1 Traduções para o português do *Vénus physique* e da *Lettre XIV* encontram-se, respectivamente, em Maupertuis, 2005 [1768] e 2004 [1768].

> É uma criança de quatro ou cinco anos que tem todos os traços dos Negros e cuja pele muito branca e pálida não faz outra coisa senão aumentar a feiura[a] (nota a: Ele foi trazido a Paris em 1744). Sua cabeça é coberta por uma lã branca puxando para o ruivo; seus olhos, de um azul-claro, parecem ferir-se com o brilho do dia: suas mãos grossas e mal-feitas parecem mais com patas de um animal do que com mãos de um homem. Ele nasceu, conforme nos asseguram, de pai e mãe africanos e bem negros (O2, p. 116).

O problema que essa criança colocou para a questão da geração é claro: como é possível que uma criança branca nasça de pais negros? São tais nascimentos acidentes que desaparecem nas gerações futuras, ou esses indivíduos constituem ou poderão constituir uma nova variedade ou raça humana?

Esses problemas determinaram novos rumos para os estudos de Maupertuis e, ainda em 1744, o autor escreve a *Dissertação física por ocasião do negro branco*. Apesar do tema anunciado no título, o ensaio trata da geração dos animais de uma forma geral e não toca na questão da criança albina. No ano seguinte, Maupertuis amplia a primeira dissertação e compõe sua obra mais famosa, o *Vênus física*, que contém duas partes: a primeira é a dissertação mencionada acima, onde aparece a primeira versão da teoria da geração de Maupertuis; a segunda trata, então, da questão particular das raças humanas e do nascimento do negro albino, tendo como tema mais importante a produção de novas espécies.

Pelo exame exclusivo do *Vênus física* é fácil enganar-se e julgar que é a segunda parte dessa obra que corresponde à dissertação de 1744, em vez da primeira. Alguns autores, bem como nós inicialmente, cometeram tal engano e isso pode sugerir que Maupertuis passou a ocupar-se da geração sobretudo em função da chegada da criança albina a Paris e que, no ano seguinte, generalizou seu estudo de caso para uma teoria mais ampla sobre a geração. Ostoya, por exemplo, afirma que a entrada de Maupertuis na biologia ocorreu em 1744, associada à chegada do negro albino, e que tal fato "forneceu a Maupertuis a ocasião de duas dissertações, uma 'sobre o Negro Branco' e outra 'sobre a origem dos Negros'" (Ostoya, 1954, p. 62). O autor está certamente referindo-se às partes da *Dissertação física* , mas esses temas são tratados somente no *Vênus física*.

Brunet reforça ainda mais a chegada do negro branco como a razão principal do interesse de Maupertuis acerca da geração dos organismos:

> Essa circunstância [o aparecimento da criança], trazendo Maupertuis para o terreno da biologia, teve uma repercussão importante sobre a nova orientação das pesquisas desse "savant". Com efeito, não foi apenas para ele a ocasião de satisfazer sua curiosidade científica sempre desperta e voltada para os domínios mais diversos; foi ainda a origem de reflexões sobre a geração, que ele não tardará a fixar e a publicar. O *Vénus physique* que apareceu no ano seguinte era, em resumo, apenas um prolongamento, um desenvolvimento mais preciso, mais sólido e mais guarnecido de considerações técnicas da *Dissertação* (Brunet, 1929, p. 103-4).

Na mesma direção, Anglivel de La Beaumelle afirma com relação à *Dissertação física* que "um novo fenômeno produziu uma nova obra. Era uma criança de quatro ou cinco anos [...]. Toda Paris correu para vê-la" (Beaumelle, 1856, p. 86).

Beeson, em cuja obra biográfica de Maupertuis obtemos a informação sobre a correta relação da *Dissertação física* com a primeira parte do *Vênus física*, tem uma interpretação oposta à dos autores anteriores, pois reduz a importância do negro branco na composição dos dois textos: "Ele [Maupertuis] tomou esse evento como pretexto para publicar uma *Dissertation physique à l'occasion du nègre blanc* que de fato expõe suas visões sobre o mecanismo de reprodução sexual: na realidade, o *nègre blanc* não contém qualquer discussão da questão do albinismo anunciada em seu título" (Beeson, 1992, p. 172). O fato de que o ensaio não guardava relação com o evento anunciado no título levou Beeson a considerá-lo apenas como um pretexto para a composição de uma obra mais geral. Mesmo ao referir-se ao *Vênus física*, quando aparece então o tema ligado à criança em questão, Beeson ainda o considera menos importante do que a primeira parte da obra, onde aparece a teoria geral:

> Foi apenas quando Maupertuis revisou o trabalho para produzir o *Vênus física* de 1745 que ele incluiu uma segunda parte sobre o tema. No texto revisado ele apresenta a discussão geral como sendo uma introdução a suas considerações do caso particular do albinismo; contudo, visto que a primeira parte é realmente significativamente maior que a segunda, o efeito [produzido] é mais o de um breve exame do fenômeno do albinismo acompanhado de uma discussão de princípios gerais [...] Consequentemente, a estrutura do livro é similar àquela do *Figure des astres*: um objetivo concreto específico provê o pretexto para uma discussão mais ampla concernente à teoria fundamental (Beeson, 1992, p. 172).

Acreditamos que os estudos de Maupertuis sobre a geração iniciados em 1744 não podem ser satisfatoriamente explicados nem pela ênfase dada pelos primeiros autores à chegada do negro branco, nem pela redução de sua importância feita por Beeson em favor da produção de um texto de caráter mais geral. Na verdade, as duas coisas combinam-se: antes de 1744, Maupertuis tanto esteve interessado em questões gerais acerca da geração dos animais (tema da primeira parte), como se envolveu com problemas teóricos diretamente ligados à origem e à transformação das raças humanas (tema da segunda parte). Na sequência do texto abordaremos essa questão.

Primeiros estudos

No sentido de mostrar as várias influências que teriam levado Maupertuis a envolver-se com a geração dos organismos, faremos uma revisão dos contatos que o autor fez com estudos e questões envolvendo seres vivos antes de 1744.

O primeiro trabalho de Maupertuis nesse sentido foi um estudo sobre a anatomia e o modo de vida das salamandras, publicado em 1727 em seu *Observations et expériences sur une des espèces de salamandre* (*Observações sobre uma espécie de salamandra*). Trata-se de um trabalho de juventude, o terceiro de sua obra, publicado bem antes de todos os seus estudos sobre física e astronomia.

O texto introduz uma descrição de exemplares de uma espécie designada como *Salamandre terrestris* que Maupertuis considera como uma espécie de lagarto.[2] O autor chama a atenção para duas propriedades atribuídas a esses animais desde a Antiguidade, a saber, que são resistentes ao fogo e extremamente venenosos. A parte experimental do trabalho pretende provar que tais proprie-

2 Sobre a inclusão da salamandra entre os lagartos (répteis), Ostoya afirma que "grandes biólogos fizeram, bem depois de Maupertuis, aproximações tão deploráveis" (1954, p. 60). O autor está atribuindo um erro na classificação de Maupertuis provavelmente porque as salamandras são atualmente classificadas entre os anfíbios e não entre os répteis. Embora não encontremos no conjunto da obra de Maupertuis qualquer referência a estudos sobre a classificação dos seres vivos, o autor está correto: segundo o *Sistema da natureza* de Lineu, que representa um dos mais importantes e difundidos sistemas de classificação do século XVIII, a *Salamandra terrestris* está entre os *Lacerta* que inclui, entre outras, formas próximas à dos lagartos (cf. Papavero & Abe, 1992, p. 15).

dades não existem. No estudo do primeiro caso, Maupertuis simplesmente atirou alguns exemplares ao fogo e, registra: "A maioria pereceu: algumas tiveram força para sair semi-queimadas, mas elas não puderam resistir a uma segunda prova" (Maupertuis, 1727, p. 29). Maupertuis reconhece o constrangimento que experiências "ridículas" como essas poderia causar ao Físico, mas "é a esse preço que ele deve comprar o direito de destruir opiniões consagradas em relação aos antigos" (Maupertuis, 1727, p. 29).

Para testar se os animais são venenosos, Maupertuis tentou forçar alguns exemplares a mordê-lo bem como a outros animais:

> Por mais que as irrite de mil maneiras, nenhuma delas jamais abriu a boca. Foi preciso então abri-la: mas tendo visto seus dentes, como poderiam elas ferir o animal? Pequenos, estreitos e iguais, eles cortariam em vez de perfurar se a salamandra tivesse força, mas ela não a tem (Maupertuis, 1727, p. 30).

Fez o mesmo ainda sobre a parte mais fina da pele de outros animais (a pele de um frango depenado, uma região da coxa do animal cuja pele foi removida, a língua e os lábios de um cão e a língua de uma galo-da-índia), mas sem sucesso: "nenhum dos animais mordidos sofreram o mínimo acidente" (Maupertuis, 1727, p. 30). Obrigou ainda que alguns animais ingerissem salamandras inteiras ou em pedaços ou ainda pão embebido em sua secreção cutânea. Exceto o fato de um cão ter vomitado parte de uma salamandra semidigerida, nenhum outro sinal de envenenamento foi notado sobre os animais testados.

Sobre a geração desses animais, Maupertuis chama a atenção à ovoviviparidade das salamandras: "Tendo aberto algumas salamandras, surpreendi-me ao encontrar juntamente dentro delas ovos e filhotes tão perfeitos quanto os dos vivíparos" (Maupertuis, 1727, p. 32). O termo ovovivíparo (embora não tenha sido empregado por Maupertuis) pode ser atribuído aos animais, como a salamandra estudada por Maupertuis, cujas fêmeas produzem ovos, mas que eclodem ainda no interior do ventre materno. Pode-se dividir os tipos de reprodução em mais dois outros tipos, tomando a postura e a eclosão do ovo como critérios: animais ovíparos, que colocam ovos no ambiente, e, somente depois, deles saem os jovens e animais vivíparos, como os mamíferos, que não põem ovos e o desenvolvimento do organismo ocorre no interior do útero. Esses termos eram utilizados na época com aproximadamente tais significados e a eles nos referiremos periodicamente.

Observando a ovoviviparidade nas salamandras, Maupertuis faz sua primeira conjectura teórica sobre a questão da geração: "Esse animais parecem bem próprios para esclarecer o mistério da geração, pois por mais variedade que haja na natureza, o âmago das coisas nela se passa da mesma maneira" (Maupertuis, 1727, p. 32). Vivíparos e ovíparos não são modos irredutíveis de reprodução e são apenas variações de um mesmo processo mais geral. Temos aí um resumo do problema que Maupertuis irá trabalhar intensamente a partir de 1744, a saber, esclarecer o mistério da geração e podemos já entrever o caminho que adotará: buscar por um princípio geral que explique todas as formas de geração. Uma crença em leis gerais pode ser vista desde seus primeiros trabalhos e, de fato, Maupertuis tentará encontrá-las nos domínios da física e da história natural.

Em 1729 o autor vai a Montpelier e desenvolve um segundo trabalho nessa mesma linha naturalista, realizando uma série de observações e experimentos com escorpiões que são publicados no mesmo ano na memória *Expériences sur les scorpions* (*Experiências sobre o escorpião*), de 1731. O trabalho versa basicamente sobre a potência do veneno e a morfologia dos animais. Traz ainda observações sobre a quantidade de filhotes produzidos e sobre o comportamento das fêmeas, sem qualquer referência teórica mais geral acerca da geração.

Essa vertente naturalista e experimental é completamente abandonada posteriormente por Maupertuis, que passa a dedicar-se à geometria, à astronomia e à física. Conforme assinala Beeson, quando Maupertuis viajou para a Inglaterra em 1728, apresentou-se à *Royal Society* de Londres como naturalista e não como geômetra ou físico. É plausível que Maupertuis tenha considerado seriamente a possibilidade de trabalhar na *Académie de Sciences de Paris* no campo da História natural.

As transformações da Terra e seus efeitos sobre os organismos

Quando analisamos o problema da geração na obra de Maupertuis, os estudos que consultamos passam diretamente dos dois trabalhos acima mencionados para a composição da *Dissertação física* e, assim, não incluem qualquer referência ao tema entre 1728 e 1744. Excetuam-se apenas algumas conjecturas sobre os contatos de Maupertuis com Buffon acerca de problemas biológicos antes da composição dessa obra.

Acreditamos que é possível encontrar, antes de 1744, além do que foi mencionado, outros elementos na obra de Maupertuis ainda não explorados e que guardam importante relação com a geração dos organismos. Trata-se de considerações sobre a História da Terra associadas às transformações ocorridas com os organismos, sobretudo com as raças humanas. Procuraremos a seguir relacionar esses elementos, não com o intuito de apontar uma teoria sistemática sobre a questão, mas procurando evidenciar ideias que sugerem alguns temas e posições assumidas pelo autor em seus textos explicitamente voltados para a geração.

Em 1732, no *Figura dos astros*, Maupertuis trata, na parte final de sua exposição do sistema do mundo, dos anéis de Saturno. O autor explica que esses anéis podem ter sido formados pela cauda de um cometa que entrou em órbita circular ou elíptica em torno do planeta. Pelo mesmo processo, os corpos dos cometas poderiam originar satélites planetários. A partir daí, Maupertuis passa a discutir a ação mais direta que os cometas teriam sobre os planetas.

A cauda de um cometa, em vez de entrar em órbita e formar um anel, poderia produzir uma espécie de atmosfera planetária. A esse respeito Maupertuis apresenta algumas opiniões de Newton: "Newton notou que o vapor dos Cometas poderia espalhar-se sobre os planetas no momento em que viessem a aproximar-se: ele acreditou que essa espécie de comunicação era necessária para reparar a umidade que os planetas perdem sem cessar" (O1, p. 159).

A essas opiniões, Maupertuis acrescenta na conclusão de sua exposição:

> célebres filósofos ingleses, M. Halley e M. Whiston, bem notaram que se algum Cometa encontrasse nossa Terra, ele aí causaria grandes acidentes, como convulsões, dilúvios, ou incêndios. Mas em vez dessas sinistras catástrofes, o encontro de Cometas poderia acrescentar novas maravilhas e coisas úteis à nossa Terra (O1, p. 160).

Tais considerações introduzem um tema de especial interesse para a Filosofia Natural moderna e para a questão da geração dos organismos em particular. Trata-se das novas concepções sobre a Terra elaboradas no interior do quadro mecanicista e que viriam a dotar o planeta com uma *história*, ou seja, postulariam grandes modificações irreversíveis ocorridas em seu passado. Os autores que Maupertuis cita, Newton, Halley e Whiston, representantes da contribuição inglesa para a formulação dessas concepções, insistiram sobre os cometas e a atração por eles exercida como principais agentes capazes de produzir grandes transformações na Terra. Além deles, aparecem envolvidos com o tema da História da Terra uma série de outros autores, especialmente Descartes e seus discípulos. Em conjunto, esses autores desenharam a história da Geologia moderna, da qual exporemos mais adiante alguns elementos.

A referência que Maupertuis faz no *Figura dos astros* sobre as transformações planetárias ainda não é aprofundada. Mas mesmo essa breve menção é significativa, pois revela um primeiro interesse de Maupertuis por teorias que tratam da História da Terra. É importante destacar ainda a interpretação que aparece na citação: além de catastrófica, a ação dos cometas poderia ter uma espécie de efeito criativo com a introdução de novas maravilhas e coisas úteis à Terra.

Essas concepções sobre as modificações no passado da Terra remetem ao problema da geração quando questionamos sobre o efeito que elas exerceriam sobre os seres vivos do passado, seja sobre os organismos individualmente, seja sobre as raças e as espécies. É no interior da associação de duas histórias – uma da Terra e outra da vida – que se fundamentaram os temas mais complexos sobre a geração: a extinção e a transformação das espécies. Acreditamos que há rudimentos dessa associação em Maupertuis antes mesmo de seus estudos sobre a geração a partir de 1744 e a primeira dessas associações teria provavelmente ocorrido durante a expedição à Lapônia comandada pelo autor.

O "monumento" encontrado na Lapônia

Como vimos no capítulo 2, Maupertuis organizou e comandou uma expedição à Lapônia cuja meta principal foi medir o grau de meridiano mais ao norte possível com o objetivo de confirmar as previsões de Newton sobre a forma achatada do globo terrestre. A expedição parte em 1736 e retorna no ano seguinte; portanto, quatro anos depois da publicação do *Figura dos astros*. As questões em torno do problema da forma da Terra e da polêmica gerada pelos escritos de Maupertuis a respeito foram bastante estudadas e nelas não nos deteremos, mas uma particularidade pouco comentada da expedição interessa-nos mais de perto. Além das atividades em torno da medida dos arcos, a equipe tomou conhecimento da existência de um monumento em pedra que, segundo os habitantes locais, continham estranhas inscrições. Maupertuis ficou interessado pelo objeto e decidiu procurá-lo: "Enquanto estávamos em *Pello*, onde termina o arco do meridiano que medimos, os Fineses e os Lapões falaram-nos com frequência de um monumento que consideram como a maravilha de seu país e no qual acreditam estar encerrada a ciência de todas as coisas que ignoram" (O3, p. 179). O monumento encontrava-se em um local de difícil acesso e corria-se o risco de "ver-se congelar nos desertos onde não havia mais esperança de encontrar asilo" (O3, p. 180); mas, mesmo assim, a busca foi realizada. Além do tempo disponível (a equipe precisava aguardar dias mais favoráveis para retornar a Paris) e da "curiosidade em penetrar até o centro da Lapônia" (O3, p. 180), Maupertuis motivou-se ainda pela "esperança de ver o único monumento dessa espécie que talvez exista no Mundo" (O3, p. 180). Em sua busca, Maupertuis foi acompanhado por Celsius, que "combinava ao grande saber em Astronomia uma erudição profunda nas línguas do norte e que havia feito um estudo particular das inscrições rúnicas, com as quais acreditávamos que aquelas das quais nos falaram poderiam ter alguma relação" (O3, p. 180-1). Após uma longa e difícil viagem, sobre a qual Maupertuis faz um interessante relato, o objeto foi encontrado:

> É uma pedra que sai parcialmente da terra, de forma irregular, a uma altura de um pé e meio e possui aproximadamente três pés de largura. Uma de suas faces é bastante reta e forma um

> plano que não é completamente vertical, mas forma um ângulo agudo com o plano horizontal. Sobre essa face vemos linhas bem retas, com traços cujo comprimento é de um pouco mais de uma polegada e que estão talhados bem profundamente na pedra [...]. A pedra sobre a qual essas linhas estão gravadas é composta de diferentes camadas; os caracteres estão escritos sobre uma espécie de cascalho, enquanto o restante, sobretudo entre as duas linhas, parece ser de uma pedra mais mole e folheada (O3, p. 189).

As referidas inscrições foram copiadas por Maupertuis e Celsius e posteriormente publicadas.

Retornando a Paris, Maupertuis apresentou três relatórios (dois em 1737 e um em 1738) sobre a expedição, mas em nenhum deles, conforme os estudos que tivemos acesso, o monumento em questão foi mencionado. Ele aparecerá em 1747 no *Relation d'un voyage au fond de la Lapponie pour trouver un ancien monument* (*Relato de uma viagem ao fundo da Lapônia para encontrar um antigo monumento*), de onde tomamos as informações citadas anteriormente. Além do relato da viagem, Maupertuis apresenta no texto conjecturas sobre os povos que teriam produzido as inscrições sobre a pedra. São nessas conjecturas que aparecem a associação acima referida entre a História da Terra e as transformações ocorridas com as raças humanas.

Mas há um problema nessa interpretação no que diz respeito ao ano de publicação do *Relato de uma viagem*, pois, tendo sido publicado apenas em 1747, não podemos nos certificar se as ideias nele expostas foram formuladas pelo autor antes ou depois de 1744 – portanto antes ou depois da composição da *Dissertação* sobre o negro branco e do *Vênus física*. Contudo, apesar dessa incerteza, em duas obras escritas após o retorno da expedição há elementos que sugerem fortemente que Maupertuis já refletira sobre o assunto e aquilo que escreveu em 1747 já contara com estudos bem anteriores sobre o tema. Trata-se do *Reflexões filosóficas sobre a origem das línguas e o significado das palavras*, de 1740, que analisamos no capítulo 4, e a *Lettre sur la comète* (*Carta sobre o cometa*), de 1742. A seguir exporemos as ideias contidas no *Relato de uma viagem* juntamente com aquelas presentes nesses dois últimos textos com o intuito de mostrar como elas integram-se e tematizam importantes problemas gerais que reaparecerão no cerne das concepções de Maupertuis sobre a geração dos organismos e a transformação das espécies.

Voltando ao monumento, diz Maupertuis:

> Essa pedra não tem certamente a beleza dos monumentos da Grécia e de Roma: mas se isso que ela contém é uma inscrição, esta inscrição tem verdadeiramente a vantagem de ser a mais antiga do Universo. O país onde ela se encontra não é habitado senão por uma espécie de homens que vivem como animais nas florestas. Não acreditaríamos muito que eles tenham tido algum evento memorável a transmitir à posteridade; nem, quando eles o tiveram, que eles tivessem conhecido os meios. Também não seria de se supor que este país, na posição onde ele está, tivera outrora habitantes mais civilizados. O horror do clima e a esterilidade da terra a destinaram a ser apenas o asilo de alguns miseráveis que não conheceram qualquer outra [terra] (O3, p. 191-3).

Tudo parece indicar para Maupertuis que as inscrições encontradas não foram feitas por homens semelhantes aos atuais habitantes da região, mas por povos mais civilizados; estes também não teriam vivido no passado sob um clima tão inóspito. Mas esse clima é um efeito da posição geográfica atual da região. Maupertuis sugere que tanto essa posição como esse clima poderiam ter sido outros no passado: "Parece-me então que nossa inscrição deve ter sido gravada em um tempo onde este país se encontraria situado sob um outro clima; e antes de qualquer uma dessas grandes revoluções, que não poderíamos duvidar que tenham acontecido na Terra" (O3, p. 193). Tais revoluções teriam sido produzidas por algum fenômeno capaz de modificar a inclinação do eixo da Terra:

> A posição que tem hoje seu eixo com relação ao plano da eclíptica, faz que a Lapônia receba apenas muito obliquamente os raios do Sol: ela está condenada daí a um inverno longo e funesto aos homens, e a todas as produções da Natureza; sua terra é estéril e deserta.
>
> Mas não precisou talvez um grande movimento nos Céus para lhes causar todas estas desgraças. Estas regiões foram talvez outrora aquelas que o Sol olhava o mais favoravelmente; os círculos polares puderam ser o que atualmente são os trópicos; e a zona tórrida cobriu talvez o local ocupado atualmente pelas zonas temperadas. Mas como a situação do eixo da Terra teria mudado? Se consideramos os movimentos dos corpos celestes, ver-se-á senão excessivas causas capazes de produzir tais mudanças bem como outras maiores ainda (O3, p. 193-4).

Ainda sobre essa inclinação do eixo da Terra diz Maupertuis que

> a obliquidade sob a qual o plano do equador da Terra corta atualmente o plano da eclíptica, que é apenas de 23° e meio, poderia ser apenas o resto de uma obliquidade maior, durante as quais os polos se encontrariam nas zonas temperadas, ou na zona tórrida e veríamos o Sol em seu zênite (O3, p. 195).

O autor não sugere aqui qualquer hipótese sobre o que teria causado a inclinação do eixo em noventa graus; mas dentre os movimentos dos céus e as excessivas causas capazes de fazê-lo, os cometas aparecem como fator principal na *Carta sobre o come-*

ta. Antes porém de tratar dessa questão, devemos perguntar sobre os povos que supostamente teriam produzido as inscrições sobre o monumento.

Maupertuis não avança nada a esse respeito em seu relato, mas suas considerações sugerem que ele acreditava que esses povos teriam desaparecido com a suposta mudança planetária mencionada. É bem provável que tal crença tenha relação com a composição do *Reflexões filosóficas sobre a origem das línguas e o significado das palavras*, texto composto três anos após o regresso da expedição. Conforme discutimos, as conjecturas feitas por Maupertuis sobre a origem das línguas – tema que fundamenta o conteúdo do ensaio – incluem a suposição da existência de línguas primitivas compostas de caracteres simples. Vimos também que o autor considera essas primeiras linguagens aptas a expressar um conhecimento mais verdadeiro, uma vez que representam de modo mais direto os fenômenos. Maupertuis afirma que esse conhecimento mais puro nos seria inacessível e aponta como uma das razões o fato de que "talvez não haja mais no mundo povo selvagem o bastante para instruir-nos na busca de uma verdade pura que cada geração obscureceu" (O1, p. 263). Acreditamos ser plausível conjecturar que as inscrições observadas pelo autor na Lapônia poderiam ter-lhe sugerido a hipótese da existência de povos primitivos dotados de uma linguagem mais simples e que tenham desaparecido ou se extinguido.

O ponto a ser destacado nessas considerações é que, independentemente dos detalhes envolvidos, Maupertuis acreditava que modificações ocorridas no passado da Terra poderiam ter afetado a diversidade de povos humanos, levando talvez à extinção de certas formas. Essas mudanças não afetaram apenas a espécie humana, mas também os animais: "Sejam tais mudanças [relacionadas à mudança da inclinação do eixo da Terra], ou mudanças mais sutis que se suponha, é certo que elas ocorreram. As impressões de peixes, os próprios peixes petrificados, que se encontram nas terras as mais distantes do mar, são provas incontestáveis que esses lugares foram outrora baixos e submersos" (O3, p. 195-6). Embora não afirme que tais peixes petrificados pertençam a espécies extintas, Maupertuis considera os fósseis como restos de organismos que viveram no passado.

Em resumo, parece-nos que Maupertuis já tinha em mente elementos de um quadro teórico que considera mudanças profundas no passado da Terra capazes de afetar os seres que nela viveram. Esses elementos ligam-se diretamente aos temas relativos à geração dos organismos, desenvolvidos posteriormente nas obras do autor devotadas ao tema. Na verdade, eles relacionam-se bem mais às questões presentes no *Sistema da natureza*, composto após o *Vênus física*, que trata mais profundamente da origem e da transformação das formas viventes. Acreditamos que seria difícil imaginar que todos os pontos apresentados não tivessem algum efeito sobre a composição dessas obras.

A ação dos cometas

Trataremos agora da questão deixada acima em aberto acerca das causas que teriam provocado as mudanças sofridas pela Terra no passado. O tema é desenvolvido na *Carta sobre o cometa*, que Maupertuis compõe e publica em 1742 por ocasião da passagem de um cometa nesse mesmo ano. Os cometas são apontados como a já referida causa da mudança da inclinação do eixo da Terra:

> Nessa variedade de movimentos, bem vemos que é possível que um cometa encontre algum planeta ou mesmo a nossa Terra em sua rota; e não podemos duvidar de que não ocorreriam terríveis acidentes. Com a simples aproximação desses dois corpos seriam sem dúvida produzidas grandes mudanças em seus movimentos, seja que essas mudanças fossem causadas pela atra-

ção que eles exercem um sobre outro, seja que fossem causadas por qualquer fluido encerrado entre eles. O menor desses movimentos não faria menos que mudar a situação do eixo e dos polos da Terra. Tal parte do globo que antes estava na direção do equador se encontraria após um tal evento na direção dos polos e tal que estava na direção dos polos, encontrar-se-ia na direção do equador (O3, p. 236).

Essas concepções foram desenvolvidas principalmente por William Whiston (um dos autores citados no *Figura dos astros*) em sua obra *A new theory of the Earth* (*Uma nova teoria da Terra*), de 1696. O tema central da obra é a busca de explicações naturais para eventos bíblicos associados à história da Terra, a saber, a criação, o dilúvio e a conflagração final. Maupertuis cita a obra e apresenta um resumo das explicações de Whiston, na qual o cometa de 1680[3] teve um papel especial:

O cometa ia na direção do Sol, logo que passando perto da Terra, ele a inundou com sua cauda e com sua atmosfera, que não havia ainda adquirido o grau de calor do qual viemos a falar; e causa esta chuva de 40 dias que é dita na história do Dilúvio. Mas Whiston tira ainda da aproximação deste Cometa uma circunstância que acaba por satisfazer a maneira pela qual as divinas escrituras nos ensinam que o Dilúvio aconteceu. A atração que o Cometa e a Terra exercem reciprocamente mudou a figura da Terra; e o alongamento na direção do Cometa fez romper sua superfície e sair as águas subterrâneas do abismo [...] acredi-

3 Trata-se do Cometa de Kirch, descoberto em 14 de novembro de 1680 pelo astrônomo alemão Gottfried Kirch (1639-1710). Primeiro cometa a ser descoberto com o auxílio de um telescópio, foi estudado por Newton, sendo por isso também conhecido como Cometa de Newton (cf. Mourão, 1987, p. 435). Mais adiante no texto apresentamos as referências feitas por Maupertuis sobre parte desses estudos, publicados em 1687 nos *Principia* de Newton.

> tou que um Cometa, e talvez o mesmo, retornando um dia do Sol, e trazendo as exalações incandescentes e mortais, causará aos habitantes da Terra todas as desgraças que lhes são preditas no fim do Mundo, e enfim o incêndio universal que deve consumir este infeliz planeta (O3, p. 239-40).

Maupertuis também retoma as ideias de Newton sobre o efeito produzido pela cauda de um cometa que passasse próximo de um planeta, já introduzida no *Figura dos astros*:

> O Cometa de 1680 que se aproximou tanto do Sol, aí experimentou um calor vinte e oito mil vezes maior que aquele que a Terra prova no verão. M. Newton, a partir de diferentes experiências que fez sobre o calor dos corpos, calculando o grau de calor que este Cometa deveria ter adquirido, encontrou que ele deveria estar duas mil vezes mais quente que um ferro em brasa; e que uma massa de ferro em brasa grande como a Terra empregaria 50.000 anos para esfriar. Que poderíamos pensar do calor que restaria ainda nesse Cometa desde que vindo do Sol ele atravessasse o orbe da Terra? Se ele passasse mais perto, teria reduzido a Terra a cinzas ou tê-la-ia vitrificado; e se apenas sua cauda nos houvesse atingido, a Terra seria inundada por um rio incandescente e todos os habitantes seriam mortos (O3, p. 237-8).

Dentro do mesmo tema, o autor apresenta ainda as ideias de Gregory (1659-1708), que destaca ainda mais o efeito dos cometas sobre os seres vivos:

> Um dos maiores Astrônomos do século, Gregory, falou dos Cometas de modo a restabelecê-los dentro de toda a reputação de terror em que eles outrora estavam. Esse grande homem, que tanto aperfeiçoou a teoria desses astros, disse em um dos corolários de sua excelente obra: De onde segue-se que se a cauda de

algum Cometa atingisse nossa atmosfera, (ou se alguma parte da matéria que forma esta cauda explodisse nos Céus nela caísse por sua própria gravidade), as exalações do Cometa misturadas com o ar que respiramos nele causariam mudanças terríveis para os animais e para as plantas; pois é muito verdadeiro que os vapores trazidos de regiões tão distantes e tão estranhas e excitados por um calor tão grande, seriam funestas a tudo aquilo que se encontra sobre a Terra: assim nós poderíamos ver acontecer os males que se observou em todos os tempos e em todos os povos que se seguiram à aparição dos Cometas, e não convém aos Filósofos tomar muito levianamente estas coisas por fábula' (Grégory Astron. lib. v. corôl. ii. prop. iv.) (O3, p. 241-2).[4]

Maupertuis faz ainda outras considerações acerca dos efeitos produzidos pelo choque direto de um cometa sobre a Terra:

Mas o mais rude acidente de todos aconteceria se um Cometa viesse a se chocar contra a Terra, quebrando-se e quebrando a Terra em mil pedaços. Esse dois corpos seriam sem dúvida

4 Na obra de Gregory citada por Maupertuis, aparecem ainda outras ideias sobre as modificações planetárias produzidas pelos cometas; podemos destacar a seguinte: "se um cometa passasse próximo de um planeta (sua órbita e movimento conduzindo-o nessa direção) ele será tão atraído que sua órbita será modificada (mudando também a órbita do cometa também pela ação mútua), daí o período do planeta poderá também mudar. Mas o cometa pode também, por sua atração, perturbar o satélite, fazendo com que deixe seu planeta primário e tornando-se ele próprio um planeta primário junto ao Sol, movendo-se continuamente ao seu redor" (Gregory, 1726, p. 851). Essas concepções, juntamente com outras expostas no texto, vão no sentido de atribuir ao Sistema Solar – e consequentemente ao Sistema do Mundo – um quadro dinâmico de modificações, em oposição à manutenção de um sistema fixo garantido pela ação regular das leis naturais. A interpretação da relação que esses eventos súbitos guardam com os eventos regulares do sistema serão de especial importância para o desenvolvimento de vários aspectos da filosofia natural da época; o problema refletir-se-á não apenas na História do Universo e da Terra, mas igualmente na produção dos corpos terrestres, dos seres vivos e das espécies.

destruídos; mas a gravidade formaria novamente tão logo um ou vários outros planetas [...]. Um choque menos rude, que não quebrasse inteiramente nosso planeta, causaria sempre grandes mudanças na situação das terras e dos mares: as águas, durante um tal abalo, elevar-se-iam a grandes altitudes em alguns lugares e inundariam vastas regiões da superfície da Terra, que elas abandonariam depois; é a um tal choque que M. Halley atribui a causa do Dilúvio. A disposição irregular das camadas de diferentes materiais das quais a Terra é formada, o acúmulo de montanhas, parecem com efeito mais ruínas de um Mundo antigo que um estado primitivo (O3, p. 243-4).

Conforme afirmou no *Relato de uma viagem*, a existência dos fósseis são para Maupertuis (como para muito outros autores), uma prova de que a Terra sofreu as mudanças que lhes são atribuídas no passado. O mesmo é dito no *Carta sobre o cometa*, praticamente nos mesmos termos:

> Se jamais a Terra experimentou essas últimas catástrofes, não se pode duvidar que ela não tenha provado grandes desordens. As impressões de peixes, os próprios peixes petrificados que se encontram nos locais os mais distantes do mar, e até sobre o pico das montanhas, são medalhas incontestáveis de alguns desses eventos (O3, p. 243-4).

A partir dessas citações e das próprias considerações do autor, não podemos duvidar que Maupertuis reconhecia que a Terra sofreu grandes mudanças em seu passado e que tais mudanças afetaram os seres vivos. Esse ponto será, como já salientamos, fundamental para a construção de sua teoria geral sobre a produção dos seres organizados na Terra. Mas aqui aparece ainda uma segunda questão que diz respeito à interpretação dada a essas mudanças planetárias em grande escala. Os dados da astronomia, da geologia e o registro fóssil indicam uma história de instabilidades do planeta ao longo do tempo. Mas que lugar possui essas mudanças bruscas na ordem dos seres dentro da regularidade do Sistema do Mundo, quando tomado em seu conjunto? Em outras palavras, como interpretar essas intervenções de grande monta na forma, posição e mesmo no movimento dos corpos celestes? Para tratar dessas questões, ser-nos-á útil discutir alguns elementos da história da Geologia, anunciado páginas acima.

Em linhas gerais, a principal mudança ocorrida com as teorias modernas acerca da Terra foi no sentido de substituir a visão estática medieval inspirada no aristotelismo por concepções que atribuíam modificações mais ou menos irreversíveis no processo de formação do relevo terrestre.[5] Segundo Roger, essas novas

---

5 Na Antiguidade aparecem duas teorias sobre a Terra em oposição: a aristotélica e a atomista (poderíamos ainda incluir as concepções estoicas, nas quais a Terra sofre um processo de transformações que a levará a um fim, mas que, após sua destruição, há a regeneração de todas as coisas – a Terra incluída. O mundo presente nada possui de diferente dos mundos anteriores e posteriores a ele, havendo apenas a eterna continuidade de um ciclo de transformações que se repete). Na verdade não são exatamente teorias, mas elementos internos a duas filosofias naturais que também se opõe em muitos outros aspectos (veremos com mais detalhe como elas se oporão no âmbito da geração dos organismos). De forma bem resumida podemos dizer que, para Aristóteles, as mudanças geológicas percebidas na Terra equilibram-se entre si e não provocam modificações relevantes no conjunto do planeta. Como não há origem ou fim para todo o Cosmos, a Terra nele incluída permanece praticamente estável dentro de um tempo eterno, apesar de o sistema aristotélico dar conta das mudanças fenomênicas observáveis na natureza. Os atomistas, bem ao contrário, acreditavam que a Terra teve um começo a partir de uma condição caótica primordial. Os encontros fortuitos dos átomos produziram não apenas a Terra, mas todo o Cosmos. A Terra tem, pois, uma origem e terá igualmente um fim juntamente com a dissolução total do mundo. Mas esse novo mundo será diferente do atual, tal como antes dele houve outro mundo igualmente diferente. Em outros termos, as modificações ocorridas com o Cosmos dos atomistas são irreversíveis. Essa irreversibilidade confere uma individualidade ao mundo atual que, por sua vez, justificaria o estudo de suas origens e de seu desenvolvimento, incluindo a Terra.

Como é bem conhecido, a visão estática (ou, antes, a de um equilíbrio dinâmico das modificações particulares em relação ao todo) da Terra e do Cosmos aristotélicos dominou o pensamento medieval. Mas com a influência cristã na filosofia natural de Aristóteles, a Terra não é mais eterna e passa a ter um início com a criação do mundo. Não podemos con-

teorias reconheceram a ideia de que "a Terra tinha uma história e que seu relevo atual era o resultado de causas físicas, [...] mesmo se essas causas estavam a serviço de vontades divinas" (Roger, 1989, p. 138).

Essas mudanças específicas nas teorias que hoje chamamos geológicas[6] estiveram obviamente ligada à revolução na Astronomia e na Cosmologia associadas a Copérnico, Kepler e Galileu. É a nova Cosmologia que proporciona um modelo para responder a questões sobre a origem e o desenvolvimento da Terra. Mas esses modelos modernos não negaram a importância do conhecimento revelado sobre a Terra e, ao contrário, parte das pesquisas e teorias científicas foi desenvolvida a partir da tentativa de conciliar fenômenos e revelação. Esse mesmo processo pode ser identificado em outros domínios da ciência e da filosofia natural, como é o caso da geração dos organismos.

A primeira teoria específica para a origem da Terra formulada a partir da revolução científica moderna é a de Descartes. Ela desenvolve-se no interior da descrição cartesiana para a formação

templar nesse breve esboço histórico os estudos medievais sobre a Terra e suas nuanças ante o modelo de Aristóteles; apenas a título ilustrativo, podemos citar nesse sentido o *Composizione del mondo con le sue cagione* (*Composição do mundo com as suas razões*) de 1282, de Ristoro d'Arezzo. Conforme exposição que Papavero faz dessa obra, o autor apresenta uma hipótese sobre a origem das montanhas através das influências celestes, que seriam posteriormente modificadas pelo Dilúvio Universal. Baseado no sistema ptolomaico, Ristoro explica como as virtudes celestes teriam atuado na Criação para formar uma certa topografia da Terra. Influências posteriores – a ação das ondas do mar, das torrentes, dos terremotos, do homem e do Dilúvio – proporcionariam novas configurações. Mas, mesmo com tais modificações, o autor combinava uma "generatio" a uma "corruptio" dos elementos terrestres, o que possivelmente garantia mais ou menos a estabilidade global (cf. Papavero, 1989, p. 158-9). Com o advento da filosofia moderna, a ação dessas influências astrais e de virtudes similares serão trocadas pela ação das leis naturais e mecânicas. Porém, como veremos, os eventos narrados nas Escrituras Sagradas não foram abandonados juntamente com a filosofia natural aristotélica-medieval que lhes dava sustentação; esses eventos foram reinterpretados e receberam novas explicações à luz da nova ciência em formação.

6 A expressão original era "Teoria da Terra", utilizada até meados do século XIX.

do Universo a partir da teoria dos turbilhões. Nos *Principes de la philosophie* (*Princípios da filosofia*), parte iv, parágrafos 2 a 5 e 32 a 44 (cf. Descartes, 1996), a Terra origina-se a partir de um dos turbilhões de matéria formadores de estrelas. Descartes descreve em detalhe o rumo particular tomado pelas interações entre as partes materiais que compunham o turbilhão que, em vez de originar uma estrela tal como ocorreu com o Sol, organizou o nosso planeta. Valendo-se apenas das leis do movimento e da produção de diferentes tipos de partículas que vão se agregando de maneira cada vez mais complexa, Descartes explica desde a formação da atmosfera e do oceano primitivo, até a produção das montanhas e do relevo atual.

A teoria cartesiana para a formação da Terra pode ser bastante aproximada daquela associada ao esquema atomista antigo. Mas do que isso, essa mesma filiação pode ser estabelecida para a formação de todo o universo físico apresentada nos *Princípios da filosofia*. Essa relação possível entre cartesianismo e atomismo promoveu uma intensa crítica ao primeiro, da qual se podem destacar dois pontos centrais: (i) a oposição entre a origem natural e física do universo de Descartes contrastada com a origem sobrenatural do mundo revelada nas Escrituras Sagradas e (ii) a suposta autonomia conferida por Descartes às leis naturais diante do poder criativo e da ação providencial de Deus (sobretudo no que tange ao papel dos milagres no interior de um universo mecânico). Essa crítica cobre tanto as bases metafísicas quanto aspectos mais específicos da ciência cartesiana e, neste último caso, a geração dos organismos esteve particularmente envolvida. No *Vênus física* Maupertuis abre espaço para a discussão dessas questões, ocasião que aproveitaremos para aprofundar o tema. Por ora devemos ressaltar que os problemas postos pelo cartesianismo levaram à formulação de teorias que procuraram reconciliar o conhecimento natural com o conhecimento revelado através de novas soluções.

No que tange às Teorias da Terra, Thomas Burnet tentou relacionar as explicações de Descartes com os eventos narrados na Bíblia. Em seu *Telluris theoria sacra* (*Teoria sagrada da Terra*) de 1681, simplifica e modifica o sistema cartesiano procurando aproximá-lo do relato mosaico e propõe explicações naturais para os atos divinos. Introduz, por exemplo, uma explicação natural para o dilúvio, inexistente na teoria de Descartes. Papavero e Pujol-Luz assim resumem a explicação de Burnet para esse evento: "A incessante e prolongada incidência dos raios solares sobre o planeta foi secando os rios e rachando a crosta; fendas imensas se abriram na superfície, deixando escapar as águas subterrâneas, que acabaram cobrindo todo o globo, afogando homens e animais, exceto os que encontraram salvação na Arca de Noé" (1997, p. 220). Essa explicação pode ser tomada como exemplar para a articulação entre conhecimento revelado e natural proposta por Burnet: a ciência pode dar uma explicação física e natural para os eventos narrados nas Escrituras.[7]

Afirmar que o dilúvio foi produzido por causas naturais não entra em conflito, segundo Burnet, com o fato de ele também ter sido produzido pela vontade divina. Sobre isso diz Rossi:

> A resposta de Burnet é característica: a coincidência da série de eventos naturais regidos por causas mecânicas com a série de acontecimentos morais constitui, ela mesma, uma prova da sabedoria divina. Deus *sincronizou*, por assim dizer, os dois mundos, humano e natural, intelectual e material, os eventos da

---

7 A esse respeito, Papavero e Pujol-Luz afirmam que Burnet confirmava a historicidade do relato mosaico através da ciência (cf. 1997, p. 220); Rossi qualifica de "científica" a atitude de Burnet em procurar uma solução racional satisfatória para o problema do dilúvio (cf. 1992, p. 57). Outro ponto importante ligado às teorias de Burnet refere-se à separação que ele faz entre História da Terra e História do Universo. A esse respeito diz Gohau: "isolando a Terra do resto do cosmos, essa concentração do olhar funda de certa maneira a ciência da Terra, a constitui como disciplina autônoma, independente da cosmologia" (1990, p. 86).

> história humana e a cadeia das causas que provocaram o Dilúvio (1992, p. 59).

Desse modo, mesmo atribuindo causas físicas ao Dilúvio, poder-se-ia preservar seu caráter moral, interpretando-o como a expressão da ira divina que se utiliza dos fenômenos naturais para castigar a maldade dos homens. Assim, as características atuais do relevo, que no passado foram desenhadas pelo Dilúvio, são interpretadas por Burnet como ruínas e escombros decorrentes das catástrofes provocadas por Deus; catástrofes que transfiguraram um mundo originalmente mais perfeito e de natureza paradisíaca. A esse respeito Rossi afirma que:

> A ordem, a beleza e a proporção que estão nas raízes do mundo e constituem o reflexo da obra de Deus não são negadas, mas, por assim dizer, *deslocadas para trás no tempo*, projetadas num mundo que é diferente e oposto daquele no qual o homem conduz sua vida e realizou sua história. O mundo posterior à catástrofe é desprovido de ordem e de proporção, é uma espécie de novo caos (1992, p. 60-1).

A Terra tem efetivamente uma história, mas é um processo de degeneração e de envelhecimento que ela sofre ao longo do tempo.

A teoria de Burnet afastava-se muito da interpretação literal das Escrituras e, por essa e outras razões, suas ideias viriam a ser criticadas e rejeitadas, dando espaço às concepções fundadas no newtonianismo. Segundo Bowler (cf. 1989, p. 31), a maioria das visões sobre a origem da Terra do século XVIII foram baseadas na física newtoniana e não na cartesiana. Além do próprio Newton, e em torno deste, os autores ingleses envolvidos com a proposição de novas ideias – Halley, Gregory e Whiston[8] – são aqueles que

8 Outros dois autores importantes não mencionados por Maupertuis são Hooke e Woodward.

Maupertuis trata na *Carta sobre o cometa*, conforme citamos anteriormente. Dentre os três, trataremos apenas de Whiston, pois é perante suas ideias que Maupertuis posiciona-se mais diretamente. As concepções de Whiston, que apareceram no já citado *Uma nova teoria da Terra*, apresentava, segundo Rossi, três teses cosmológicas:

> 1) a Terra formara-se em seguida ao resfriamento de cometa nebuloso, de massa igual à da Terra mas de volume incomparavelmente maior; 2) O Dilúvio era identificado às marés e ao emergir das águas internas provocado pela passagem da Terra através da cauda de um cometa (depois identificado ao Halley), de grandeza seis vezes maior que a da Terra e 24 vezes mais próximo da Terra que da Lua; 3) a conflagração final seria provocada pela aproximação de um novo (ou o mesmo) cometa, o qual causaria o desaparecimento das águas e a reconciliação da Terra em situação similar à inicial (1992, p. 94).

São estas as teses que Maupertuis apresenta resumidamente na *Lettre sur la comète*. Whiston era discípulo e admirador de Newton e, como este e Burnet, desenvolveu explicações que articulavam os eventos bíblicos aos fenômenos naturais. Contudo, essa articulação tinha suas particularidades, pois o autor pretendeu manter-se distante tanto de uma interpretação "literal" quanto "metafórica" das Escrituras.[9] Mas, detalhes à parte, o pon-

---

9 Sem pretendermos aprofundar o tema, podemos assim resumir essas duas alternativas: por um lado pode-se assumir que os eventos narrados nas Escrituras ocorreram exatamente como nelas estão expressos. Do ponto de vista científico essa visão não era interessante, pois implicava incongruências enormes, impossíveis de ser assumidas por um esquema racional e mecânico. Diante dessa visão, destaca Rossi, Whiston afirmou que "o esquema vulgar da narração mosaica [...] oferece representação tão desordenada, confusa e não filosófica que parece completamente em desacordo com a sabedoria e a perfeição de Deus" (1992, p. 95); a essa interpretação opunha-se uma outra mais alegórica, que julgava a narrativa

to central a ser enfocado é que, para Whiston, as modificações ocorridas com a Terra no passado foram efetivamente causadas por eventos naturais (cometas), mas que estavam a serviço da Providência divina. Essa posição pode ser caracterizada como integrante de um movimento mais geral da filosofia natural nascida no século XVII, designada por Teologia natural ou Físico-Teologia. Além de inspirar várias teorias sobre a História da Terra, o movimento ocupou-se de muitos outros tópicos da ciência moderna, dando destaque aos problemas relativos aos seres vivos. Como Maupertuis posiciona-se diante dessa visão?

> Se todos esses pensamentos são ousados, eles não têm nada de contrário, nem à razão, nem àquilo que deve fazer a regra de nossa fé e a conduta de nossos costumes. Deus se serviu do Dilúvio para exterminar uma raça de homens cujos crimes mereciam seus castigos; ele fará perecer um dia de uma maneira ainda mais terrível e sem qualquer exceção todo o gênero humano: mas ele pode ter entregado os efeitos de sua cólera a causas físicas; e aquele que é o Criador e o Motor de todos os corpos do Universo, pode ter regulado seus cursos de tal maneira, que eles causarão esses grandes eventos assim que venham os tempos (O3, p. 240).

Não parece haver dúvida da adesão de Maupertuis a preceitos básicos da Teologia natural no que concerne à História da Terra.

bíblica como fábulas de intenção moral, sem qualquer relação com a descrição de fatos ou com a exposição de verdades nesse domínio. Newton aderia mais à primeira interpretação, afirmando que "Moisés não escreveu coisas filosóficas ou imaginárias, mas coisas reais em linguagem artificialmente adaptada às capacidades do vulgo" (Newton *apud* Rossi, 1992, p. 96); nesse sentido, Newton reprovou pontos centrais da teoria de Burnet, que alteravam bastante o sentido mais literal das Escrituras. Whiston, por sua vez, procurando afastar-se de ambas as possibilidades interpretativas, assumiu posição de confronto com os dois autores (apesar de ser discípulo e admirador de Newton).

O autor concebe o passado da Terra dentro de um quadro catastrofista de transformações, no qual poderá inserir os processos de geração e transformação dos organismos.

No *Relato de uma viagem*, Maupertuis faz uma consideração geral que resume a adesão do autor ao referido quadro teórico de transformações:

> Se o conhecimento da Anatomia, de todas as partes e de todos os recursos que fazem mover os corpos, faz que aqueles que a possuem se surpreendam que a máquina possa subsistir tão longo tempo, pode-se dizer a mesma coisa do estudo da Astronomia. O conhecimento dos movimentos celestes nos revela muitas causas que levariam, não apenas à nossa Terra, mas ao sistema geral do Mundo, modificações consideráveis (O3, p. 194).

Maupertuis pode ser considerado um especialista na forma dos astros e em particular na da Terra. Esse tema específico aparece no interior de obras astronômicas gerais, compostas pelo autor no período que antecede seus estudos sobre a geração dos organismos. Nessas obras vemos uma descrição das características básicas de um Sistema do Mundo de base newtoniana, acompanhada das leis que garantem a regularidade dos movimentos e a fixidez dos corpos celestes. Mas ao longo do desenvolvimento desse projeto que, como dissemos, visa à construção de uma Cosmologia, Maupertuis faz reflexões acerca das possíveis instabilidades a que esse Sistema do Mundo estaria sujeito. Sobre as transformações sofridas pela Terra Maupertuis faz considerações apenas tangenciais, acrescentando pouca coisa às ideias que citamos até aqui; o autor não elabora qualquer Teoria da Terra. Contudo, no que se refere à geração dos corpos organizados que integram o conjunto dos seres terrestres, esse quadro de transformações será fundamental: novas espécies poderão ser produzidas a partir de um mecanismo gerativo único.

O objeto de estudo do *Vênus física*

No primeiro capítulo do *Vênus física*, Maupertuis define em linhas gerais seu objeto de estudo: "Tentarei somente fazer-vos conhecer a origem de vosso corpo e os diferentes estados pelos quais passastes, antes de estar no estado em que estais" (O2, p. 5). Enfatiza que é da geração do corpo que tratará, pois a investigação daquilo que ocorre antes do nascimento e após a morte – a origem e o destino da alma – não seria propriamente do âmbito da Física, mas sim da Religião: "Não é portanto como Metafísico que quero tocar nessas questões, mas apenas como Naturalista. Deixo aos espíritos mais sublimes dizer-vos, se é que podem, o que é vossa alma, quando e como ela vos veio iluminar" (O2, p. 5). No *Vênus física*, as questões sobre a origem da alma aparecem como tema para espíritos mais sublimes do mesmo modo que no *Figura dos astros* a busca da causa primeira da atração foi considerada tarefa para filósofos mais sublimes.

Como já ocorreu em suas pesquisas em Física, quando Maupertuis declara que não tratará seu objeto metafisicamente, não significa que excluirá quaisquer discussões nesse domínio. O recurso aos fenômenos é a estratégia mais importante utilizada na *Vênus física* e aparece nos argumentos mais derradeiros. Contudo, boa parte da sustentação das conjecturas que Maupertuis apresentará para explicar a geração dos corpos dependerá da crítica filosófica de posições contrárias às suas, sendo um exemplo importante nesse sentido a crítica a Descartes. Em certo sentido a proposta de Maupertuis apresenta grande similaridade com a de Descartes: explicar a formação do corpo de um animal a partir do movimento de partes geradoras oriundas da mistura dos líquidos seminais masculino e feminino. Ambas as propostas são inteiramente mecanicistas, mas enquanto Descartes vale-se das leis do choque, Maupertuis recorre à atração na forma de afinidades químicas para explicar a organização do embrião. Contudo, como veremos, Maupertuis rejeitará a explicação de Descartes em função de suas possíveis consequências filosóficas acerca do papel de Deus na produção dos fenômenos. Não veremos Maupertuis discutir em detalhe – como fez para outros autores – os resultados particulares apresentados por Descartes em seus estudos embriológicos.

Maupertuis anuncia que seu estudo proporcionará uma descrição dos diferentes estados pelos quais passamos, o que corresponderia a uma descrição embriogênica. A esse respeito o autor apenas discute teorias disponíveis, sem dúvida importantes para suas conjecturas, mas não oferece qualquer resultado adicional. Em outras palavras, Maupertuis não apresenta nenhuma contribuição para a embriologia descritiva. As etapas do processo de geração que Maupertuis enfoca em todos os seus estudos são: (1) a formação da semente no corpo dos parentes, (2) as condições iniciais da formação do embrião decorrentes da união dos licores seminais – que é a teoria que adota para a natureza da semente – e (3) o reflexo dessas condições iniciais na produção dos caracteres morfológicos no organismo já formado. É nesse último aspecto da questão que Maupertuis apresentará as conjecturas mais interessantes e com consequências mais profundas para o problema da geração. Podemos dizer que o fenômeno mais explorado nos estudos de Maupertuis sobre a geração é a hereditariedade, que levará por sua vez ao problema da transformação das espécies.

Continuando o exame do objeto de sua investigação, Maupertuis apresenta algumas perguntas centrais:

> Quanto mais distante está a criança da época em que deve nascer, mais seu tamanho e sua forma se distanciam da [forma e tamanho] do homem [...] Anteriormente é apenas uma matéria informe [...] um amontoado de sangue e linfa [...] É esse o primeiro momento de nossa origem? Como essa criança que se encontra no seio de sua mãe se formou? De onde ela veio? É esse

um mistério impenetrável, ou as observações dos Físicos podem lançar sobre ele alguma luz? (O2, p. 6-7).

Na introdução das perguntas já aparece um possível sentido que tomará a resposta: a forma do embrião é constituída gradativamente a partir de uma matéria informe que deve existir nos estágios iniciais do processo. Esses elementos definem um mecanismo gerativo epigenético, processo que aparece nas teorias de Aristóteles, Harvey e Descartes. Estudos históricos tradicionalmente situam Maupertuis, juntamente com Buffon e Needham, nessa linha epigenética de explicações. Contudo, veremos que, a rigor, a teoria de Maupertuis não é necessariamente epigenética: segundo suas conjecturas, a matéria que forma o embrião – esse primeiro termo de nossa origem – já possui uma forma, pelo menos no que concerne às suas partes e órgãos fundamentais. A relação da teoria de Maupertuis com a epigênese é um dos pontos que discutiremos em detalhe mas, independentemente do vínculo que se estabeleça entre ambas, as explicações que o autor oferece são contrárias às oferecidas pelas teorias mais aceitas em sua época, a saber, que os embriões não apenas estão pré-formados como um todo antes da concepção, mas que preexistem desde a criação do mundo.

Para responder às questões colocadas na citação anterior, Maupertuis irá "explicar os diferentes sistemas que dividiram os Filósofos sobre a maneira pela qual se dá a geração" (O2, p. 7). De fato, boa parte do texto do *Vênus física* é dedicada à análise desses *Sistemas*, termo comumente utilizado na época para designar as distintas teorias sobre a geração. As principais noções presentes nos diversos *Sistemas* examinados por Maupertuis que, por sua vez, definirão as diferenças teóricas entre eles, são: a teoria da dupla semente, a pangênese, a epigênese, a teoria da pré-formação e da preexistência dos germes (nas versões ovista e animalculista) e a teoria do embutimento. Na discussão que se segue, procuraremos definir tais noções e, sobretudo, identificar as posições de Maupertuis perante elas. Tal estudo é fundamental para a avaliação do significado da teoria que o autor formulará ao final de sua crítica aos sistemas.

Capítulo 7

A geração dos corpos organizados entre os antigos

O que Maupertuis designa como *Sistema dos Antigos* é a teoria que fundamentará suas próprias conjecturas sobre a geração. A teoria de Maupertuis pode ser vista como esse *Sistema* reformulado nos termos do mecanicismo dinâmico-corpuscular. A essa combinação de teorias somam-se ainda a influência dos estudos de Harvey, que Maupertuis recupera e reinterpreta, das discussões da época sobre a geração dos monstros e sobre a origem das raças humanas.

Na Antiguidade, foram desenvolvidas várias teorias sobre a geração dos organismos cuja complexidade original foi ampliada em diversos usos e combinações feitas por autores posteriores até, pelo menos, o século XVIII. A geração dos organismos aparece como tema mais ou menos importante da filosofia natural de Empédocles, Anaxágoras, Demócrito, Hipócrates, Aristóteles, Epicuro, Lucrécio e Galeno e não faz parte do escopo deste livro discutir e comparar esses diferentes autores. Enfocaremos apenas as questões que afetam mais diretamente a teoria de Maupertuis e, nesse sentido, aparece como problema central a tensão existente entre as concepções aristotélicas e hipocrático-atomistas acerca da origem e da natureza do sêmen e do processo de formação do embrião.

Maupertuis introduz as teorias antigas sobre a geração dos organismos como segue:

> Os antigos acreditavam que o feto era formado da mistura dos licores que cada um dos sexos emite. O licor seminal do macho,

> lançado no interior da matriz, misturava-se com o licor seminal da fêmea: e após essa mistura, os Antigos não encontravam mais dificuldade em compreender como disso resultava um animal: Tudo era operado por uma *faculdade geradora* (O2, p. 11).

Nessa breve exposição, podemos identificar dois aspectos do problema que se vinculam diretamente à tensão Aristóteles-Hipócrates anteriormente mencionada e que discutiremos separadamente: (1) o feto é formado da mistura dos licores (ou líquidos seminais) masculino e feminino e (2) a geração ocorre graças à atuação de uma faculdade geradora.

A teoria da semente dupla e a pangênese: Hipócrates

A concepção segundo a qual tanto o macho como a fêmea produzem sementes ou licores seminais, que uma vez misturados no útero dão origem ao embrião, pode ser designada como teoria da semente dupla. A substância gerativa tem duas origens, mas sua produção ocorre segundo um mesmo processo, a pangênese, cujo postulado básico pode ser lido em *A doença sagrada*, texto integrante do *corpus* hipocrático: "a semente vem de todas as partes do corpo" (Hipócrates, 1952, p. 155). A mesma ideia aparece em outro texto hipocrático, *Sobre a geração*, agora especificando o útero como local da reunião das duas sementes: "A semente vem ao útero do corpo todo da mulher e do homem" (Hipócrates *apud* Castañeda, 1992, p. 11). O mesmo texto apresenta ainda uma descrição detalhada da produção da semente ou licor masculino:

> Quanto ao esperma do homem, ele vem de toda parte do humor que se encontra no corpo; é a sua parte mais forte que se separa [...]. Veias e nervos vão do corpo todo ao sexo [...]. Pelo atrito do sexo e o movimento que é feito, o humor aquece-se no

> corpo, torna-se fluido, agita-se por causa do movimento e espuma, como espumam todos os fluidos agitados. Da mesma forma, no homem separa-se do humor espumante a parte mais forte e mais gordurosa, que chega à medula espinhal. Pois ela aí chega do corpo inteiro e escoa do cérebro para as costas [...] Depois de ter chegado à medula, o esperma passa pelos rins [...] dos rins, o esperma passa através do meio dos testículos ao membro, não pelo canal da urina mas por um outro (Hipócrates *apud* Castañeda, 1992, p. 8-9).

O sêmen aparece associado aos humores do corpo e, assim, teria uma natureza fluida. No ato da cópula esse fluido é tornado espumante pela ação do calor e da agitação corporais. Contudo, numa outra parte de *A doença sagrada*, o autor hipocrático afirma que "Como a semente vem de todas as partes do corpo, partículas saudáveis virão de partes saudáveis, e partículas não saudáveis de partes não saudáveis" (Hipócrates, 1952, p. 155). Temos, então, contraposta à sua fluidez, uma natureza particular associada ao sêmen. Se o verdadeiro sêmen, aquilo que vai atuar na geração do embrião, é o líquido espumante ou são as partículas – e nesse caso o primeiro poderia servir como veículo das últimas – é um ponto que não discutiremos. Mas, num ou noutro caso, a semente ou substância seminal é considerada heterogênea e, pelo menos em algum sentido, descontínua. É sobretudo esse caráter da semente hipocrática que se contraporá às concepções de Aristóteles.

A faculdade geradora na teoria hipocrática

Após a união das sementes masculina e feminina no útero deve entrar em ação um processo que organize suas partes constituintes segundo a disposição própria da espécie de embrião que será gerado. Às entidades que atuarão nesse processo chamaremos faculdades ou agentes geradores e referem-se ao segundo elemento da tensão Aristóteles-Hipócrates mencionada anteriormente. As ideias hipocráticas sobre a natureza de tais faculdades são complexas e um resumo delas bastará para nossa discussão. Sobre elas diz Pichot:

> As sementes masculina e feminina misturam-se na matriz da fêmea, o que as aquece, as engrossa, as faz estufar e produz um "sopro". Hipócrates pensa manifestamente em um tipo de fermentação que produz calor e gás (comparativamente ao pão que fermenta). Esse calor e este "sopro" organizam as diferentes partes das sementes segundo, ao que parece, duas maneiras diferentes. A primeira faz apelo ao calor que coagula ou desseca esta ou aquela parte (para formar os ossos, por exemplo). A segunda faz apelo ao sopro que determina um movimento aos diversos componentes das sementes, os quais se reúnem segundo o princípio de atração do semelhante pelo semelhante (Pichot, 1993, p. 20).

Um primeiro movimento causado por um processo de fermentação agita as distintas partes da mistura seminal, que se unem graças a uma "afinidade entre os semelhantes". A natureza dessa afinidade aparece expressa no texto hipocrático *Sobre a natureza da criança*, citado por Pichot:

> A carne aumentada pelo sopro divide-se em membros; nela o semelhante vai ao seu semelhante, o denso ao denso, o frouxo ao frouxo, o úmido ao úmido; e cada coisa vai ao seu lugar próprio segundo a afinidade de onde ela provém; o que provém do denso é denso; do úmido, é úmido; e assim por diante no crescimento (Hipócrates *apud* Pichot, 1993, p. 21).

O sopro (*pneuma*) organiza as partes que já possuem uma diferenciação prévia, representadas aqui por qualidades tais como densidade, textura, umidade etc. As partes com qualidades semelhantes unem-se e disso resulta a organização do embrião. Essas qualidades presentes nas partes seminais foram adquiridas no processo pangenético de formação da semente: cada parte seminal possui a qualidade do órgão parental de onde proveio. Assim, a associação de partes seminais semelhantes restitui o mesmo tipo de organização que possui o corpo dos pais. Ambas as sementes, e consequentemente ambos os sexos, participam igualmente da geração, contribuindo tanto para a forma como para a matéria do embrião.

Independentemente dos agentes que atuam na organização do embrião no útero, temos uma diferenciação prévia, ou uma *pré-formação* da semente anterior à concepção ou mistura dos licores seminais. É tal diferenciação que caracteriza a natureza heterogênea da semente hipocrática a que nos referimos anteriormente.

Outros autores da Antiguidade postularam sementes heterogêneas e, a partir desse traço comum, podemos comparar as concepções hipocráticas com as de outros dois autores representativos, Anaxágoras e Demócrito.

Anaxágoras

As homeomerias de Anaxágoras (500-428 a.C.) vinculam constituição e geração dos corpos. Sobre elas diz Lucrécio:

> [o que Anaxágoras] chama homeomeria das coisas é que, por exemplo, os ossos sejam constituídos por pequeníssimos, diminutos ossos, que as vísceras se formam de vísceras diminutas, pequeníssimas, que o sangue surja do juntar entre si de mui-

> tas gotas, que o ouro, segundo o que pensa, possa ser constituído por partículas de ouro, que a terra nasça de terras, o fogo de pequenos fogos, e a umidade de umidades; e acha que tudo se forma do mesmo modo (Lucrécio, 1973, p. 49).

O ponto mais importante para o problema da geração presente em tal concepção de homeomeria pode ser assim resumido: as partes de um todo possuem a mesma forma do todo. A essa concepção sobre a constituição dos corpos vincula-se o modo pelo qual eles são gerados. Segundo informa Simplício, para Anaxágoras todas as coisas estão subjacentes antes mesmo de serem geradas: "porque no todo havia ouro, gerava-se ouro, e porque havia terra, gerava-se terra, e assim também cada uma das outras coisas, que não se engendravam, mas já antes eram subjacentes" (Simplício, 1973, p. 264). O ouro e a terra, bem como todas as coisas, já estavam diferenciadas antes mesmo de entrarem na constituição dos respectivos corpos que formariam. Eram, portanto, como em Hipócrates, partes pré-formadas. Aristóteles afirma ainda na *Física* que

> Anaxágoras diz que qualquer das partes é uma mistura semelhante ao todo, por ver que qualquer coisa procede de qualquer coisa [...] tudo se forma de tudo, embora não imediatamente mas em ordem [...], ele dizia que todas as coisas estão misturadas em todas e a geração é engendrada pela separação [...] supunha a partir desses fatos que também todos os seres estavam outrora misturados em conjunto, antes de terem sido separados (Aristóteles, 1973, p. 265).

Temos aqui uma espécie de condição primordial do mundo, um estágio inicial onde as sementes de todas as coisas estão juntas e formam os corpos por separação. Embora não seja claro como Anaxágoras concebia as gerações regulares dos corpos vivos, posteriores a essas gerações primordiais, podemos supor certa unidade do processo. Sobre as primeiras afirma S. Gregório que

> [Anaxágoras] Disse que no próprio sêmen estavam contidos tanto o cabelo como as unhas e artérias e nervos e ossos, e que estes ali estavam invisíveis, por causa de sua pequenez, mas que se desenvolviam pouco a pouco, ao se separarem. Pois como poderia o cabelo provir do não cabelo e a carne da não-carne? (Gregório *apud* Papavero & Balsa, 1986, p. 81).

Aqui não aparece propriamente uma descrição do processo de geração dos organismos, mas é plausível que o sêmen a que se refere S. Clemente seja aquele encontrado no interior de animais já formados. Voltando à citação anterior de Aristóteles, tudo se forma de tudo, mas segundo uma certa ordem, onde um processo de *separação* determina as partes que deverão manifestar um certo tipo de corpo em questão. *Nous* ou espírito, que aparece em Anaxágoras como segundo princípio ao lado das homeomerias, é responsável pela separação das partes. A esse respeito diz Platão "uma mente [*nous*] é a coordenação e a causa de tudo" (Platão, 1973, p. 265), e Simplício afirma que "diz Teofrasto, pareceria que Anaxágoras faz infinitos os princípios materiais e única a causa do movimento e da geração, a saber, o espírito" (Simplício, 1973, p. 264). A realização do processo de geração por *separação* determinaria que, de algum modo, haveria maior concentração ou acúmulo de partes de um certo tipo que manifestariam os atributos dessas partes num corpo organizado. Sobre isso informa Lucrécio: "Anaxágoras, [diz] que tudo existe misturado e escondido em tudo, mas que só nos aparece o corpo cujos elementos se encontrem em maior número, colocados mais à frente, e com mais eficiência" (Lucrécio, 1973, p. 50).

Em resumo, se considerarmos essas ideias sobre o mecanismo de geração atribuídas a Anaxágoras como aplicáveis aos corpos vivos, poderemos dizer que os semens paterno e materno devem conter partes seminais pré-formadas para todos os caracteres do futuro organismo, além de um número infinito de partes responsáveis pelos atributos ou caracteres de todos os demais corpos existentes. Os organismos são formados pela ação do *nous* que separa e ordena as partes que lhes são próprias, tornando-as mais evidentes. A natureza heterogênea da semente é, portanto, semelhante àquela descrita em Hipócrates, diferindo contudo quanto ao agente e ao processo organizador das partes seminais.

Demócrito e a concepção atomista

Segundo Kirk, Raven e Schofield, os átomos da filosofia de Leucipo-Demócrito

> são concebidos como sendo muito pequenos, tão pequenos, de fato, que são invisíveis [...], encontram-se dispersos pelo vazio infinito, e são infinitos em número e em formato. É sobretudo na forma e na disposição que eles diferem uns dos outros: todas as diferenças "qualitativas" dos objetos (que são aglomerados de átomos) dependem, por isso e apenas, de diferenças quantitativas e locais (1994, p. 438).

A propriedade dos átomos mais relevante para o problema da geração é sua forma: que diferenças e semelhanças encontramos entre a forma dos átomos e a forma dos corpos que eles organizam? Os átomos possuem infinitas formas, mas existe, analogamente às homeomerias, para cada forma de corpo macroscópico uma forma atômica correspondente? E na formação dos corpos a partir dos átomos há, também como nas homeomerias, uma predominância de partes que possuem a mesma forma do todo? Estamos enfocando essas questões com o objetivo específico de verificar se a concepção de pré-formação comparece igualmente no atomismo antigo. Nesse sentido, as explicações de como os corpos se formam a partir dos átomos são fundamentais. Kirk, Raven e Schofield apresentam, a partir dos fragmentos atomistas sobre o tema, a seguinte síntese:

> Como resultado da colisão entre os átomos, aqueles que são de forma congruente não fazem ricochete, mas permanecem temporariamente ligados uns aos outros: por exemplo, um átomo em forma de anzol pode prender-se a um átomo a cuja forma o formato de anzol se adapta. Outros átomos congruentes, ao colidirem com esse complexo de dois átomos, ligam-se então, até que se forma um corpo visível de determinadas características (1994, p. 450).

As características de um corpo podem ser completamente diferentes das características dos átomos que o compõem. Se tomarmos a forma como uma dessas características podemos concluir que, segundo o atomismo, não há pré-formação na geração dos corpos em geral. Contudo, para a geração dos corpos vivos em particular o mesmo não pode ser afirmado com clareza.

Segundo Aétius, "Démocrito diz que o esperma é composto de todos os elementos e sobretudo das partes principais, tais como os ossos e as veias" (Aétius *apud* Solovine & Morel, 1993, p. 92). Há, pois, grande semelhança com as homeomerias de Anaxágoras que, como vimos, implicam uma pré-formação.[1] Mas outros au-

1 A teoria da dupla semente também aparece entre as concepções atomistas: "Epicuro e Demócrito pensam que as mulheres também ejaculam esperma, dado que elas possuem condutos seminais colocados em sentido inverso" (Aétius *apud* Solovine & Morel, 1993, p. 92); sobre a atuação conjunta dos semens na geração, Aétius diz: "As partes comuns são engendradas pelos dois em conjunto, as particularidades sexuais, ao contrário, são devidas à predominância de um ou de outro" (Aétius *apud* Solovine & Morel, 1993. p. 94).

tores sugerem que o modelo geral de geração, sem pré-formação, aplica-se às plantas e aos animais:

> E a causa de se coordenarem as substâncias umas com as outras até certo ponto, ele [Demócrito] atribui aos ajustes e correspondências dos corpos. Pois alguns deles são oblíquos, outros em forma de anzol, ocos, curvos, e outros ainda de inúmeras diferenças. Julga, portanto, que se mantêm a si mesmas e se coordenam até que alguma mais forte por uma necessidade surgindo do ambiente as agite e disperse. *E afirma que a geração e a separação que lhe é contrária se processam não apenas com animais mas também com plantas, com mundos e, em suma, com todos os corpos sensíveis.* Se, efetivamente, a geração é uma combinação de átomos, a concepção é uma separação, e, conforme Demócrito, a geração seria uma alteração" (Simplício, 1973, p. 317; grifo meu).

Pré-formação das partes e do todo

A noção de que os organismos estão pré-formados no corpo dos parentes é uma ideia cuja importância está intimamente ligada ao desenvolvimento das teorias sobre a geração a partir do século XVII. Como vimos, essa noção já aparece claramente nas teorias antigas que postulam uma semente composta de partes distintas que mantém alguma semelhança morfológica com os órgãos que irão produzir. É o caso em Hipócrates, Anaxágoras e, talvez, Demócrito.

A utilização dessa noção de pré-formação na explicação de como os organismos são gerados inclui um problema fundamental: se o osso é formado de pequenos ossos, o ouro de pequenos pedaços de ouro e, da mesma maneira, são formados todos os corpos, então, do que é formado um homem – ou qualquer outro animal – enquanto organismos completos? Seria de pequenos homens ou de ossos que são formados de pequenos ossos, carnes que são formadas de pequenas carnes, e assim sucessivamente para todos os órgãos? Esta questão perdurará em várias teorias sobre a geração posteriores às dos antigos e afetará diretamente as conjecturas de Maupertuis. O estudo desse problema, que faremos em detalhe ao tratarmos dessas teorias, depende de uma distinção que estabeleceremos agora e que utilizaremos em todas as futuras discussões.

Podemos falar em dois modelos básicos de pré-formação dos organismos: pode haver uma pré-formação de partes, onde a forma das partes ou dos órgãos do embrião estão presentes no sêmen, ou uma pré-formação do todo, onde a forma que está subjacente ao sêmen é a de um embrião completamente organizado. No primeiro caso, o processo de geração produziria órgãos a partir de elementos seminais e a montagem desses órgãos produziria o embrião completo; no segundo, a forma do embrião seria gerada pelo acúmulo de partículas cujas formas seriam semelhantes à do organismo completo – como, por exemplo, pequenas miniaturas de cavalo se reuniriam para formar um embrião de cavalo. Por estranha que pareça, essa segunda ideia será aceita posteriormente por vários autores, não aplicada a animais complexos como o cavalo, mas a organismos bem mais simples, como os pólipos.

Vimos que, em Demócrito, as concepções atomistas podem ou não seguir o mesmo esquema geral das homeomerias para explicar a geração dos organismos vivos. Quando não o fazem, temos uma semente heterogênea e descontínua, mas cujas partes mínimas não guardam relação morfológica com o embrião a ser formado, seja no todo ou na parte. O problema nesse caso é que, conforme vimos, os átomos possuem infinitas formas e entre elas poderiam estar as formas complexas dos órgãos e dos organismos vivos. Pode-se resolver a questão com uma conjectura sobre a existência de níveis de organização: as partes do sêmen são mínimas relativamente aos organismos que formarão, mas elas são por sua vez formadas por átomos ainda mais simples. É algo análogo a isso que encontraremos na teoria da geração de Buffon, bastante próxima à de Maupertuis em vários aspectos.

Se deixarmos de lado alguns dos detalhes apresentados, poderemos tomar como ponto central das teorias analisadas até agora a natureza heterogênea e descontínua da semente cujas partes provêm dos órgãos parentais dos quais recebem algum tipo de impressão ou diferenciação. É a essa concepção que Aristóteles oporá sua teoria, que trataremos a seguir.

A quarta digestão do sangue e a epigênese: Aristóteles

Para Aristóteles, os líquidos seminais são produzidos por um processo de digestão, cocção ou *pepsis* do sangue. Os alimentos ingeridos sofrem três dessas cocções: no estômago, no fígado e no coração. Nesse último órgão, o alimento é transformado em sangue e vai para o cérebro, de onde é distribuído ao resto do corpo para atuar nas distintas funções orgânicas. Na transformação do alimento em sangue no coração, forma-se um subproduto (*perittoma*) que atinge as gônadas, onde é transformado nos fluidos reprodutivos: o *sperma*, masculino, e o *katamenia*, feminino (Boylan, 1986. p. 58-9).

Segundo Boylan (cf. 1986, p. 59), a natureza precisa da cocção – ou mesmo se ela efetivamente ocorre – produtora do líquido feminino é um ponto incerto nos escritos de Aristóteles. O *katamenia* pode ser tanto o próprio resíduo não transformado da última digestão do sangue ou o produto de uma cocção parcial (*quasi-pepsis*) dele. Já o esperma masculino é inequivocamente produzido por cocção nos testículos.

Em linhas gerais, para explicar a formação do embrião Aristóteles vale-se de seu esquema hilomorfista, o qual está em oposição às ideias hipocráticas.

Não aceitando a pangênese, Aristóteles atribui a cada sexo um papel bastante distinto na produção do embrião. Macho e fêmea são as *arche* da geração, o primeiro contribuindo com a forma e a segunda com a matéria. Interpretando aristotelicamente a teoria hipocrático-atomista, as partes seminais provenientes de ambos os parentes contribuiriam igualmente tanto para a forma como para a matéria do organismo.

O principal aspecto da crítica de Aristóteles é que a geração pela agregação de partes não é possível, visto que o movimento dessas partes não pode estabelecer a ordem orgânica do feto. A solução de Aristóteles é fazer com que tal ordem apareça gradativamente pela ação da semente masculina: cada parte formada serve de "sustentáculo" para a próxima parte e, assim, temos uma ordem crescente de complexidade que se estabelece.

Se as partes estão pré-formadas no sêmen, como exige a teoria hipocrática, não haveria uma referência inicial para a formação do processo e, assim, a geração deveria ser súbita, com todas as partes se agregando de uma só vez, ou a montagem do embrião poderia começar indistintamente por qualquer órgão. As observações de Aristóteles sobre a formação do pintainho no ovo refutam tais possibilidades. O que viu não foi apenas um gradual desenvolvimento da forma, mas, também, que ela começa sempre a partir de um mesmo ponto inicial, o coração. Essa formação gradual, parte por parte e em determinada ordem, será aceita por Harvey, que a designará por epigênese.

Epigênese clássica e atomista

Na história das teorias sobre a geração, o termo epigênese já é consagrado, contrapondo-se tradicionalmente à noção de pré-formação. Tal oposição é relativamente clara nas teorias desenvolvidas a partir do século XVII, mas quando consideramos os autores da Antiguidade são necessários alguns ajustes.

Vimos a distinção entre pré-formação de partes e do todo. Na epigênese de Aristóteles e Harvey, que passaremos a designar por epigênese clássica, não há pré-formação nem de partes nem do todo. Porém, a geração do embrião pela agregação de partes pré-formadas pode guardar alguma relação com a epigênese, pois há espaço para um processo gradual de formação, parte por parte, sem a existência de um embrião completamente pré-formado. A tal processo poderíamos associar o nome de epigênese atomista. Com o surgimento de teorias francamente mecanicistas da geração, tendo Descartes como figura central, essa forma de epigênese é que prevalecerá.

Pretendemos que a distinção acima proposta evite uma confusão na análise da dicotomia epigênese-pré-formação. A epigênese clássica opõe-se a qualquer forma de pré-formação (de partes ou do todo). Mas a epigênese atomista implica a aceitação de uma pré-formação de partes e opor-se-ia apenas à pré-formação do todo. Assim, quando situamos um autor na corrente epigeneticista, é preciso explicitar a forma de epigênese envolvida.

A posição de Maupertuis ante as teorias dos antigos

Maupertuis conclui de sua análise do Sistema dos Antigos que

> Durante vários séculos esse sistema satisfez aos Filósofos; pois, apesar de certa diversidade por alguns pretenderem que

> apenas um dos licores fosse a verdadeira matéria prolífera e que a outra servia apenas para a nutrição do feto, todos concordavam com esses dois licores e atribuíam à sua mistura a grande obra da geração (O2, p. 12).

Maupertuis destaca aqui, como elemento comum às teorias da Antiguidade, a mistura dos líquidos seminais, a grande obra da geração. De fato, veremos que esse fenômeno estará no centro das ideias que Maupertuis proporá sobre o tema. Mas não podemos dizer que há uma única teoria ou um sistema dos antigos sobre a geração, como afirma o autor. Comparando principalmente as concepções aristotélicas com as hipocrático-atomistas, há, como vimos, profundas diferenças quanto à origem e natureza dos líquidos seminais, diferenças que fundamentam distintos processos de formação do embrião.

Maupertuis aceitará, em linhas gerais, o esquema hipocrático-atomista, e não o de Aristóteles. Contudo, as concepções de Harvey serão fundamentais para Maupertuis, o que poderia incluir, via esse autor, algumas ideias aristotélicas sobre a geração. Tal como ocorre com relação à epigênese, Maupertuis utilizará como apoio empírico às suas conjecturas as observações feitas pelo anatomista inglês, contribuindo assim para a retomada desse importante autor algo esquecido no século XVIII, pelo menos no que diz respeito às suas pesquisas sobre a geração. Contudo, a epigênese que aparece na teoria de Maupertuis é, na distinção que fizemos anteriormente, uma epigênese atomista, na linha de Descartes, e não a epigênese clássica de Aristóteles-Harvey. A epigênese atomista, como vimos, implica uma pré-formação das partes seminais. As adaptações feitas por Maupertuis para conciliar teorias contrárias em suas raízes serão posteriormente discutidas.

Filhote de corça com duas cabeças, um monstro por excesso, estudado anatomicamente por Jacques-Bénigne Wislow (1669-1760) em suas *Remarques sur les monstres. Seconde partie* **(1736). Animais com órgãos em maior ou menor quantidade que a normal foram um sério problema para a sustentação da teoria da preexistência do germe. Os que ainda assim sustentavam tal teoria dividiam-se entre afirmar que os embriões preexistentes eram originalmente monstruosos ou que eram produzidos por acidentes que provocavam tanto a perda quanto a combinação de órgãos oriundos de embriões diferentes. Wislow, J.-B. Remarques sur les monstres. Seconde partie.** *Mémoires de l'Académie Royale des Sciences*, **1736, p. 453-90. Prancha 27.**

Capítulo 8

A pré-formação e a preexistência dos germes

A pré-formação ovista e a preexistência dos germes

Segundo a história traçada por Maupertuis, a teoria antiga da dupla semente foi substituída pelo *Sistema dos ovos que contêm o feto*:

> A formação do feto pela mistura de dois licores não satisfazia mais aos Físicos. Exemplos de desenvolvimentos que a Natureza oferece por toda parte a nossos olhos levaram a pensar que os fetos talvez estavam contidos e já totalmente formados em cada um dos ovos; e o que considerávamos como uma nova produção era apenas o desenvolvimento de suas partes tornadas sensíveis pelo crescimento (O2, p. 14).

Trata-se da teoria da pré-formação ovista, que afirma a existência de germes ou embriões completamente pré-formados no interior dos ovos antes mesmo de estarem fecundados. Estando a forma do embrião completa, não há novas formações, mas apenas o desenvolvimento de partes tornadas sensíveis pelo crescimento.

Entre as teorias antigas que Maupertuis expôs e o estabelecimento dessas novas ideias, ocorreram inúmeros passos no desenvolvimento das teorias sobre a geração e a consequente formulação de uma série de novos conceitos. Assim, parece-nos útil adiantar um sumário histórico contendo os principais aspectos da transição das ideias aristotélicas para a pré-formação ovista. Posteriormente, teremos ocasião de retornar e examinar mais detidamente muitos dos pontos levantados.

A pré-formação do germe

As ideias de Aristóteles sobre a geração foram amplamente aceitas durante a Idade Média, mas as concepções de Hipócrates começam a ser retomadas a partir do século XIII. A noção de pangênese estabelece-se firmemente no século XV e uma linha particular de desenvolvimento das ideias hipocráticas ocorrida no século XVII estabelece a noção de que existe no interior dos organismos um embrião completamente formado antes mesmo da união dos sexos.

Segundo Roger (cf. 1993, p. 123), alguns médicos do século XVII dispostos a não aceitar a fisiologia clássica acriticamente procuraram resolver os problemas que ela suscitava e, sem realizar uma verdadeira revolução no pensamento aristotélico-galênico, procuraram modificar certos detalhes. É justamente nesses detalhes que o autor encontra a origem de uma grande transformação posterior antitradicionalista. Esse grupo de novos médicos ou "neotéricos", que participaram como que inconscientemente dessa revolução, inclui pensadores que formam uma corrente que vai de Parisanus (1567-1643) a Gassendi (1592-1655). Dois autores importantes para a primeira formulação da noção de pré-formação do germe são Liceti e Aromatari.

Embora se reconheça como aristotélico, Liceti mistura elementos hipocrátricos em suas concepções sobre a geração (cf. Roger, 1993, p. 126). Contrariamente a Aristóteles, atribui uma origem diferente do sangue menstrual à semente feminina e uma natureza dupla à semente masculina: uma parte espessa e passiva vem de todas as partes do corpo (pangênese) e adquire nos membros a forma genérica das partes. A outra parte vem dos testículos e possui o "temperamento" do progenitor, as almas vegetativa e sensitiva e as quatro faculdades ativas. Contrariamente às teorias hipocráticas, para Liceti a verdadeira concepção não ocorre com a mistura das sementes, mas se dá no instante de sua produção no corpo: a geração propriamente dita é a produção da semente em cada um dos progenitores (cf. Roger, 1993, p. 126). Isso pode ser considerado como a primeira noção explícita de que a geração ocorre *antes* da concepção. As partes do embrião são formadas por pangênese e, assim, estão pré-formadas. Portanto, a verdadeira geração não é a produção do embrião completo, mas a produção das partes seminais pré-formadas. O prefixo "pré", que posteriormente será amplamente aplicado ao termo pré-formação, refere-se aqui precisamente a antes da cópula. Outro ponto fundamental é que, com o aparecimento de tais ideias, a ação da semente na geração recebe novamente um caráter material e passa a ser entendida como descontínua e formada por partes materiais.

Vimos que tais ideias já estavam presentes nas teorias hipocráticas, mas nelas a produção da semente não vinha associada à verdadeira geração. Esta era referida a todo o processo e tinha como evento fundamental a mistura das sementes.

Até aqui a pré-formação ainda vem associada às partes e não ao embrião completo, tal como a teoria postulará em sua forma plenamente desenvolvida. Tal ideia aparece pela primeira vez em 1625 nos estudos sobre embriologia vegetal de Aromatari. O autor afirma que a verdadeira geração é a formação do grão, onde se forma uma "parvíssima planta" perfeitamente constituída e viva (cf. Roger, 1993, p. 130). A presença de uma pequena planta totalmente formada no interior de grãos, sementes ou bulbos de alguns vegetais será uma das imagens principais que sustentará a crença na pré-formação. Ela será generalizada para todo o reino vegetal e daí basta atribuir a mesma concepção para os animais, como já faz Aromatari: "nós pensamos que o frango está desenhado no ovo antes que ele seja chocado pela galinha" (*apud* Roger, 1993, p. 130).

Nessas primeiras concepções preformistas, um germe diminuto forma-se no interior do corpo dos parentes pela reunião de partes seminais produzidas por pangênese. Tal germe pré-formado deverá apenas crescer para dar origem a um novo organismo.

O ovismo

A segunda teoria que analisaremos é o ovismo. Ele aparece tradicionalmente associado à pré-formação – e de fato assim estava na época de Maupertuis. Contudo, a teoria ovista possui particularidades históricas e conceituais que devem ser tratadas separadamente.

A ideia de pré-formação associada à teoria ovista reza que os germes ou embriões pré-formados encontram-se sempre no interior de ovos ou estruturas análogas. Para tanto, o passo mais importante seria a aceitação de que todos os animais – incluindo os vivíparos e principalmente as mulheres – também possuíam ovos. Essa é a tese fundamental do ovismo, cujo estabelecimento ou aceitação ocorreu mais ou menos independentemente da noção de pré-formação.

As ideias de Harvey sobre a geração dos animais foram fundamentais para o estabelecimento do ovismo. Ao apresentar em 1651 seu conhecido lema *ex ovo omnia*, lança a ideia de que todos os animais provém de um ovo. No entanto, o ovo de Harvey é antes uma entidade teórica que uma descoberta anatômica. Para ele, todos os animais provêm de um *primordium* oviforme que, no caso dos vivíparos, é um *conceptus*, identificado ao feto com suas membranas embrionárias. Os animais ovíparos produzem um ovo típico em seus ovários, mas nos vivíparos o ovo é produzido no útero da fêmea e seu ovário não tem qualquer papel na reprodução. Eles são, para Harvey, espécies de gânglios linfáticos. Tais ideias podem ser associadas, como faz Roger (cf. 1993, p. 257), a um pré-ovismo (*ovisme avant les oeufs*), diferente do verdadeiro ovismo que se estabelecerá posteriormente.

É esse verdadeiro ovismo associado à noção de pré-formação o objeto de análise do *Vênus física*. Ele foi desenvolvido graças aos novos conhecimentos anatômicos da segunda metade do século

XVII que caminharam no sentido de comparar a reprodução de animais ovíparos e vivíparos e de afirmar, para os últimos, a existência empírica dos ovos. Nos dois grupos de animais, os ovos eram produzidos igualmente por ovários.

Em 1667, Stenon descobre um ovo em peixe vivíparo e nega que os testículos de fêmea devam ser considerados como análogos aos do macho, mas comparáveis aos ovários dos ovíparos. Johann Van Horne (1621-1670) também está de acordo em considerar esses testículos de fêmea como verdadeiros ovários produtores de ovos. A mesma opinião é sustentada por Kerckring em 1671 (cf. Roger, 1993, p. 258; Gasking, 1967, p. 37).

A descoberta dos ovos nos mamíferos é atribuída a Graaf e aparece em seu *De mulierum organis* (*Sobre os orgãos da mulher*), publicado em 1672. Graaf observou os ovários e o útero de coelhas dissecadas em vários intervalos de tempo após a cópula. Verificou que os ovários mudam durante a vida das fêmeas e que tais mudanças estão associadas aos períodos de fertilidade. No século XVI, Vesálio já havia observado modificações nos ovários que designou por vesículas hidáticas, mas interpretou-as como causadas por infecções. Graaf verifica que tais vesículas estão sempre presentes em animais férteis e que, após a cópula, algumas parecem perder seu conteúdo e deixam uma cicatriz em seu lugar. Observa também que o número de cicatrizes no ovário geralmente corresponde ao número de embriões encontrados no útero de fêmeas grávidas (cf. Gasking, 1967, p. 38).

Com tais resultados, Graaf expõe claramente em sua obra a tese ovista: "Podemos dizer sem temor de enganar-se que as fêmeas de todos os tipos de animais têm ovos, dado que nelas eles se encontram não apenas nas aves e nos peixes como nos ovíparos e vivíparos, mas ainda nos quadrúpedes e mesmo na mulher" (Graaf *apud* Fischer, 1991, p. 30).

O ovismo, uma vez estabelecido, tornar-se-á posteriormente indissociável da noção de pré-formação e muitos dos autores engajados apenas na defesa da existência dos ovos nos vivíparos serão identificados como defensores da concepção preformista. Mesmo Harvey, que se opunha a tal ideia, foi apontado como colaborador.

A preexistência dos germes

A partir da noção de pré-formação surgiria uma nova interpretação para a origem do embrião que Roger designa por preexistência dos germes. Em vez de serem produzidos no interior do corpo dos parentes, conforme a formulação original da pré-formação, os germes e embriões eram preexistentes, ou seja, foram produzidos diretamente por Deus desde a criação do mundo. Isso implica que os germes estão pré-formados não apenas antes da cópula, mas antes da existência dos parentes e de todos os seus ascendentes – excetuando-se o primeiro casal de cada espécie, criados por Deus já com seus germes.

Era essa a concepção estabelecida e aceita no século XVIII e que aparece em foco no *Vênus física*:

> Toda a fecundidade recaía sobre as fêmeas. Os ovos destinados a produzir machos continham cada um apenas um macho. O ovo de onde deveria sair uma fêmea continha não apenas esta fêmea, mas a continha com seus ovários, no interior dos quais outras fêmeas contidas e já totalmente formadas eram a fonte de gerações ao infinito (O2, p. 14).

A preexistência aparece em duas versões: a primeira, designada pelo termo *panspermia*, entende que os germes criados por Deus estão espalhados pelo ambiente e que, no momento adequado, penetram nas fêmeas. A segunda, associada à noção de embutimento, afirma que os embriões estão sempre no interior do corpo dos parentes, desde a criação. Foi esta segunda versão que se estabeleceu no século XVIII e a vemos exposta no texto citado acima. A primeira fêmea de cada espécie contém no interior de seus ovários embriões embutidos ou encaixados para a produção de todas as gerações futuras. No momento designado, eles originarão os vários indivíduos que formarão as linhagens de descendência de cada espécie.

O esquema a seguir (figura 1) pode ilustrar como ocorreria a produção de organismos em várias gerações, de ambos os sexos, segundo a preexistência ovista.

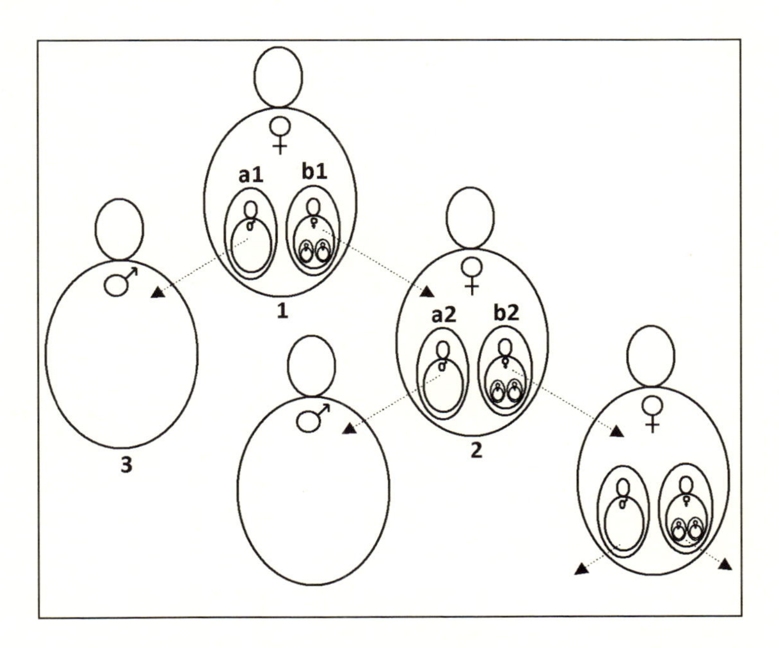

Figura 1. Desenvolvimento de linhagens de organismos segundo a teoria da preexistência-pré-formação dos germes. A fêmea 1 contém dois ovos, a1 e b1. Em a1 há um embrião pré-formado masculino que se desenvolve no macho 3. No ovo b1 há uma série de germes embutidos, sendo o mais externo aquele que originará a fêmea 2. Esta, como sua mãe, possui dois ovos, a2 e b2, um deles contento um germe masculino e o outro um germe feminino. O processo repete-se dando origem a todos os organismos descendentes da fêmea 1. Notar que apenas as fêmeas são responsáveis pelo nascimento de organismos.

É fácil perceber que a noção de preexistência difere radicalmente da noção primitiva de pré-formação. Não há qualquer formação de embriões no interior do corpo dos parentes e, portanto, preexistência e epigênese se opõem radicalmente.

A história do estabelecimento da noção de preexistência é complexa, pois sobrepõe-se ao desenvolvimento da noção de pré-formação em vários pontos. A distinção das duas noções não era explícita entre os autores que as criaram, tendo sido proposta apenas atualmente nos estudos históricos de Roger (cf. 1993, p. 325).

Segundo esse autor, os primeiros elementos da teoria da preexistência dos germes são aproximadamente de 1660. Claude Perrault (1608-1680), médico e arquiteto francês, declara ter sido o primeiro a propor a doutrina, mas é no *Histoire generale des insectes* (*História geral dos insetos*) de Swammerdam (1637-1680) que a doutrina é fortemente expressa pela primeira vez (cf. Roger, 1993, p. 334). Nessa obra, publicada em 1669, Swammerdam apresenta detalhados estudos sobre a anatomia dos insetos. Dissecando a larva de uma borboleta, observou no seu interior um inseto adulto completamente formado. Com tal resultado, negou que os insetos sofriam verdadeiras metamorfoses – mudanças de forma – quando passavam de uma fase para outra (ovo, larva, ninfa e adulto, no caso da borboleta). Em todas as fases tínhamos um mesmo animal – o adulto –, que na medida em que crescia perdia seus envoltórios ou peles. A tal perda de envoltórios é associado o termo desenvolvimento ou mesmo evolução.

Swammerdan afirma ainda que "poderíamos mesmo deduzir [...] desse princípio a origem de nossa corrupção natural, concebendo que todas as criaturas estiveram encerradas nos rins de seus primeiros pais" (Swammerdam *apud* Roger, 1993, p. 334). Comentando essa passagem, Roger diz que "De uma só vez, Swammerdam afirma a preexistência e o embutimento dos germes, embora não possuísse o nome e não dê à ideia toda a sua clareza" (Roger, 1993, p. 334). A noção aparece mais claramente definida em seu *Miraculum naturae* (*Milagre da natureza*) de 1672, onde afirma que o germe preexistente encontra-se dentro do ovo, que todos os ovos humanos encontravam-se em Eva e que, acabados esses ovos, será o fim do gênero humano (cf. Roger, 1993, p. 335)

Posteriormente, essa ideia espalha-se e muito dos autores que anteriormente afirmaram apenas a pré-formação do germe foram apontados como precursores ou defensores da preexistência.

Malebranche aparece como figura central na formulação da teoria da preexistência dos germes no século XVII. Ele dota a noção com um estatuto filosófico mais forte, ligando-a a diversos aspectos da filosofia da época, em especial o mecanicismo. Apresentamos a seguir um resumo de suas ideias que serão retomadas mais adiante.

Observando o interior do bulbo de uma tulipa, Malebranche encontra uma planta completamente formada, inclusive com flores. Generalizando a ocorrência do fenômeno para todos os vegetais, afirma que toda a árvore encontra-se em miniatura no interior de sua semente. As árvores em miniatura possuem igualmente suas sementes contendo árvores ainda menores e assim por diante até o infinito. Se nossa imaginação não pode conceber um tal estado de coisas é devido à sua limitação. Tal ideia (da preexistência com embutimento) "parece impertinente e bizarra apenas àqueles que medem as maravilhas da potência infinita de Deus com as ideias de seus sentidos e de sua imaginação". Acrescenta ainda que "temos demonstrações evidentes e Matemáticas da divisibilidade da matéria ao infinito; e isso basta para nos fazer crer que possa haver animais menores e menores ao infinito, mesmo que nossa imaginação se choque com tal pensamento" (Malebranche *apud* Roger, 1993, p. 336).

Das plantas, Malebranche passa aos animais. Tomando as observações de Malpighi e Swammerdam, conclui que:

> todos os corpos dos homens e dos animais que nascerão até a consumação dos séculos foram talvez produzidos desde a criação do mundo; eu quero dizer que as fêmeas dos primeiros animais foram talvez todas criadas com todos aqueles da mesma espécie que eles engendraram e que deverão engendrar na sequência dos tempos (Roger, 1993, p. 337).

Essas ideias de Malebranche aparecem acopladas ao conjunto de sua filosofia e em especial à sua crítica a Descartes. A teoria da preexistência pode ser entendida como uma resposta ao mecanicismo cartesiano, aplicado à questão da geração dos organismos. Descartes afirmou que poderia explicar apenas com as leis do movimento como o embrião se forma a partir da mistura dos líquidos seminais. Além de seus resultados não serem por si sós convincentes, eles apontavam para a possibilidade de que a natureza poderia agir autonomamente na produção ou criação de seres vivos e do homem. Tal ideia foi considerada um passo para a eliminação da ação de Deus na produção de fenômenos particularmente significativos. Com a preexistência, a produção dos seres vivos passa a ser uma prerrogativa exclusiva de um ser Criador, ficando a natureza e suas leis incumbidas apenas do crescimento dos embriões de origem divina.

No final do século XVII, a teoria da preexistência dos germes invadiu o pensamento biológico e nele permanecerá até o século XIX, quando, então, morre lentamente. Na época de Maupertuis, a preexistência ovista pode ser considerada a teoria oficial para a geração dos organismos.

Análise e crítica da preexistência ovista no *Vênus física*

A análise da teoria da preexistência ovista inclui uma crítica aos conceitos de ovismo, preexistência, pré-formação e embutimento. Tais noções dizem respeito à origem e à natureza do germe que dá início à geração. Com exceção da primeira, essas mesmas noções são utilizadas em uma segunda versão da preexistência, o animalculismo ou doutrina dos animais espermáticos, que situava o embrião pré-formado no interior dos espermatozoides.

Na discussão que se segue sobre a preexistência ovista, trataremos dos processos que, partindo da existência do embrião no ovo, são necessários para que a formação do organismo se complete: a fecundação do ovo, sua saída dos ovários, seu deslocamento até o útero, sua implantação nesse órgão e, por fim, o desenvolvimento e o nascimento do organismo. Com exceção dos dois últimos eventos, Maupertuis trata de todos os demais com relativo detalhe no *Vênus física*.

Enquanto a pré-formação, a preexistência e o embutimento são teorias sustentadas por posições bastante filosóficas e especulativas, os demais fenômenos citados podem ser analisados à luz do conhecimento anatômico e médico da época.

A vitalização do germe e o papel do macho na geração ovista

Maupertuis discute amplamente o papel do macho no desenvolvimento do germe pré-formado no ovo. Segundo ele, o sêmen masculino ativa o processo de crescimento e desenvolvimento dos embriões, o que equivale a torná-los *vivos*:

> Entretanto, embora todos os homens já estejam formados dentro dos ovos de mãe em mãe, eles aí estão sem vida: são apenas pequenas estátuas contidas uma nas outras, como essas obras ao torno, nas quais o artesão se compraz em fazer admirar a habilidade de seu cinzel, formando cem caixas que, contendo-se uma nas outras, estão todas na última. Para fazer homens dessas pequenas estátuas é preciso alguma nova matéria, algum espírito sutil que, penetrando em seus membros, lhes dê o movimento, a vegetação e a vida. Esse espírito seminal é fornecido pelo macho e está contido nesse líquido que é emitido com tanto prazer (O2, p. 15).

O ponto importante a ressaltar é que o licor masculino contribui com uma nova matéria, identificada a um sutil espírito seminal. Esse espírito não é necessariamente uma entidade imaterial e Maupertuis está usando o termo com o significado que a fisiologia mecanicista lhe atribui. Tais espíritos podem ser resumidamente entendidos como análogos à matéria que compõe o fogo, formada por partes materiais muito pequenas e em um grau máximo de agitação. Em resumo, Maupertuis está entendendo que, segundo o ovismo, ambos os sexos contribuem materialmente para a formação do embrião, mas a forma dele está toda determinada no interior da fêmea.

Para que o processo de vivificação dos embriões pré-formados ocorra, o licor masculino emitido na cópula deve chegar até o ovo:

> Para explicar agora como esse licor lançado na vagina vai fecundar o ovo, a ideia mais comum, e aquela que se apresenta primeiro, é que ele entra na matriz, cuja boca se abre então para recebê-lo; que, da matriz, pelo menos uma parte, a mais espirituosa, elevando-se pelos tubos das trompas, é transportada até os ovários que então cada trompa abraça, e penetra o ovo que ele deve fecundar (O2, p. 16).

O licor masculino chega da vagina ao útero e, então, pelo menos a parte mais espirituosa sobe pelas trompas até chegar ao ovário. Nesse órgão ocorre a fecundação do ovo, entendida como a vivificação dos embriões pré-formados.

Maupertuis apresenta, então, algumas razões contra e a favor da entrada do licor masculino na matriz ou útero. Contra essa ideia afirma inicialmente que, como todo mundo sabe, vemos que o líquido masculino reflui pela vagina e, embora pouco confiáveis e não verificadas pela vista do físico, há o relato de mulheres que engravidaram sem que o líquido fosse emitido no interior da vagina (cf. O2, p. 16-7).

Mas há ainda razões mais fortes. Na matriz de várias fêmeas dissecadas regularmente não se encontra o licor masculino. Embora tais resultados sejam contraexemplos significativos, Maupertuis reconhece que eles não são conclusivos: não se pode negar a partir desses dados que o licor masculino *nunca* entre no útero e cita um caso onde isso teria ocorrido: "Um famoso anatomista[a] (nota a: Verheyen) dele encontrou em abundância no interior da matriz de uma novilha que acabara de receber um touro" (O2, p. 17). Philippe Verheyen (1648-1710), professor de anatomia em Louvain, era ovista e estava envolvido em sua defesa. O resultado apresentado por esse autor leva Maupertuis a afirmar que, "apesar de haver poucos desses exemplos, um só caso em que se ache a semente na matriz prova mais que ela ali entra do que a multidão dos casos em que não se achou, que não provam que ela não entra" (O2, p. 17-8). O licor masculino – ou sua parte mais espirituosa – ainda precisa subir até os ovários, mas sua entrada pelo menos até o útero não pode ser negada.

Maupertuis considera uma outra possibilidade de explicação para a fecundação como alternativa aos eventuais problemas em sustentar que o licor masculino chega até os ovários *via* útero e trompas de Falópio. Pode-se salvar o sistema dos ovos que contêm o feto se abandonarmos essa explicação da fecundação do ovo e colocarmos o sangue como veículo do licor masculino:

> Os que pretendem que a semente não entra na matriz creem que, ou vertida na vagina, ou somente espalhada pelas margens, ela se insinua nos pequenos vasos, cujas pequenas bocas a recebem e a espalham pelas veias da fêmea. Ela logo se mescla com toda a massa do sangue; ela ali excita todas as desolações que atormentam as fêmeas recém-grávidas: enfim a circulação do sangue transporta-a até o ovário, e o ovo só se torna fecundo depois que todo o sangue da fêmea foi, por assim dizer, fecundado (O2, p. 18).

Isso explicaria por que é difícil encontrar sêmen masculino dentro do útero após a cópula, além de explicar os casos de gravidez por fecundação cutânea, sugeridos pelos relatos de mulheres mencionados anteriormente. Temos aqui a mesma ideia de que é um espírito seminal masculino o verdadeiro agente fecundante, mas que em vez de subir pelas trompas é absorvido pelo sangue. A circulação levará o sangue fecundado até o ovário.

Em seguida, Maupertuis expõe o modo pelo qual se dá a vivificação das miniaturas, supondo que de alguma forma o licor seminal masculino o faça. Seja por um ou outro dos processos (entrada direta pela vagina até o útero ou via circulação): "essa semente, ou esse espírito seminal, pondo em movimento as partes do pequeno feto que já estão todas formadas no ovo, as incita a desenvolverem-se" (O2, p. 18). Essa explicação pode ser entendida como a parte mecânica do desenvolvimento, aquela que pertence ao domínio dos fenômenos naturais e que o Físico pode estudar. Já a origem do embrião pré-formado no ovo é sustentada pela metafísica compreendida na noção de preexistência.

Do ovário ao útero

Uma vez fecundados pelo líquido seminal masculino, os ovos devem chegar até a matriz ou útero. Para Maupertuis, isso ocorre, segundo o sistema ovista, da seguinte maneira: os ovos saem do ovário, e mesmo estando fora do útero, a este são conduzidos pelas trompas de Falópio: "Fallopia percebeu dois tubos, cujas extremidades, flutuantes no ventre, eram terminadas por espécies de franjas que podiam se aproximar do Ovário, abraçá-lo, receber o ovo, e conduzi-lo até a matriz, onde esses tubos, ou trompas, têm sua desembocadura" (O2, p. 13). Seja por seu peso ou por movimentos peristálticos da trompa, o ovo é conduzido à matriz. Daí, "Semelhantemente às sementes das plantas ou das árvores, quando são recebidas numa terra própria a fazê-las vegetar, o ovo lança raízes que penetram a substância da matriz, formam uma massa que lhe está intimamente ligada, chamada placenta" (O2, p. 19).

As raízes superiores da placenta formam o cordão umbilical que transporta ao embrião sucos nutritivos e "Ele vive assim do sangue de sua mãe, até que, não tendo mais necessidade dessa comunicação, os vasos que ligam a placenta à matriz dessecam, obliteram-se e separam-se" (O2, p. 19).

Nascimento

Da implantação do ovo no útero, Maupertuis passa a tratar, de forma breve, diretamente do nascimento do organismo. Em todos os textos de Maupertuis sobre a geração, não há qualquer consideração acerca das fases de desenvolvimento das estruturas orgânicas a partir do germe, lembrando que o desenvolvimento é entendido, segundo a preexistência ovista, como um simples crescimento de estruturas pré-formadas.

Sobre o processo de nascimento, aparecem analogias entre os modos vivíparo e ovíparo de reprodução: a criança rompe a dupla membrana na qual está envolvida, como o pintainho quebra a casca do ovo. A diferença de dureza da casca não impede a analogia, pois "os ovos de vários animais, das Serpentes, dos Lagartos e dos Peixes não têm essa dureza e só são recobertos por um envoltório mole e flexível" (O2, p. 20). A partir dessa analogia Maupertuis apresenta uma ainda mais convincente, que "aproxima ainda mais a geração dos animais que se chamam vivíparos daqueles que são ovíparos" (O2, p. 20). No interior das fêmeas de certos ovíparos acharam-se tanto ovos inteiros como animais já eclodidos, ou seja, a eclosão pode se dar antes ou depois da postura do ovo. O autor pode estar citando aqui as observações que fez em seus próprios estudos sobre as salamandras. Com base nesse fato, Maupertuis conjectura: "A natureza não parece anunciar assim que há espécies nas quais o ovo só eclode ao sair da mãe, mas que todas essas gerações resultam na mesma?" (O2, p. 21). A distinção entre ovíparos e vivíparos feita com base na deposição do ovo é atenuada: essa diferença de tempo na eclosão e o fato de o filhote nascer dentro ou fora da mãe não são suficientes para dizer que se tratam de processos fundamentalmente diferentes.

Crítica à existência dos ovos de vivíparos

Vimos que a teoria ovista é uma tese sobre a universalidade dos ovos nos animais e que a existência de ovos nos animais vivíparos, especialmente na mulher, era a tese mais fundamental a ser estabelecida. Maupertuis discute algumas controvérsias relativas à sustentação dessa tese.

Em apoio ao ovismo, o autor apresenta primeiramente as observações de Littre. Este médico teria encontrado um ovo na trompa e uma cicatriz no ovário de uma mulher; a cicatriz foi interpretada como o efeito da saída de um ovo. Mais surpreendente ainda, Littre afirma ter visto um feto no interior de um ovo ainda ligado ao ovário (O2, p. 32). Maupertuis tomou tais observações das *Mémoires de l'Académie Royale des Sciences* para o ano de 1701. Vejamos resumidamente a descrição feita por Littre, na qual podemos identificar vários elementos das teorias que estamos estudando tal como foram expressas na época:

> Eu notei que o ovário direito dessa mulher [...] tinha em sua superfície um buraco com 3 linhas de diâmetro [...] a trompa direita estava maior que de ordinário; [...] no interior da cavidade dessa trompa, bem próximo da matriz, havia uma vesícula de 3 linhas de diâmetro que aí tinha caído desse ovário pelo buraco do qual falei [...]; o ovário esquerdo [...] possuía em sua superfície uma pequena cicatriz aberta centralmente [...] que terminava em uma pequena bolsa [...]. Há muita evidência de que algum tempo antes havia saído pela abertura dessa bolsa uma vesícula que deve ter caído no interior do ventre, pois o pavilhão [da] trompa [esquerda] estava colado [...] ao ligamento maior da matriz [...] [e, portanto] não podia dirigir-se por sobre o ovário para receber essa vesícula e transportá-la em seguida para dentro da matriz (Littre, 1701, p. 111-3).

No ovário esquerdo, Littre observou ainda três vesículas, duas delas "entremeadas de vasos sanguíneos como as gemas dos ovários das aves" (Littre, 1701, p. 113), a terceira continha o feto mencionado por Maupertuis:

> Eu observei ainda no mesmo ovário uma terceira vesícula [...] [que] além de um líquido claro e mucilaginoso, continha um Feto [...] preso à parte interior das membranas da vesícula por um cordão [...] Eu distingui muito sensivelmente a cabeça desse Feto e na cabeça uma pequena abertura no lugar da boca, uma peque-

> na protuberância no lugar do nariz e uma pequena linha em cada lado da raiz do nariz. Essas duas linhas eram aparentemente as aberturas das pálpebras [...] Eu percebi ainda em cada lado da base do tronco uma protuberância que era arredondada [...] [e] lateralmente, na porção superior do mesmo tronco, uma protuberância também arredondada [...] Essas pequenas protuberâncias eram verdadeiramente as extremidades [membros] superiores e inferiores desse Feto (Littre, 1701, p. 114).

São notáveis os detalhes que o autor afirma ter observado nesse feto apenas a olho nu ou por meio de uma lupa. Maupertuis reconhece sua força em apoio ao ovismo e, principalmente, à pré-formação, mas logo acrescenta que, a partir dos resultados que Mery apresentou nas *Mémoires* do mesmo ano, a Academia colocou as observações de Littre sob suspeita (cf. O2, p. 33). Mery, outro médico e anatomista da Academia, encontrou em um ovário uma quantidade de cicatrizes supostamente produzidas pela saída dos ovos incompatível com a fecundidade normal das mulheres. Mais ainda, encontrou na parede do útero uma vesícula em tudo semelhante àquelas vistas nos ovários. Se fossem realmente ovos tais vesículas, deveriam formar-se exclusivamente nos ovários. Outros autores contestam ainda que tais vesículas são realmente ovos:

> M. Mery não é o único Anatomista que tenha tido dúvidas sobre os ovos da mulher e de outros animais vivíparos: muitos Físicos os consideravam uma quimera. Não querem de modo algum reconhecer como ovos verdadeiros essas vesículas das quais é formada a massa que os outros tomam por um ovário. Esses ovos que se acharam por vezes nas trompas, e mesmo na matriz, são, pretendem eles, apenas espécies de hidátides (O2, p. 34).

Temos aqui um conflito entre as descrições anatômicas e as interpretações acerca da função das estruturas observadas. Maupertuis afirma que, em vista disso, "experiências deveriam ter decidido essa questão, se é que em Física haja algo de decidido" (O2, p. 34), a saber, aquelas realizadas por Graaf em coelhas. Como vimos, elas estabeleciam a relação entre o número de cicatrizes ovarianas e o número de embriões no útero. Mas Verheyen reproduziu tais experiências e não pôde confirmá-las: "Viu alterações ou cicatrizes no ovário, mas enganou-se quando quis julgar por elas o número dos fetos que estavam na matriz" (O2, p. 35).

Posição de Maupertuis ante as questões levantadas

Como balanço final da análise de Maupertuis, podemos dizer que, em relação aos processos que ocorrem após a saída do ovo fecundado, o autor ressaltou alguns dos problemas envolvidos com a adoção do ovismo, mas não tomou qualquer posição explícita no debate. Mesmo assim, vemos em sua exposição que a resposta negativa à existência dos ovos nas mulheres é sempre a última. Na teoria de Maupertuis, a verdadeira matéria gerativa feminina é um líquido seminal e, assim, pode haver incompatibilidade em aceitar que as fêmeas vivíparas produzam igualmente ovos. Seria melhor para a sua teoria se os ovos de mamíferos não existissem e que os líquidos masculino e feminino se misturassem no útero. Contudo, uma acomodação seria possível: o sêmen feminino pode ser entendido como o verdadeiro material da geração que, unido ao sêmen masculino, acumular-se-ia ou mesmo produziria os ovos. Mas Maupertuis não fez qualquer tentativa nesse sentido.

Outro ponto de interesse para a teoria de Maupertuis é a entrada e a permanência do líquido seminal masculino no interior da fêmea. Sem a aceitação desse fato, Maupertuis não pode sustentar sua teoria que depende da mistura dos líquidos seminais. O autor salientou a possibilidade de isso ocorrer e parece estar de acordo com o ovismo no que tange à necessidade do sêmen masculino subir até os ovários. Para Maupertuis basta, a princípio, que ele chegue ao útero – pelo menos para a geração dos animais vivíparos. O autor nada diz sobre como a mistura de licores ocorreria nos ovíparos.

Devemos por fim considerar que esses problemas são de menor importância para a crítica de Maupertuis, pois é através dos defeitos do ovismo no âmbito dos fenômenos hereditários que o autor terá os argumentos decisivos. É na origem e natureza do germe que a teoria de Maupertuis se opõe radicalmente à preexistência ovista e, assim, é menos importante para ele o modo pelo qual esse germe, uma vez apto à geração, irá estabelecer-se finalmente no útero.

A preexistência animalculista

No capítulo IV do *Vênus física*, Maupertuis examina o *Sistema dos animais espermáticos*, versão da teoria da preexistência que situava o embrião pré-formado no interior dos espermatozoides. Tal como na versão ovista, as noções de preexistência e embutimento explicavam a origem do embrião e a produção das sucessivas gerações de organismos.

Ao contrário do que aconteceu com os ovos de vivíparos e a teoria ovista, a descoberta dos espermatozoides[1] e o estabelecimento do animalculismo ou doutrina dos vermes espermáticos foi súbita (cf. Roger, 1993, p. 294). Tal descoberta é disputada por dois holandeses, Leeuwenhoek e Hartsoecker. Roger (cf. 1993, p. 302) discute os termos dessa disputa e atribui a descoberta ao

1 Espermatozoide é um termo do século XIX que se fixou no jargão da biologia atual. Antes disso eram chamados de vermes, animais ou animálculos espermáticos ou simplesmente animálculos. Maupertuis utiliza sempre animais espermáticos.

primeiro autor, que anuncia suas observações iniciais em uma carta à *Royal Society* de Londres em novembro de 1677.

Além dos espermatozoides, Leeuwenhoek observou pequenos "vasos" entre as partes diminutas do sêmen. É a essas estruturas que o autor atribui inicialmente papel importante na geração e ainda não a associa aos espermatozoides. Tal associação aparece apenas em 1679, quando escreve:

> os testículos foram feitos apenas no sentido de fornecer os pequenos animais e de conservá-los até sua emissão [...] aqueles que sempre tentaram sustentar que os animálculos eram produzidos da putrefação e não serviam para a geração estarão vencidos [...] Eu penso que esses animálculos são compostos de um número [de partes] tão grande quanto o é nosso corpo segundo a opinião comum (Leeuwenhoek *apud* Roger, 1993, p. 306).

Nessa passagem vemos que a ideia de uma pré-formação do embrião no interior dos animálculos começa a aparecer, mas Leeuwenhoek ainda não aceita que eles sejam também preexistentes. A possibilidade que resta é que os espermatozoides – com seus embriões – devem *nascer* no interior dos organismos. Mas nascer a partir do quê? Sobre isso diz Leeuwenhoek:

> Mas de onde diríamos que sai o grão de onde nascem os animais, grão que está presente nos testículos das bestas, das aves – e aparentemente dos seres humanos – e na leitosidade dos peixes? E isso, em verdade, é o único ponto que eu não posso resolver de maneira satisfatória. Pois se supusermos que eles estavam em nosso corpo desde nosso nascimento, ou mesmo desde o momento em que fomos engendrados, esses grãos, na minha opinião, não poderiam permanecer em nosso corpo durante dezesseis anos ou mais sem produzir vida, pois eu estou persuadido de que quando há nos testículos animálculos que

> receberam a vida, eles devem desejar a união sexual. Mas essas coisas são apenas suposições e eu estou decido a continuar minhas pesquisas sobre o tema no melhor de minhas possibilidades (Leeuwenhoek *apud* Roger, 1993, p. 306-7).

Os espermatozoides nascem de grãos ou sementes contidos nos testículos, mas a origem desses grãos e quando eles começam a produzir – dotar de vida – os espermatozoides ainda são problemas não resolvidos por Leeuwenhoek. O mesmo se dá para o embrião pré-formado no interior do animálculo que existe, mas não se pode explicar sua origem.

Leeuwenhoek retoma suas pesquisas sobre a questão em 1680. Examinando os testículos de um rato descobre junto dos animálculos normais outros menores e ainda não desenvolvidos. Não sendo preexistentes, eles nascem, provavelmente de um ovo, e crescem. Mas a origem desse ovo e do embrião que está no animálculo ainda permanece obscura.

Leeuwenhoek irá apresentar um sistema de ideias mais completo em 1683, o qual oporá ao ovismo, já bem desenvolvido na época. Esse sistema marca, afirma Roger, o nascimento da doutrina do animalculismo: os seres humanos não vêm de um ovo, mas de animálculos, que podem ser machos ou fêmeas. Apenas um deles fixa-se no útero, onde se transforma em um organismo completo, ou seja perde sua pele e "o interior do corpo do animálculo toma a figura de um ser humano, já preparado com um coração e as outras partes internas e tendo verdadeiramente toda a perfeição de um homem" (Roger, 1993, p. 309).

Apesar de tais afirmações, Leeuwenhoek jamais comunicou ter observado qualquer detalhe da estrutura interna dos espermatozoides. Suas afirmações nesse sentido são de caráter puramente teórico e, segundo Roger, feitas mais para responder às críticas do que como um consequência do desenvolvimento de suas pesquisas. Essa doutrina animalculista não aparece, em

Leeuwenhoek, associada à preexistência e ao embutimento dos embriões e serão outros autores que farão tal associação. Entre eles, aparece Hartsoecker, o segundo autor envolvido na descoberta dos espermatozoides.

Hartsoecker admitia explicitamente a preexistência e o embutimento dos animálculos. O autor apresentou em seu *Essai de dioptrique* (*Ensaio sobre a dióptrica*), de 1694, as observações que se tornaram famosas sobre a existência de um homúnculo no interior dos espermatozoides. Sua figura de um pequeno homem abraçando as pernas e com uma grande cabeça ficou famosa nos meios acadêmicos e em toda referência posterior à questão. Mas Hartsoecker disse que tal homúnculo seria o que poderia ser visto caso a pele do animálculo fosse removida. Não diz ter removido essa pele e observado diretamente o que desenhou. O autor foi criticado por Leeuwenhoek e, posteriormente, rejeitou a própria pré-formação (cf. Roger, 1993, p. 318).

Em 1686-1687 é editado o primeiro conjunto de cartas de Leeuwenhoek e a teoria animalculista já aparece exposta com precisão. Recebe adeptos, mas também muitos críticos. Mesmo já sendo no início do século XVIII uma importante adversária do ovismo, apresenta problemas difíceis de serem superados e, ao longo desse século, sua aceitação foi lenta.

Dentre as objeções, havia aquelas que negavam tanto a existência como a presença universal dos espermatozoides no sêmen masculino (cf. Gasking, 1967, p. 54). No primeiro caso, os animálculos eram interpretados como estruturas das mais diversas naturezas, todas elas negando-lhes o estatuto de animais vivos.

Os que aceitavam sua natureza animal interpretavam sua função de três modos distintos. Primeiramente, os animálculos eram considerados parasitas e, assim, não eram partes próprias do sêmen nem tinham qualquer relação com a geração do organismo que os possuía. Era natural associar os animálculos com outros parasitas microscópicos que na época eram encontrados em outros líquidos e partes corporais, bem como no ambiente externo. Essa explicação apresenta como dificuldade o fato de os espermatozoides aparecerem apenas nos machos sexualmente maduros. Deveriam ser parasitas extremamente seletivos que passavam a infestar seus hospedeiros apenas quando atingissem a fase reprodutiva. Sugeriu-se que esse parasitas se formavam espontaneamente pela putrefação do sêmen, mas Hooke mostrou que não se obtinham espermatozoides em sucos de sêmen imaturos.

Uma segunda interpretação considerava os espermatozoides partes próprias e genuínas do sêmen, mas apenas com um papel acessório na geração e não eram, de forma alguma, partes autonomamente vivas. Sua função era associada à simples agitação do sêmen.

Apenas a terceira explicação do papel dos espermatozoides é aquela associada ao animalculismo ou doutrina dos animálculos. Mais do que parte própria, os espermatozoides são a parte essencial do sêmen e constituem o verdadeiro material da geração, uma vez que contêm em seu interior um embrião pré-formado. A presença exclusiva dos animálculos no sêmen de machos maduros era uma forte evidência de seu caráter essencial à geração. Tal concepção possuía ainda a vantagem de restituir ao macho o papel preponderante na geração que fora negado pela preexistência ovista.

A doutrina dos animálculos não se podia conciliar com a preexistência do embrião no interior do ovo, mas não era incompatível com o ovismo propriamente dito. Podia-se sustentar, como fazia Garden em 1691, que o embrião estava dentro do espermatozoide, mas que devia desenvolver-se dentro de um ovo. Leeuwenhoek rejeitou completamente tal ideia, mas permanece isolado em sua negação da existência dos ovos de mamíferos. A versão de Garden é aceita e, assim, é sob a forma de um ovovermismo que o animalculismo ganha adeptos (cf. Roger, 1993, p. 314-5).

Mas as dificuldades aqui também são grandes. Havia o problema do desperdício de homens e mulheres que ocorreria a cada cópula, visto que apenas um ou poucos embriões se desenvolvem enquanto milhares ou milhões de outros perecem. Leeuwenhoek respondeu a essa questão dizendo que o mesmo desperdício encontra-se entre as plantas, que produzem grandes quantidades de sementes que não se desenvolvem. Tal explicação não foi muito convincente na época, sobretudo devido às complicações teológicas envolvidas. Qual seria o destino de milhares de almas humanas que perdiam a oportunidade de salvação antes mesmo de nascer? Leibniz, animalculista, viu-se particularmente embaraçado com tal questão.

Na segunda metade do século XVIII, a teoria animalculista já conta com poucos adeptos. No século XIX, ela praticamente desaparece dos meios acadêmicos, e a interpretação que considerava os espermatozoides como parasitas, que chegou até essa época, é que vigorará.

Análise e crítica do animalculismo

Para Maupertuis, a existência de embriões ou germes pré-formados, tanto no ovo como no verme espermático, era fruto da adesão acrítica e obstinada à teoria da preexistência: "o que a imaginação via assim no ovo, os olhos percebiam alhures" (O2, p. 21).

Maupertuis cita as observações de Hartsoecker que viu *animais vivos* nos licores masculinos, mas não em outros líquidos corporais, onde "uma gota era um oceano onde nadava uma multidão inumerável de pequenos peixes em mil direções diferentes" (O2, p. 22). Os animálculos estavam sempre presentes e apenas mudavam de forma em função da espécie de animal de onde provinham. Os animálculos assemelham-se ainda, escreve Maupertuis, a girinos de rã.

Tais observações, como vimos, revelam a tendência em considerar tais estruturas como animais vivos e isso implica interpretar sua natureza de três modos distintos – como verdadeiros germes do indivíduo que os contém, como estruturas acessórias da geração ou como simples parasitas. A teoria da preexistência animalculista deve assumir a primeira interpretação e é dela que Maupertuis trata no *Vênus física*.

Maupertuis reconhece a "tentação" em associar os animálculos à geração:

> Não se pode deixar de pensar que esses animais descobertos no licor seminal do macho eram os que deviam um dia reproduzi-lo; pois apesar de sua pequenez infinita e de sua forma de peixe, a mudança de tamanho e de figura pouco custa a conceber a um Físico, e não custa nada mais a executar pela natureza (O2, p. 22).

Há uma grande distância entre um verme microscópico e o organismo adulto. Além do tamanho diminuto, há a notável diferença morfológica: o animálculo possui, disse Maupertuis, a forma de um pequeno peixe ou de um girino de rã. Assim, para associá-lo à geração, o animálculo deverá passar por um intenso processo de crescimento e de metamorfose. A natureza oferece exemplos onde ambos os fenômenos podem ocorrer:

> Mil exemplos de um e de outro estão sob nossos olhos, de animais cujo último crescimento não parece ter qualquer proporção com seu estado na época de seu nascimento e cujas figuras perdem-se totalmente em novas figuras. Quem poderia reconhecer o mesmo animal, se tivéssemos seguido bem atentamente o pequeno verme e o besouro sob a forma do qual ela aparece em seguida? E quem acreditaria que a maioria dessas moscas ornadas das mais soberbas cores fossem antes pequenos insetos rastejantes na lama ou nadantes nas águas? (O2, p. 22-3).

Maupertuis apresenta, pois, a problemática analogia entre a metamorfose dos insetos e a formação de um homem a partir dos vermes espermáticos.

À primeira vista poderíamos pensar que a sucessiva mudança de forma vista na metamorfose dos insetos estaria em conflito com a ideia de pré-formação, uma vez que teríamos um processo onde a forma é drasticamente alterada ao longo do crescimento. Segundo a pré-formação, deveria ocorrer apenas o aumento de tamanho de uma estrutura sempre fixa. Mas lembra Maupertuis que tais metamorfoses são entendidas como aparentes: "Todas essas formas, que alguns Físicos inábeis tomaram por verdadeiras metamorfoses, são entretanto apenas mudanças de pele. A borboleta estava totalmente formada e tal como a vemos voar em nossos jardins sob o disfarce da crisálida" (O2, p. 29). A figura 2 ilustra a interpretação à luz da pré-formação da (pseudo)metamorfose dos insetos.

Esse exemplo serve como analogia básica para a transformação de um verme em um animal adulto totalmente diferente. Algo análogo ao que ocorre com a borboleta poderia acontecer com o homem.

Devemos lembrar que foi observando a metamorfose de insetos que Swammerdam apoiou a preexistência do germe, mas em sua versão ovista. Embora seja forte a comparação da larva da borboleta com o espermatozoide humano, essa analogia implica vários problemas. Um deles é destacado por Maupertuis, a saber, sobre a origem do próprio animálculo. O autor parece disposto a atribuir certo sentido para essas analogias, mas repara que são defeituosas:

> Da larva à borboleta, do verme espermático ao homem, parece haver alguma analogia. Mas o primeiro estado da borboleta não era o de larva: a larva já tinha saído de um ovo, e esse ovo mesmo já era uma espécie de crisálida. Se se quisesse então le-

var adiante essa analogia, seria necessário que o pequeno animal espermático tivesse saído de um ovo, mas que ovo! De que pequenez deve ser! De qualquer maneira, não é nem o grande nem o pequeno que devem aqui causar embaraço (O2, p. 29-30).

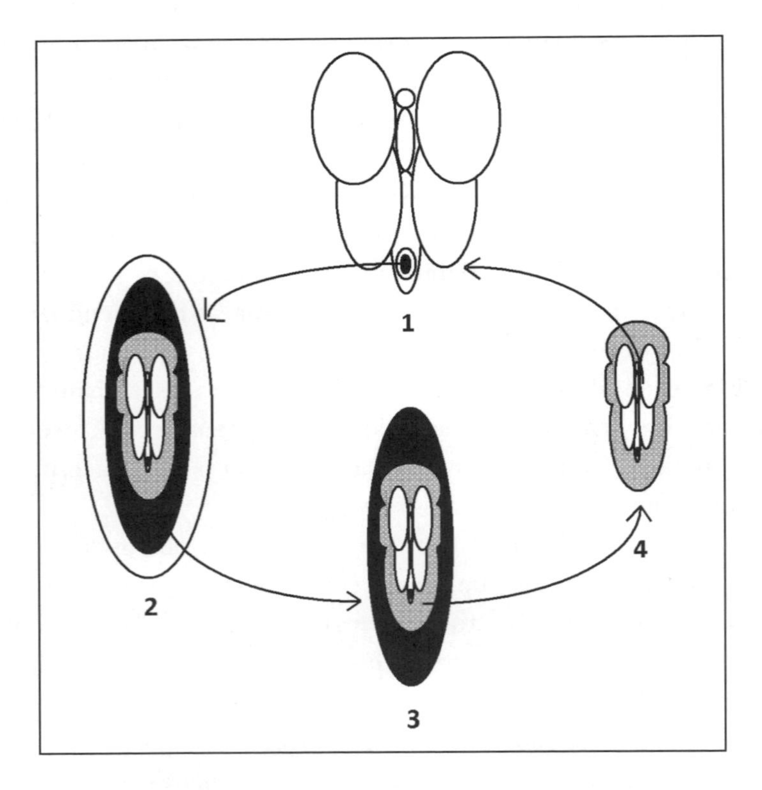

Figura 2. Interpretação da metamorfose dos insetos segundo a teoria da pré-formação. Em 1 temos o inseto adulto – borboleta – contendo um ovo em seu interior. O ovo (2) é posto já contendo uma borboleta adulta pré-formada que está envolvida por duas outras "peles": a da crisálida e, por cima desta, a da larva ou lagarta. Do ovo nasce a lagarta (3), que cresce, perde a primeira pele e dá origem à crisálida (4). Esta, por sua vez, libertará após algum tempo a borboleta já existente em seu interior. A borboleta recém-nascida contém igualmente ovos na mesma situação e o processo se repete. Pode-se ver que não há qualquer transformação morfológica em nenhuma das fases larvais do inseto.

Na figura 3 esquematizamos a comparação do desenvolvimento da borboleta com a geração do homem apresentada por Maupertuis, onde podemos ver mais claramente onde falha a analogia entre ambos. Maupertuis percebe que a analogia funciona apenas se o animálculo sair de um ovo, como fazem as larvas de borboleta. Conforme vimos, Leeuwenhoek enfrentou essa questão sem chegar a qualquer conclusão.

Há ainda problemas com a comparação do animálculo com uma larva. Sendo o animálculo um verme, teríamos *dois* animais distintos vivendo juntos. As marcantes diferenças entre ambos poderiam mesmo sugerir que fossem representantes de espécies diferentes com modos de vida distintos, o que se aproximaria mais da relação hospedeiro (homem) – parasita (verme espermático). Como vimos anteriormente essa foi uma explicação defendida na época, mas que leva necessariamente à recusa do papel dos animais espermáticos na geração do homem. Tal questão não aparece no ovismo, visto que o ovo não é normalmente considerado um *animal*, pois não exibe sua estrutura nem seu comportamento.

Apesar de todos esses problemas, Maupertuis chama a atenção no *Vênus física* apenas para a incompletude da analogia com os insetos e para a pequenez que um eventual ovo deveria possuir para que dele saísse um espermatozoide. Não explora explicitamente o efeito refutador que esses problemas poderiam colocar para o animalculismo.

Maupertuis trata também de questões que associam o tamanho reduzido e o número elevado de animálculos e de embriões neles embutidos: "De uma geração a outra, os corpos desses animais diminuem na proporção do tamanho de um homem àquele desse átomo que só se descobre com o melhor microscópio; seu número aumenta na proporção da unidade, ao número prodigioso de animais espalhados nesse licor" (O2, p. 24).

Para cada próxima geração, a miniatura dentro do espermatozoide é tão menor que este é comparado com um homem adulto;

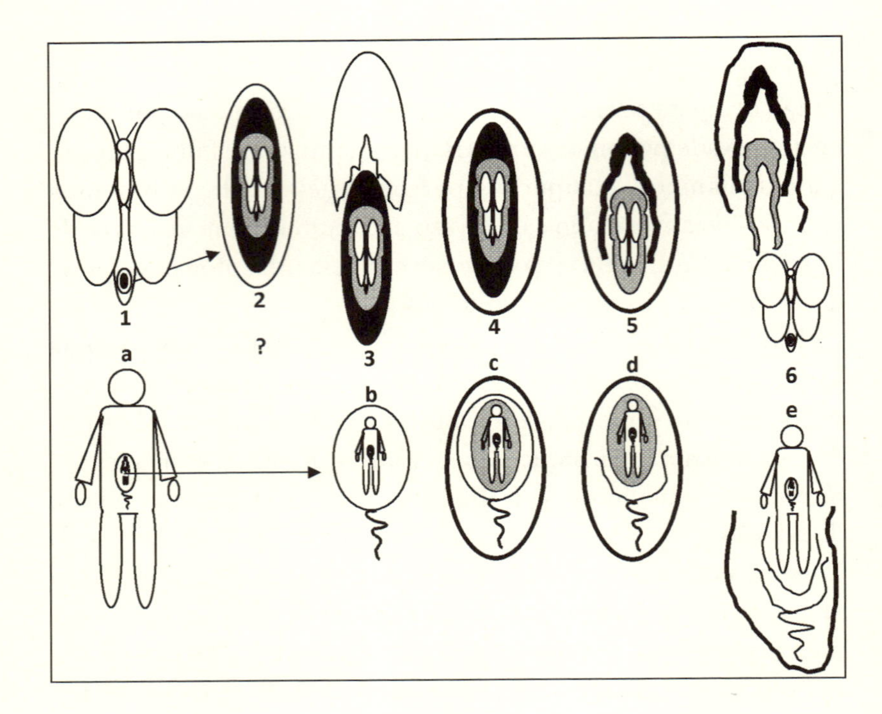

Figura 3. Esquema ilustrativo da comparação da metamorfose da borboleta com o desenvolvimento do homem apresentado por Maupertuis no *Vénus physique*. Os números de 1 a 6 representam as fases do desenvolvimento do inseto e as letras *a* a *e* representam as fases que seriam análogas no homem. Em 1-a, uma borboleta adulta com um ovo em seu interior é comparada a um homem adulto com um animálculo espermático. Tanto no ovo como no animálculo há um embrião pré-formado. Conforme Maupertuis chama a atenção no texto, a analogia perde-se em 2, quando o ovo é posto pela borboleta; o mesmo fenômeno não existe ou não pode ser identificado no homem (de que ovo vem o animálculo espermático?). Em 3-b, o animálculo é comparado à larva da borboleta que sai do ovo; em 4-c, a formação de uma primeira membrana fetal em torno do espermatozoide é interpretada como análoga à formação do casulo pela larva do inseto; em 5-d, ocorre a ruptura na pele da larva que dá surgimento à pupa que já estava pré-formada em seu interior, enquanto a ruptura da pele do espermatozoide libera o embrião envolvido em uma segunda membrana fetal (tal membrana formou-se previamente, ainda dentro do espermatozoide; esta é uma outra complicação com a analogia que Maupertuis adapta); finalmente, em 6-e, a ruptura da pupa libera a borboleta adulta tal como a ruptura da bolsa amniótica dá nascimento à criança. Ao nascer, ambos conteriam seus ovos e espermatozoides com embriões pré-formados para dar continuidade ao processo.

para ter-se uma ideia de quantos embriões possui apenas um indivíduo, a quantidade de miniaturas encaixadas dentro de cada espermatozoide deve ser multiplicada pelo prodigioso número deles existente no sêmen. O problema dirige-se, então, para a questão da morte em grande escala dos animálculos com seus respectivos embriões. Maupertuis contrapõe a imensa fecundidade da natureza ao desperdício que estaria envolvido na formação de cada organismo: "Sem discutir o que traz mais honra à natureza, se uma economia precisa, ou uma profusão supérflua, questão que poderia se conhecer melhor suas intenções, ou melhor as intenções daqueles que a governam; temos sob os olhos exemplos de uma conduta semelhante, na produção das árvores e das plantas" (O2, p. 25).

Maupertuis retoma o argumento das plantas já enunciado por Leeuwenhoek e apresenta como exemplo o carvalho, que produz uma imensa quantidade de frutos (bolotas) dos quais uma ínfima parte gera novas árvores: "Mas não vemos aí mesmo que esse grande número de bolotas não foi inútil; pois se aquele que germinou não tivesse germinado, não haveria nenhuma produção nova, nenhuma geração?" (O2, p. 25). O desperdício justifica-se, então, pela reprodução. Mas esse raciocínio é válido apenas se a geração for considerada como uma verdadeira nova produção, o que é contraditório com a noção de preexistência associada ao animalculismo. Consistentemente com a noção de preexistência, dir-se-ia que, em princípio, quando morre um espermatozoide ou uma semente, morrem os inúmeros indivíduos neles embutidos. A ideia de morte para essa teoria envolve outros problemas filosóficos, tais como o destino dos embriões não desenvolvidos, cuja morte é apenas uma das alternativas. Eles poderão, por exemplo, retornar ao ambiente, nele viver por certo tempo e, finalmente, serem reincorporados a outros animais.

O sistema misto ou a preexistência ovo-vermista

Em um breve capítulo, Maupertuis apresenta a teoria híbrida, composta da combinação do ovismo e do animalculismo: "A maior parte dos Anatomistas abraçou um outro sistema, que sai dos dois sistemas precedentes, e que alia os animais espermáticos aos ovos" (O2, p. 30). No animálculo reside todo o princípio de vida e o desenvolvimento se dá quando ele entra no ovo, contido ainda no ovário; o ovo tem o papel de nutrir o animálculo. Essa é, conforme ressalta Maupertuis, a concepção mais difundida.

De fato, como vimos anteriormente, apenas Leeuwenhoek defendeu até o fim um animalculismo sem ovo. O sistema misto ou ovo-vermista opunha-se ao sistema ovista por situar o germe preexistente no interior dos animálculos. Ambos aceitavam o ovismo e apenas parte dos ovistas negava a existência dos espermatozoides. Os que a aceitavam dividiam-se quanto à sua função.

A posição de Maupertuis ante o animalculismo

Maupertuis não declarou explicitamente que os mamíferos e as mulheres não produzem ovos, mas apenas expressou sua dúvida sobre a questão. Quanto aos espermatozoides, sua posição é clara no *Vênus física*. Ele não nega que existam, mas considera-os como um agente auxiliar da geração. Tal posição é apresentada no final da primeira parte da obra, quando já expôs sua teoria e já criticou e rejeitou as noções de pré-formação, preexistência e embutimento. Já mencionamos que Maupertuis adotou a teoria antiga da dupla semente, nas quais concebe partículas seminais produzidas por pangênese. Os espermatozoides com seu movimento funcionariam, sugere ele, como agitadores dessas partículas, cujo encontro é essencial para a produção do embrião segundo sua teoria. Compara ainda os espermatozoides a certos insetos que auxiliam na polinização das plantas.

Conforme afirmamos repetidas vezes, a teoria de Maupertuis é incompatível com as teorias do embutimento, da pré-formação e da preexistência. Essas noções serão o principal alvo da crítica de Maupertuis, cujas objeções estender-se-ão tanto às suas versões ovista como animalculista. Os demais aspectos do animalculismo que Maupertuis analisou até aqui foram bem mais expositivos do que críticos. Maupertuis diz que o tamanho dos animálculos ou dos embriões não acarreta problemas mais sérios. Também não extrai maiores consequências da parcialidade da analogia do processo de desenvolvimento com a metamorfose dos insetos.

Maupertuis inclui-se entre aqueles que aceitam os espermatozoides como parte própria do sêmen, mas que lhes atribui apenas um papel acessório na geração e, consequentemente, não são considerados essenciais ao processo. É bem possível ainda que não negue animalidade e vida autônoma aos espermatozoides. Futuramente eles irão novamente chamar a atenção do autor e suscitar novas questões.

Tendo apresentado as duas principais teorias rivais de Maupertuis – preexistência ovista e animalculista –, discutiremos a seguir a utilização que o autor faz de outras concepções sobre a geração em apoio à sua própria teoria para, no capítulo 11, retomarmos a preexistência dos germes.

Os estudos embriológicos de William Harvey (1578-1657) foram utilizados por Maupertuis para refutar a teoria da preexistência dos germes. Ele também interpretou tais estudos de modo a sustentar suas próprias conjecturas sobre a formação do embrião.

Capítulo 9

Maupertuis e Harvey

Os trabalhos sobre a geração dos organismos de Harvey tiveram uma importância capital para a sustentação da teoria de Maupertuis. Os dois pontos principais dos estudos de Harvey sobre a geração que se articulam diretamente com a teoria do *Vênus física* são: (i) o autor combateu as teorias preformistas de sua época, vinculadas às concepções de Hipócrates, propondo a ideia de que a matéria seminal é homogênea e a verdadeira geração se dá, como dizia Aristóteles, por epigênese; (ii) o ovo é o início da geração de todos os animais, tanto nos ovíparos como nos vivíparos.

Para Harvey há dois tipos básicos de geração. Na metamorfose, a estrutura completa do organismo aparece de uma só vez, como se sua matéria completa fosse colocada em um molde. Esse processo ocorre imediatamente após a concepção e é restrito aos insetos e outros animais inferiores. O segundo e mais importante processo é a epigênese. Segundo análise de Pyle (cf. 1987, p. 229), o conceito de epigênese de Harvey exige a aceitação de quatro elementos: (a) uma formação sucessiva de partes, (b) uma formação *de novo* de cada parte, (c) a inexistência de qualquer parte invisível pré-formada e (d) a substância da semente deve ser totalmente homogênea. Tais elementos definem o que chamamos de epigênese tradicional e é antagônica à noção de pré-formação aplicada tanto às partes ou elementos seminais como ao embrião completo. Harvey combateu apenas a primeira forma de pré-formação, a única existente em sua época. Pode-se dizer que é a natureza da semente que fundamenta as diferenças entre as teorias preformistas nascentes e a epigênese de Harvey. No primeiro caso, a semente é heterogênea; e, no segundo, é necessariamente homogênea. Sendo homogênea, a matéria seminal não possui nenhuma forma de delineamento prévio das estruturas corporais e tudo o que dela surge é inteiramente novo.

Independentemente do processo envolvido, todos os animais surgem, segundo Harvey, de um *ovo*. Esse princípio que aparece como o mote *Ex ovo omnia* (*Tudo provém do ovo*) na página título do *Disputations touching the generation of animals* (*Discussões concernentes à geração dos animais*) (1651), é exposto mais precisamente no *Exercício 63* da obra:

> É a partir de um *primordium* oviforme que todos os animais são gerados. Eu digo oviforme não no sentido de possuir a forma de um ovo, mas por possuir a constituição e a natureza de um ovo. Em todos os casos existe primeiramente um primórdio vegetal comparável em natureza a um ovo e análogo à semente das plantas; é disso que o feto é produzido (Harvey *apud* Foote, 1964, p. 141).

Assim, dependendo do tipo de organismo envolvido e da maneira pela qual ele é gerado, os ovos são associados a estruturas diversas. Tal associação é complexa, principalmente quando se trata de identificar a forma de ovo presente na geração por metamorfose, por geração espontânea ou por geração equívoca. Foote estudou em detalhe tais associações e afirma que Harvey classifica como ovos "os ovos não fertilizados de aves, répteis, anfíbios, peixes e alguns artrópodos – o *amnion* dos eutérios com seu conteúdo fluido (antes que qualquer embrião seja detectado) – a *pupa* do inseto (*chrysalis*) – o *ovum* das formas (supostamente) assexuadas – e a semente das plantas" (Foote, 1964, p. 141); afirma ainda que "Os verdadeiros ovos para *todo* filo animal têm a mesma função. Em cada caso, ele é um organismo individual, interino e vegetativo que precede a epigênese ou a metamorfose" (Foote, 1964, p. 142).

Dos dois processos de geração acima descritos, Maupertuis trata apenas da epigênese. Com efeito, é a existência de tal processo que pode tanto apoiar a teoria que Maupertuis desenvolverá como negar a existência de embriões pré-formados:

> Todos esses sistemas tão brilhantes, e mesmo tão verossímeis que acabamos de expor [ovismo e animalculismo], parecem destruídos pelas observações que haviam sido feitas anteriormente, e às quais se deveria dar muito peso: são aquelas desse grande homem a quem a anatomia deve mais que a todos os outros só pela descoberta da circulação do sangue (O2, p. 36).

Maupertuis apresenta os estudos de Harvey com corças e outros mamíferos, destacando o que o autor teria visto formar-se no útero de fêmeas grávidas dissecadas em diferentes períodos após a cópula. Nas corças dissecadas, Harvey viu alterações na forma do útero e, no seu interior, estruturas sem forma definida. Referindo-se ao líquido interno à bolsa (líquido amniótico), Maupertuis diz:

> Foi nesse licor que se percebeu um novo prodígio [o outro prodígio seria a formação, dentro do útero, de uma rede de fios que lembra a produção dos casulos dos insetos]. Não era um animal totalmente organizado, como se deveria esperar pelos sistemas precedentes: era o princípio de um animal; um Ponto vivo (*Punctum saliens*), antes que alguma das outras partes estivesse formada. Vemo-lo no licor saltar e bater, tirando seu crescimento de uma veia que se perde no licor onde ele nada; ele batia ainda, quando exposto aos raios do sol, e Harvey fê-lo ver ao Rei (O2, p. 40).

Para Maupertuis, Harvey demostrou com essas e muitas outras observações que não há nada pré-formado no interior das fêmeas que se assemelhe a um organismo adulto. O início do animal é apenas um ponto vivo pulsante, carente de qualquer estrutura mais organizada, tal como vemos nas fases finais do desenvolvimento. Acrescenta ainda: "Harvey [...] viu o animal que ali nada formar-se. Não é mais que um ponto, inicialmente; mas um ponto que tem vida e ao redor do qual todas as outras partes vêm se arranjar formando logo um animal" (O2, p. 44).

Aqui vemos como os resultados de Harvey são reinterpretados por Maupertuis de modo a concordar com sua visão particular da geração. Para Harvey, as partes do embrião formam-se *a partir* do ponto vivo através de um processo de brotamento e subdivisão da matéria seminal homogênea (cf. Reippel, 1986, p. 333):

> Antes de tudo, dado que é certo que o pintainho é formado por epigênese ou por adição de partes que brotam uma da outra, discutirei qual parte forma-se antes que todas as outras, o que pode ser observado a esse respeito e a maneira [pela qual ocorre] seu engendramento.
>
> O que Aristóteles disse sobre a geração de animais perfeitos é indubitavelmente verdadeiro e pode ser visto claramente no ovo, a saber, que nenhuma das partes é feita simultaneamente mas, em ordem, uma após a outra, e que a primeira [parte] a existir é a partícula genital em virtude da qual todas as partes restantes devem aparecer posteriormente a partir dessa parte original [...] Essa parte divide-se e ao mesmo tempo forma todas as outras em sua devida ordem (Harvey, 1981, p. 240).

Ao contrário do que afirma Harvey, Maupertuis sugere em sua interpretação que as outras partes que se arranjam ao redor do ponto vivo já existiam, o que estaria mais de acordo com sua concepção particular de epigênese: as partes não brotam uma das outras (epigênese tradicional), mas agregam-se (epigênese atomista). Para agregarem-se devem existir previamente nos líquidos seminais e já possuírem ao menos um esboço da forma das partes corporais que formarão. Maupertuis combina a epigênese de Harvey com uma noção de semente heterogênea produzida por pangênese, concepção que este último combateu em sua época.

A adaptação feita por Maupertuis foi possível, pois mesmo que o mecanismo epigenético concebido pelos dois autores sejam completamente distintos, os resultados empíricos decorrentes de ambos são os mesmos: o embrião forma-se gradativamente. Talvez Maupertuis não soubesse que Harvey negaria completamente a existência de partes seminais descontínuas no sêmen.

Quando Maupertuis expõe a forma pela qual Harvey explica a formação das partes embrionárias, não discute o processo de brotamento ou subdivisão acima mencionado. Também não faz qualquer referência à clara exigência feita por Harvey de que a matéria seminal – o ovo – deve ser completamente homogênea. Maupertuis destaca e critica outras concepções do autor nesse sentido:

> Esse grande homem desesperado por dar uma explicação clara e distinta da geração reduziu-se a livrar-se delas por comparações: ele diz que a fêmea é tornada fecunda pelo macho como o ferro que, após ter sido tocado pelo ímã, adquire a virtude magnética; ele faz sobre essa impregnação uma dissertação mais escolástica que física; e acaba por comparar a matriz fecunda ao cérebro, do qual ela imita a substância. *Uma concebe o feto como o outro concebe as ideias que nele se formam*; explicação estranha que deve muito humilhar aqueles que querem penetrar os segredos da Natureza! (O2, p. 44-5).

Tais ideias, encontradas no tratado *Of conception* (*Da concepção*) de Harvey (cf. 1981, p. 452), dizem respeito aos efetivos agentes gerativos cuja ação determinam o processo epigenético de formação do embrião. Não discutiremos aqui esses aspectos da teoria de Harvey, mas podemos afirmar que a fundamentação aristotélica tanto da argumentação como da teoria do autor podiam ser facilmente rejeitadas na época de Maupertuis. Desse modo, este pode concluir que o primeiro *viu* a geração como ela ocorre realmente – epigeneticamente –, mas que se enganou quanto ao mecanismo que determina tal epigênese. A epigênese atomista de Maupertuis viria remediar esse engano.

Acreditamos que Maupertuis considera o licor cristalino acima mencionado – o líquido amniótico – como sendo produzido pela mistura dos licores masculino e feminino. O ponto vivo visto por Harvey pode ser interpretado, na teoria de Maupertuis, como o local onde a mistura de partículas seminais entra em atividade e produz as primeiras manifestações gerativas decorrentes dessa mistura.

Apesar dessas adaptações, há ainda outros pontos da teoria de Harvey que são incompatíveis com as noções de Maupertuis. Como vimos acima, a matéria gerativa na teoria de Harvey vem sempre associada a uma estrutura oviforme e tal matéria desenvolve um novo organismo por epigênese. Assim, ovismo e epigênese são indissociáveis, mas a relação de Harvey com o ovismo não é mencionada por Maupertuis. Ele não discute e nem mesmo menciona sua fórmula *tudo provém do ovo*. Vimos que a noção de pré-formação do embrião completo tornou-se posteriormente indissociada da noção de ovismo e que Harvey, crítico da pré-formação, teve posteriormente seu nome a ela associado. Se Maupertuis conhecia tal associação, não a pôs em evidência. Ao contrário, procurou colocar os estudos de Harvey *contra* a concepção ovista.

Harvey não atribui aos ovários dos vivíparos qualquer papel na geração. Maupertuis põe em evidência que o autor não observou em suas dissecações quaisquer alterações no pretenso ovário, nem encontrou ovos nas trompas. Isso mostra que Maupertuis desvincula Harvey do ovismo e contrapõe suas observações à versão ovista defendida no século XVIII, ou seja, associada à pré-formação e à preexistência dos germes. Negando que os ovários de vivíparos produzem ovos, nega-se a base dessas teorias. Mas Harvey aceitava a existência de um *ovum* nos vivíparos que acreditava ser produzido no interior do útero e era associado ao envelope de membranas fetais com seu embrião. Maupertuis não parece dar importância a tal associação e não discute se tal estrutura seria ou não um ovo. Ao contrário, um tal ovo produzido no útero é bem mais fácil de ser reiterpretado segundo a teoria da dupla semente – os líquidos seminais se misturariam no útero – do que se os ovos são produzidos pelos ovários também nos vivíparos.

Outro problema diz respeito ao papel do sêmen masculino. Para Maupertuis, o encontro das sementes masculina e feminina é um fenômeno indispensável à geração, mas Harvey nega que o sêmen masculino entre no útero: "De todas essas experiências, e de muitas outras feitas com fêmeas de coelhos, cães, e outros animais, Harvey concluiu que a semente do macho nunca permanece e nem mesmo entra na matriz" (O2, p. 39). Assim, Maupertuis conclui que todas as teorias que dependem da entrada ou permanência do sêmen masculino no útero estão contestadas. Esse é um resultado indesejável para Maupertuis, pois nega diretamente sua teoria da dupla semente. Veremos adiante, na exposição de seu sistema, como o autor contorna esse problema.

O que importa mais para Maupertuis é o processo a partir do qual se dá a geração. Se tal uso dos resultados de Harvey contra o ovismo incluem alguma dificuldade, suas observações em apoio à epigênese são essenciais a Maupertuis e podem ser utilizadas diretamente como apoio à realidade fenomênica do processo.

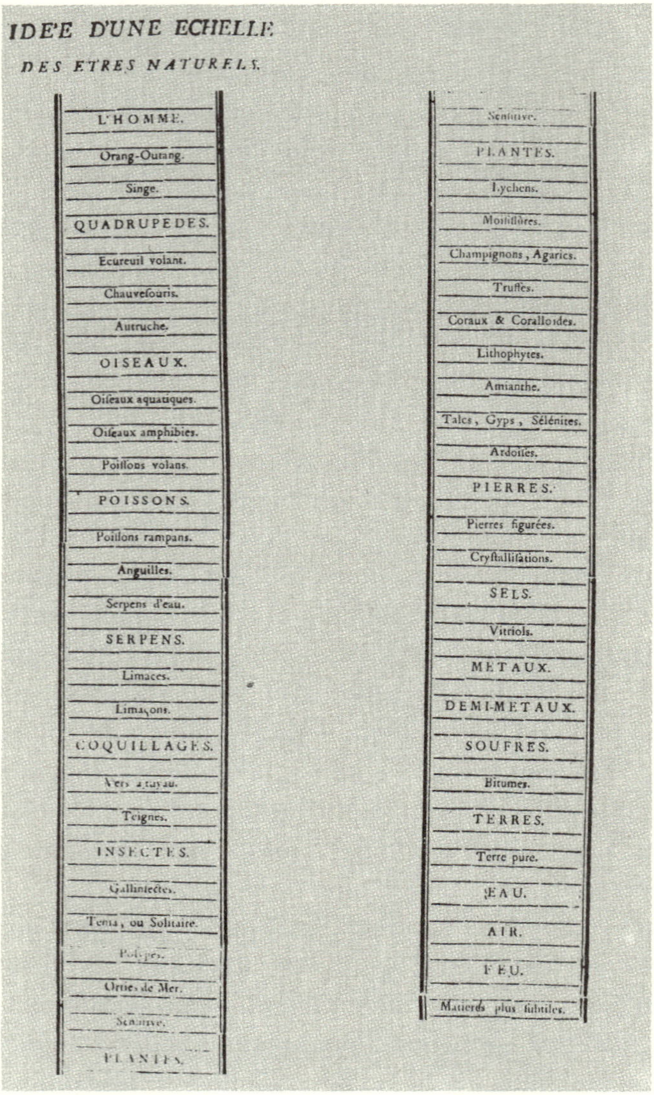

IDÉE D'UNE ECHELLE
DES ETRES NATURELS.

L'HOMME.
Orang-Outang.
Singe.
QUADRUPEDES.
Ecureuil volant.
Chauvesouris.
Autruche.
OISEAUX.
Oiseaux aquatiques.
Oiseaux amphibies.
Poissons volans.
POISSONS.
Poissons rampans.
Anguilles.
Serpens d'eau.
SERPENS.
Limaces.
Limaçons.
COQUILLAGES.
Vers à tuyau.
Teignes.
INSECTES.
Gallinsectes.
Tenia, ou Solitaire.
Polypes.
Orties de Mer.
Sensitive.
PLANTES.

Sensitive.
PLANTES.
Lychens.
Moisissures.
Champignons, Agarics.
Truffes.
Coraux & Coralloïdes.
Lithophytes.
Amianthe.
Talcs, Gyps, Sélénites.
Ardoises.
PIERRES.
Pierres figurées.
Crystallisations.
SELS.
Vitriols.
METAUX.
DEMI-METAUX.
SOUFRES.
Bitumes.
TERRES.
Terre pure.
EAU.
AIR.
FEU.
Matieres plus subtiles.

Ilustração de uma cadeia dos seres presente nas *Œuvres d'histoire naturelle et de philosophie* **(1779-1783) de Charles Bonnet (1720-1793). As categorias mais gerais de seres que representam elos maiores de transição são: Homem, Quadrúpedes, Pássaros, Peixes, Répteis, Moluscos, Insetos, Plantas, Pedras, Metais, Enxofres e Terras. No final da cadeia estão os elementos Água, Ar e Fogo e as Matérias mais sutis. Barsanti, G.** *La scala, la mappa, l'albero*. **Firenze: Sansori, 1992. Fig. 23.**

Capítulo 10

Mecanismos especiais de geração e a cadeia dos seres

Particularidades sobre os mecanismos de geração entre os animais: da diversidade à unidade e o aparecimento da cadeia dos seres

No capítulo xi, *Variétés dans les animaux* (*Variedades nos animais*), Maupertuis expõe uma série de particularidades sobre o modo de reprodução dos animais, dando destaque a aspectos do comportamento. Parece que a intenção do autor foi sondar a variabilidade do processo de geração, sabendo que deverá propor um processo único por trás dessas variações. Pode-se perceber que Maupertuis tenta encontrar um mecanismo geral subjacente à diversidade dos processos considerados. A busca de processos básicos será proposta anos depois por Maupertuis como um imperativo metodológico para a pesquisa em História natural.

Mas a identificação desse mecanismo geral não é feita através da comparação dos fatos relativos à reprodução nos animais que Maupertuis expõe. Não há um estudo propriamente científico no sentido de uma busca por regularidades ou elementos comuns nos fenômenos observados. Vemos antes uma exposição da diversidade que destaca muito mais as curiosidades envolvidas na corte e no acasalamento de várias espécies:

> O impetuoso touro, orgulhoso de sua força, não se diverte muito com carícias: ele se lança de repente sobre a novilha, penetra-a profundamente em suas entranhas e aí espalha em grande profusão o líquido que deve torná-la fecunda [...] O sapo se-

> gura sua fêmea abraçada durante meses inteiros [...] A abelha Rainha tem um harém de amantes e satisfaz todos [...] um ilustre Observador[b] (nota b: *Hist. des insect. de M. de Reaumur*, t. 5. p. 504) convenceu-se por seus olhos de suas prostituições. Sua fecundidade é proporcional à sua impetuosidade; ela torna-se mãe de 30 a 40 milhões de crianças (O2, p. 52-5).

Junto dessa exposição algo assistemática de fatos, vemos no texto uma declaração de caráter teórico que, embora breve, tem uma importância capital tanto para o desenvolvimento atual como futuro da teoria de Maupertuis. Trata-se do apelo à noção de *cadeia dos seres* como princípio unificador da diversidade de formas e processos presentes no mundo orgânico.

Maupertuis fundamenta sua busca de unidade dentro da diversidade dos modos de geração dos organismos na noção de cadeia dos seres, conforme afirma na seguinte passagem: "Há sem dúvida alguma analogia nos meios que as diferentes espécies de animais empregam para perpetuarem-se: pois apesar da variedade infinita que existe na Natureza, as mudanças nela jamais são súbitas" (O2, p. 51).

A crença em uma cadeia de seres na natureza foi um traço particularmente marcante da filosofia natural do século XVIII. Tal noção pode ser entendida como a consequência de um princípio filosófico mais geral, a lei de continuidade. Aceitando que, por princípio, inexistem mudanças súbitas na natureza, a grande diversidade de espécies que se observa pode ser organizada numa sucessão linear. Cada espécie aparece como o elo de uma cadeia contínua e a transição de um elo para outro é, por isso, imperceptível. Essa vizinhança é portanto uma consequência da lei de continuidade refletida na diversidade de formas vivas. As diferenças e semelhanças entre as espécies também são uma consequência dessa lei e, conversamente, o exame dessas mesmas diferenças e semelhanças pode confirmar a lei.

A aplicação do princípio de continuidade aos seres implica a organização de seus atributos mais essenciais ao longo de uma cadeia que reflita alguma regularidade. No âmbito da história natural, podemos destacar como dois atributos fundamentais a morfologia e as qualidades psíquicas. As tentativas de recuperar a cadeia alinhando os seres nela existentes foram muitas vezes baseadas nas transições da morfologia observáveis nas várias espécies. O psiquismo pode, por sua vez, ordenar as espécies segundo uma progressiva capacidade de perceber, sentir e pensar.

Aplicar esse raciocínio à geração significa interpretar as grandes diferenças percebidas entre os mecanismos pelo qual ela ocorre entre os animais como efeitos da distância dos locais ocupados pelas espécies na cadeia. É mais ou menos isso que permite a Maupertuis afirmar que:

> Na ignorância em que nos encontramos, corremos sempre o risco de tomar por vizinhas espécies tão distantes que essa analogia [entre os modos de geração], que de uma espécie a outra muda apenas por nuanças insensíveis, perde-se ou ao menos é irreconhecível nas espécies que queremos comparar (O2, p. 51).

Em outras palavras, quanto mais distantes estiverem duas espécies no contínuo da cadeia dos seres, mais distintos nos parecerão seus mecanismos de geração. O contrário também é verdadeiro: entre duas espécies vizinhas o mecanismo é praticamente o mesmo. Apoiado em tais raciocínios, Maupertuis pode atribuir toda diferença observável nos modos de geração à distância das espécies que se encontram na cadeia.

Mesmo que as espécies envolvidas apresentem grande similaridade na forma, mas diferenças profundas no processo de geração, o caráter *a priori* da cadeia exige que existam seres intermediários que desconhecemos. Tais seres ou espécies intermediárias, uma vez conhecidos, revelariam as nuanças entre os modos de geração.

Podemos aqui retomar uma questão que Maupertuis tratou em suas considerações sobre o passado da Terra. O autor aceita que catástrofes possam afetar profundamente os organismos que viveram no passado. No *Vênus física*, Maupertuis não discute a extinção ou a transformação de espécies como consequências de tais eventos, tal como sugeriu nos textos sobre os cometas. Esse tema reaparecerá apenas no *Ensaio de cosmologia* e no *Sistema da natureza* e veremos sua importância. É muito provável que Maupertuis já vislumbre que a cadeia dos seres a que temos acesso no presente contenha falhas causadas pelas intervenções catastróficas ocorridas no passado. Tais falhas poderiam explicar a aparente existência de rupturas na cadeia.

Mesmo sem valer-se ainda da extinção de formas e espécies, Maupertuis ressalta nosso desconhecimento de todos os elos da cadeia. Essas lacunas em nosso conhecimento da totalidade da cadeia implicam o risco de tomar por vizinhas espécies que são bem distantes, pois não conhecemos todas as espécies intermediárias entre duas espécies dadas. Para o problema da geração, esse desconhecimento mascara a unidade do mecanismo gerativo. Podemos tomar espécies distantes para comparar os mecanismos gerativos porque não sabemos claramente quem é vizinho de quem e, assim, o elo mostrar-se-ia com diferenças abruptas, contrárias à noção de que não há saltos na natureza.

Mas sendo válido o princípio metafísico, essa abruptuosidade é apenas aparente, fruto do erro de comparar espécies distantes. Se tivéssemos a cadeia completa sob nossos olhos, veríamos a continuidade do processo, veríamos como uma mesma coisa varia por nuanças.

Em resumo, a existência de um mecanismo único de geração é garantida *a priori* pela aceitação de uma lei de continuidade; as variações desse mecanismo único são efeitos do acúmulo de diferenças entre as espécies ao longo da cadeia, mas que nunca chega a ser tão grande a ponto de implicar uma ruptura. Um processo primordial vai recebendo detalhes de uma espécie para outra e, quanto mais distantes estiverem as espécies na cadeia, maiores serão esses detalhes.

Tal concepção é fundamental para o projeto de estudo que Maupertuis está desenvolvendo sobre a geração, pois ele culminará com a proposição de um mecanismo fundamental que cobrirá todos os seres. Pode-se interpretar essa aplicação da noção de cadeia dos seres como um primeiro passo rumo à formulação de tal mecanismo. Os passos posteriores serão no sentido de descrever de forma cada vez mais precisa no que consiste tal processo e mostrar que ele pode ser aplicado para explicar todas as formas de geração, desde as regulares até as mais anormais, como a geração espontânea, a produção de híbridos e a de monstros.

A partenogênese e a regeneração

Conforme dissemos acima, a maioria dos exemplos que Maupertuis apresenta para a variação das formas de reprodução nos animais não tem grandes consequências para suas conjecturas. Contudo, o autor menciona dois casos que foram fundamentais na época para o problema da geração. O primeiro trata da partenogênese – reprodução de um animal virgem, ou seja, sem cópula – descoberta por Bonnet nos pulgões; o outro é a descoberta da grande capacidade de regeneração dos pólipos, observada por Trembley em 1733.

Esses dois fenômenos são de especial interesse para as teorias da geração em desenvolvimento no século XVIII, pois a partenogênese ofereceu forte apoio à pré-formação ovista (apenas uma fêmea bastaria para gerar um organismo), enquanto a regeneração dos pólipos falava a favor da capacidade que qualquer parte do corpo do animal teria para produzir novos indivíduos, questionando assim a necessidade de um embrião pré-formado para a geração.

Após discorrer acerca do hermafroditismo presente nas lesmas, Maupertuis introduz os pulgões como um caso especial desse fenômeno:

> Mas eis um hermafrodita bem mais perfeito [...] Sem nenhuma cópula, ele produz seu semelhante, pare um outro pequeno pulgão vivo [...] Tomou-se um pulgão saindo do ventre de sua mãe ou de seu pai, foi cuidadosamente separado de todo comércio com algum outro e foi alimentado num vaso de vidro bem fechado; viu-se dele reproduzir um grande número de pulgões. Um destes foi pego saindo do ventre do primeiro e foi confinado como sua mãe: logo se comportou como os outros pulgões. Teve-se sorte: cinco gerações bem constatadas sem nenhuma cópula. O que pode parecer uma maravilha tão grande como esta é que, os mesmos pulgões que podem gerar sem cópula, copulam também muito bem quando querem (O2, p. 59-60).

Esses resultados foram obtidos por Réaumur e publicados em 1742 no tomo VI de sua *Mémoire pour servir à l'histoire des insects* (*Memória para servir à história dos insetos*). Notando que entre os pulgões nunca aparecem machos nem são observados animais em cópula, Réaumur colocou o problema em 1737 e tentou realizar o experimento descrito por Maupertuis – isolar animais desde o nascimento para verificar se, de fato, são capazes de reproduzir-se sem cópula ou partenogeneticamente. O autor não teve sucesso nessa primeira tentativa, pois os animais morreram antes de atingir a maturidade sexual (cf. Roger, 1993, p. 381). Bonnet realiza o mesmo experimento com sucesso em 1740 e comunica em carta do mesmo ano os resultados a Réaumur. Este confirma tais resultados, que são aqueles publicados em 1742 e citados por Maupertuis.

A explicação desse fenômeno pode ser feita de duas maneiras: não há realmente machos para essa espécie e a geração ocorre através do simples desenvolvimento do germe pré-formado na fêmea; a outra possibilidade é que os pulgões são hermafroditas que apresentam autofecundação. Réaumur opta pela primeira explicação, afirmando que a auto-fecundação não é necessária para esses animais, mas apenas uma exigência em se manter a analogia com outras espécies que possuem os sexos separados (cf. Roger, 1993, p. 381-2).

Apesar de ter afirmado que os pulgões são hermafroditas, Maupertuis apenas aponta dúvidas acerca da geração nesses animais. Porém, parece que suas conjecturas insistem na possível ocorrência de cópula em algum momento: "Esses animais, que produzem outros estando separados de todo animal de sua espécie, ter-se-iam acasalado no interior do ventre de sua mãe? Ou quando um pulgão se acasala e fecunda um outro fecundaria ao mesmo tempo várias gerações? Qualquer partido que tomemos, qualquer coisa que imaginemos, toda analogia é aqui violada" (O2, p. 61).

Tal insistência é compreensível na medida em que a existência de espécies com apenas um sexo poderia servir como objeção à universalidade da teoria da dupla semente, além de apoiar a pré-formação que exige, em princípio, apenas um dos sexos para a geração. O hermafroditismo é, portanto, a hipótese mais interessante para Maupertuis, pois ao menos recupera a mistura dos líquidos seminais em um mesmo indivíduo. Como veremos, será essa aproximadamente a explicação final que o autor dará para o fenômeno no *Sistema da natureza*.

Maupertuis trata a seguir dos *pólipos*, cuja importância relaciona-se aos processos especiais de geração presentes nesses organismos: "Um verme aquático chamado Pólipo tem meios ainda mais surpreendentes para se multiplicar. Como uma árvore desenvolve ramos, um pólipo desenvolve pólipos jovens: estes, logo que atingem um certo tamanho, destacam-se do tronco que os produziu" (O2, p. 61).

Esses animais, atualmente classificados entre os cnidários (o termo pólipo é reservado à fase séssil desses animais) e conhecidos genericamente como *hidras*, são pequenos organismos de água doce que se reproduzem por brotamento, tal como descreveu Maupertuis. Mas foi o processo de regeneração altamente desenvolvido nesses organismos que os tornou particularmente importantes para o desenvolvimento das teorias sobre a geração no século XVIII. Maupertuis assim descreve o processo:

> Para esse animal multiplicar-se é preciso que seja apenas cortado em pedaços: o pedaço que contém a cabeça reproduz uma cauda, aquele em que a cauda ficou reproduz uma cabeça e os pedaços sem cauda e sem cabeça reproduzem[1] tanto uma como a outra. Hidra mais maravilhosa do que a da fábula, pode-se parti-la longitudinalmente, mutilá-la de todas as maneiras; tudo é logo reparado e cada parte é um novo animal[a] (nota a: Philosoph. transact. no 567. A obra vai aparecer, na qual M. Trembley dá ao público todas as suas descobertas sobre esses animais) (O2, p. 62-3).

Abraham Trembley, citado por Maupertuis, foi quem descobriu a regeneração dos pólipos. O autor comunicou os primeiros resultados de seus estudos a Réaumur em 1741 e este, profundamente interessado pelo fenômeno, comunicou-os à *Académie de Paris* e incluiu-os em sua *História dos insetos*.

Réaumur também já realizara estudos sobre a regeneração das patas em crustáceos em 1714, mas a regeneração dos pólipos é

1 Notemos que Maupertuis, bem como muitos autores da época, utilizam o termo *reprodução* para designar o processo em questão; sabemos que esse é o termo atual mais geral para designar todos os processos de geração nos organismos, enquanto utilizamos o termo *regeneração* para o caso particular de reconstituição de partes perdidas ou de produção de um animal completo a partir de uma parte corporal.

mais importante do ponto de vista teórico, pois aponta para a possibilidade de produção de um organismo completo a partir de partes corporais, não se tratando apenas da reposição de partes perdidas.

Conforme Vartanian, as observações de Trembley preocuparam vários dos mais importantes autores da época e estiveram envolvidas com "especulações sobre temas que vão desde a natureza da alma até a teleologia das formas orgânicas" (Vartanian, 1950, p. 260). É fácil notar o impacto que tal fenômeno teria sobre as teorias da geração. Se apenas a parte de um animal pode produzir outro completo, como ficaria a explicação pela pré-formação, que exige *sempre* a existência prévia de um animal já organizado? Nesse sentido, Corcos afirma que Fontenelle, por exemplo, aceitava o ovismo com certas reservas, pois "ele não poderia explicar a regeneração de partes mutiladas do caranguejo nem de outros animais" (Corcos, 1971, p. 370). O próprio Réaumur tentou explicar o fenômeno da regeneração de partes nos crustáceos que estudou postulando germes de patas preexistentes. Corcos afirma ainda que a "regeneração de partes foi definitivamente um obstáculo à teoria da pré-formação" (1971, p. 370).

Quanto ao próprio autor dos experimentos, Lenhoff e Lenhoff afirmam que Trembley teria evitado envolver-se em argumentos sobre a pré-formação, a epigênese, o animal máquina e a Cadeia do Ser, todos temas amplamente debatidos em torno de suas descobertas. Apenas um breve comentário revelaria que Trembley aceitaria a pré-formação por motivos religiosos, apesar de sua teoria falar fortemente contra (cf. Lenhoff & Lenhoff, 1991, p. 62).

A regeneração dos pólipos estimulava a retomada de uma perspectiva rejeitada pela pré-formação, a saber, de que a matéria teria por si só amplos poderes para gerar a vida e organizar os seres. Embora a regeneração apoie automaticamente a epigênese, Maupertuis não a explorou nessa direção, nem mesmo no sentido de fortalecer sua crítica à pré-formação. O autor apenas levanta algumas breves questões em torno do problema, sendo que uma delas sugere a própria pré-formação como possibilidade de explicação do fenômeno: "Que se pode pensar dessa estranha espécie de geração; desse princípio de vida espalhado em cada parte do animal? Esses animais seriam acúmulos de embriões prontos a se desenvolver, desde que iluminados? Ou meios desconhecidos reproduzem tudo aquilo que falta nas partes mutiladas?" (O2, p. 63).

Os mecanismos especiais de reprodução aqui considerados ainda apresentam dificuldades para Maupertuis, especialmente porque ele tem em vista a mistura dos licores como princípio de geração. De fato, uma fêmea que dispense o macho ou um animal que regenere um organismo a partir de uma pequena parte corporal pode, em princípio, dispensar a mistura dos licores como o grande evento inicial da geração.

Posteriormente, Maupertuis incluirá esses casos particulares sob um mesmo princípio gerativo e, para tanto, terá de considerar uma forma ainda mais especial e estranha de geração, a saber, a geração espontânea. Esse famoso processo reprodutivo não é tocado no *Vênus física*, mas ele possui grande relação com a forma "estranha" de reprodução dos pólipos. Maupertuis entrará em contato ainda com outras "anomalias" gerativas – especialmente ao ler o tratado de Needham –, o que o desconcertará bastante. Trataremos oportunamente de todas essas questões, mas o importante a ressaltar é que, em nenhum momento, a diversidade de modos de geração fez Maupertuis desistir de sua busca por um princípio geral de produção dos seres. Se ele ainda não pode responder aos casos de reprodução por regeneração ou por partenogênese, não pode deixar de mencioná-los em sua obra, dada a importância que tiveram na época.

Capítulo 11

A crítica de Maupertuis às teorias oficiais

Crítica às noções de preexistência, pré-formação e embutimento

Trataremos agora da análise e da crítica promovida por Maupertuis às noções de pré-formação, preexistência e embutimento. Relembrando o papel dessas noções para as teorias da geração, a pré-formação afirma a existência de um embrião completo no interior dos ovos ou do espermatozoide e a preexistência e o embutimento explicam sua origem e sua permanência no tempo. Todos os embriões foram criados por Deus no Gênese e cada embrião, sendo uma miniatura do adulto, possui igualmente seus embriões pré-formados; os primeiros indivíduos de cada espécie conteriam uma sequência de organismos embutidos que, ao longo do tempo, originariam as linhagens de descendentes para uma dada espécie. Pode-se ver facilmente que Deus criou todos os indivíduos, de todas as espécies, simultaneamente.

O mecanismo natural que origina um organismo completo a partir do embrião preexistente é o simples crescimento de partes. Esse processo é chamado de desenvolvimento, dado que ao crescer o embrião perde sucessivos envoltórios. Nada é propriamente gerado no processo, pois a geração já ocorrera como criação especial no Gênese. O estabelecimento de tal mecanismo de desenvolvimento como processo fundamental da produção de todos os organismos ocorreu com a generalização a partir de certos casos. Os dois mais importantes foram a metamorfose dos insetos e a observação da tulipa contida em seu bulbo. Maupertuis principia sua crítica justamente nesse ponto, a saber, questionando a legitimidade de tal generalização.

O autor afirma que a maior parte dos físicos teria sido levada pela analogia do que se passa com as plantas, e mais especificamente com a tulipa, tomando-as como modelo para toda forma de geração: a produção aparente das partes da planta é apenas o crescimento de partes já formadas no bulbo ou na semente. Na avaliação de Maupertuis, os físicos assim procederam diante de sua impotência em compreender a geração propriamente dita, ou seja, como se forma o próprio embrião. Teriam acreditado que seria mais simples supor o embutimento do que explicar a geração em cada organismo. Utilizaram, portanto, apenas algumas analogias associadas a um princípio de parcimônia (esse termo não é utilizado por Maupertuis). Mas será que, indaga o autor, mesmo aceitando a validade de tais procedimentos, trouxeram eles algum avanço no conhecimento do problema? O autor procurará mostrar que a ideia de preexistência-pré-formação dos germes nada acrescenta ao conhecimento físico e natural da geração, além de implicar contradições insuperáveis no domínio dos fenômenos.

Maupertuis aceita como um fenômeno irrecusável que as partes da tulipa observadas por Malebranche estão pré-formadas no bulbo e que a nova tulipa aparece por crescimento dessas partes. Mas em que medida esse fato ajuda a esclarecer a geração dos animais e a geração dos organismos como um todo? Qual é o significado da comparação entre tulipas, plantas e animais? Segundo Maupertuis, as analogias apresentadas revelam apenas que nos animais há um estado – ou conjunto de estados – análogo ao que ocorre com a tulipa no interior do bulbo. A geração mesma dessa tulipa que se observa claramente no bulbo, ou desse animal num estágio análogo – que Maupertuis diz existir –, em nada esclarece a geração propriamente dita, que consiste em compreender como a tulipa no bulbo e o animal (no ovo ou no animálculo) surgiram: "Os animais também têm um estado semelhante; mas é antes desse estado que é necessário saber como eram" (O2, p. 66).

Maupertuis sabe que essa explicação é obtida pela noção de preexistência e embutimento: a tulipa e o animal eram antes ainda menores e estavam contidos dentro de um bulbo, ovo ou espermatozoide desde a criação. O que Maupertuis afirma é que a comparação da planta com o animal não prova mais nada sobre essa teoria. Em outras palavras, tais legítimas observações físicas podem até evidenciar uma semelhança entre os estágios iniciais dos organismos, mas não sustentam em nada a ampla e filosófica doutrina da preexistência e do embutimento dos embriões.

A constatação da analogia não explica como os embriões ou germes embutidos apareceram e, assim, não promove novo conhecimento sobre o processo da geração. A preexistência e o embutimento são conceitos que devem ser supostos *a priori* para dar sentido ao sistema, não possuindo qualquer apoio empírico.

Posto isso, vem a segunda questão: o sistema dos desenvolvimentos torna a Física mais clara do que admitir que há novas gerações? Ou seja, ente as dificuldades em compreender como um organismo é gerado *de novo*, estaria justificada a hipótese de que eles são preexistentes? – "é verdade que não se entende como, a cada geração, um corpo organizado, um animal, pode formar-se; mas compreendemos melhor como essa sequência infinita de animais contidos uns nos outros teria sido formada ao mesmo tempo?" (O2, p. 66).

Para Maupertuis, esse recurso afasta-nos ainda mais da questão. Dizer que a geração mesma, que esse fenômeno complexo, ocorre toda vez que um novo organismo surge, pode ser complicado, pois não se trata apenas de explicar como ele ocorre uma vez, mas como ele se repete de forma mais ou menos inalterada para cada espécie ao longo do tempo. Porém, dizer que todas as gerações ocorreram ao mesmo tempo, na Criação, é apenas aparentemente mais simples:

> Parece-me que aqui se fabrica uma ilusão; e que se crê resolver uma dificuldade ao afastá-la. Mas a dificuldade permanece a mesma, a menos que se ache outra maior ao conceber como todos esses corpos organizados teriam sido formados uns dentro dos outros, e todos em um único, do que crer que eles se formaram sucessivamente (O2, p. 66).

Não apenas a formação simultânea pode ser tão difícil de conceber quanto a formação sucessiva, mas ela remete à explicação da geração propriamente dita – a formação do embrião – para um evento do passado inacessível à investigação física.

Além dessas dificuldades de ordem teórica, há ainda aquelas associadas diretamente aos fenômenos. A teoria do desenvolvimento, que depende da preexistência e do embutimento, é uma teoria acerca de fenômenos naturais e deve, pois, produzir inteligibilidade nesse nível. O próximo passo dado na argumentação de Maupertuis é verificar se existe tal acordo entre as previsões da teoria e os fenômenos particulares da geração.

Porém, antes de tratarmos dessa questão, há ainda um outro ponto teórico a ser discutido, a saber, a questão do *tempo* em relação à geração. Ele aparece no texto associado às críticas de Maupertuis a Descartes e, dada a importância do tema, ele será examinado em separado.

Gerações simultâneas e sucessivas e as concepções de Descartes sobre a geração dos organismos

Maupertuis concluiu que a preexistência em nada faz avançar a solução do problema da geração, a menos que acreditemos que seja mais fácil entender como Deus criou todos os embriões de uma só vez embutidos do que entender como eles se formam sucessivamente. Sabemos que Maupertuis optará por esta última solução, aplicando a teoria da dupla semente. Mas assim procedendo devemos perguntar: afirmar que os embriões formam-se sucessivamente, no momento mesmo em que ocorre a mistura dos dois licores, implica excluir completamente a ação divina da geração dos organismos? A troca da preexistência pela epigênese implica uma igual troca da ação direta e completa de Deus na geração por uma ausência total de tal ação? É no contexto desses problemas que aparece a referência de Maupertuis a Descartes.

Como vimos na introdução histórica anteriormente apresentada, a teoria da preexistência do germe foi proposta como uma alternativa à explicação mecânica de Descartes para a formação do embrião. Embora já bastante desacreditadas quando Maupertuis compôs o *Vênus física*, as explicações cartesianas sobre a geração dos organismos aparecem como uma possibilidade que pode ser teoricamente reconsiderada quando a preexistência e o embutimento são abandonados. Apesar das explicações de Descartes sobre a formação do embrião atenderem a importantes exigências feitas pela teoria de Maupertuis, o autor rejeita as explicações do primeiro sem mesmo discutir o seu conteúdo e suas conclusões. Acreditamos, pois, que tal rejeição fundamenta-se em razões de ordem filosófica e é isso que procuraremos mostrar a seguir.

Primeiramente, vimos que Maupertuis foi um crítico e combatente do sistema cartesiano no âmbito da astronomia e da física. Mas, nesse domínio, Maupertuis deixou explicitamente no detalhe dos fenômenos a incapacidade de esse sistema explicar satisfatoriamente o movimento dos astros e dos corpos em geral. Sabemos também que o autor fez fama ao apresentar a determinação da forma do globo terrestre como uma espécie de coroamento do sucesso do sistema newtoniano contra o sistema cartesiano.

No que diz respeito à geração dos organismos, as explicações de Maupertuis e Descartes aproximam-se em vários pontos em virtude de que ambos adotam elementos hipocrático-atomistas como base de suas teorias:

> Descartes acreditou como os Antigos que o homem era formado pela mistura dos líquidos seminais que procedem dos dois sexos. Esse grande Filósofo, em seu tratado do homem, acreditou poder explicar como, apenas através das leis do movimento e da fermentação, formava-se um coração, um cérebro, um nariz, os olhos etc.[a] (nota a: *L'Homme de Descartes, & la formation du foetus*) (O2, p. 66-7).

O principal desacordo da teoria de Maupertuis em relação à de Descartes está no mecanismo pelo qual o embrião se forma uma vez ocorrida a mistura das sementes; mas elas concordam quanto à origem da semente e, como veremos, concordam parcialmente quanto à sua natureza material das partes seminais.

Para Maupertuis, a aceitação por Descartes da mistura das duas sementes tem "qualquer coisa de notável" e "não se pode crer que ele a tenha adotado por complacência com os antigos, nem por falta de poder imaginar outros sistemas" (O2, p. 67). Mas, sem avançar qualquer detalhe sobre a questão, acrescenta logo em seguida:

> Mas se acreditamos que o Autor da natureza não abandona apenas às leis do movimento a formação dos animais; se se crê que é preciso que ele ali ponha diretamente a mão, e que ele tenha criado no início todos esses animais contidos uns nos outros: que se ganha em crer que ele os formou todos ao mesmo tempo? E o que perderá a Física, se se pensa que os animais se formam sucessivamente? Faz mesmo, para Deus, alguma diferença entre o tempo que nós consideramos como o mesmo e aquele que se sucede? (O2, p. 67).

Esta é uma parte algo confusa do texto, pois o autor interrompe a discussão de Descartes e retoma a questão da sucessividade ou simultaneidade da geração dos organismos. Além disso, Maupertuis aprofunda um pouco mais o problema do tempo, indagando sobre a diferença de percepção temporal do homem em relação à de Deus. Acreditamos entretanto que há um elemento comum unindo esse conjunto de questões.

Pela sequência do texto, parece que é a teoria de Descartes que Maupertuis acusa de abandonar "apenas às leis do movimento a formação dos animais" (O2, p. 67). De fato, esse foi um resultado presumível na teoria de Descartes bastante rejeitado. Podemos considerar essa crítica como consequência particular de uma crítica mais geral ao conjunto da filosofia cartesiana, a saber, a acusação de que a filosofia cartesiana conduziria ao ateísmo. Não pretendemos aprofundar essa vasta questão, mas apenas apontar os elementos mais relevantes para o problema relativo à geração dos organismos.

No interior da filosofia natural de Descartes, a geração dos organismos pode ser interpretada como abandonada apenas às leis do movimento, pois o mesmo poderia ser dito em relação a todo o universo físico. Em um mundo onde as leis naturais agem autonomamente, não haveria lugar para a ação providencial de Deus. Em um estudo sobre a relação entre religião e física em Descartes, Laporte discute a questão e cita Pascal como exemplo dessa interpretação da filosofia cartesiana: "Eu não posso perdoar Descartes. Ele bem quis, em toda a sua filosofia, dispensar Deus. Mas não pode evitar que Deus desse um piparote para colocar o mundo em movimento; depois disso, ele não tinha mais o que fazer com Deus" (Pascal *apud* Laporte, 1988, p. 343). Com exceção desse primeiro impulso inicial, o mundo poderia funcionar sem qualquer outra intervenção divina. O autor aponta também Leibniz como crítico do mesmo ponto, pois considera que o Deus de Descartes não se ocupa do mundo e o abandona apenas ao jogo das leis naturais, de onde se poderia induzir que ele "reedita as teorias de Demócrito e Epicuro, explicando a constituição e os eventos do mundo através dos átomos, seus movimentos e seus choques, fora de toda ordenação providencial" (Laporte, 1988, p. 343-4). A crítica dos dois filósofos estaria baseada no que diz Descartes no parágrafo 47 da parte III dos *Princípios da filosofia*:

> pouco importa de que maneira eu suponha que a matéria foi disposta nas origens, pois sua disposição deverá mudar em seguida segundo as leis da natureza; e dificilmente poderíamos imaginar uma [disposição] qualquer que não se possa provar, apenas com essas leis, que ela deva mudar continuamente até que, finalmente, componha um mundo inteiramente semelhante a este (Descartes, 1996, p. 126).

Descartes atribui às leis naturais autonomia plena na construção do mundo, não deixando qualquer espaço para a intervenção de outras forças ao longo do processo de formação e manutenção do universo, notadamente a ação providencial de Deus.

Essa crítica geral aplicada ao âmbito particular da geração dos organismos inclui ainda um outro problema: quando as concepções de Descartes sobre a geração dos organismos tornaram-se conhecidas, houve um descrédito mais ou menos generalizado quanto aos próprios resultados científicos de suas explicações, independentemente das críticas filosóficas feitas ao seu sistema em geral.

No sentido de melhor avaliar essas questões e entender o significado da crítica de Maupertuis às concepções de Descartes, apresentaremos alguns elementos da embriologia cartesiana.

Estudos embriológicos de Descartes

Descartes abre a quarta parte *do La description du corps humain* (*A descrição do corpo humano*),[1] onde estão os estudos embriológicos propriamente ditos, da seguinte maneira: "Poderíamos ainda adquirir um conhecimento mais perfeito da maneira pela qual as partes do corpo são nutridas se considerarmos de que maneira elas foram primeiramente produzidas na semente" (Descartes, 1986, p. 252).

Ao contrário de Maupertuis, Descartes oferece como resultado de sua embriologia uma efetiva descrição da embriogênese e não trata dos fenômenos hereditários. Mais precisamente, o termo organogênese – o processo de formação dos órgãos a partir da semente – poderia ser utilizado para designar o fenômeno mais geral que será investigado por Descartes nessa obra. Mas, embora se trate de uma investigação tipicamente embriológica, ela é tomada no *A descrição* como condição para a compreensão do processo fisiológico da nutrição. Desse modo, a embriologia cartesiana não é apenas uma descrição da gradativa transformação morfológica de partes indiferenciadas em órgãos e sistemas, mas uma descrição da gênese das relações morfofisiológicas, ou seja, do estabelecimento hierárquico e gradativo das funções orgânicas a partir da matéria da semente. Por exemplo, a descrição da formação da estrutura do coração e dos primeiros vasos é feita mais ou menos conjuntamente com a explicação do aparecimento do batimento cardíaco e dos primeiros ciclos de circulação do sangue. Assim, o processo biológico que Descartes estuda pode ser mais bem designado pelo termo morfofisiogênese.

---

1 Essa obra corresponde, segundo os *Avertissement* de Adam e Tannery, ao texto que Descartes intitulou *De la formation de l'animal* (*Da formação do animal*) e que Clerselier publicou em 1664 em seguida ao *Traité de l'homme* (*Tratado do homem*).

A dedução aparece como claro fundamento metodológico da embriologia:

> se fossem bem conhecidas quais são as partes da semente de alguma espécie animal em particular, por exemplo, do homem, seria possível apenas daí deduzir, por razões inteiramente matemáticas e certas, toda a figura e a conformação de cada um de seus membros; como também, reciprocamente, em se conhecendo diversas particularidades dessa conformação, é possível deduzir qual é a semente (Descartes, 1986, p. 276-7).

Do conhecimento das partes da semente, de sua configuração geométrica inicial, pode-se deduzir, por razões inteiramente matemáticas e certas, toda figura e toda conformação dos membros, ou seja, a anatomia (figura) e as inter-relações dos órgãos (configuração) do organismo adulto. O caminho inverso também é possível: a conformação da semente pode ser deduzida a partir da conformação do adulto.

É aqui que a embrioloiga de Descartes foi aproximada por alguns autores à noção de pré-formação. Uma configuração fixa da semente teria alguma analogia com o germe pré-formado. Contudo, como veremos, a forma do adulto e a forma dessa configuração germinal são radicalmente diferentes, impedindo de estabelecer qualquer relação com a pré-formação.

O método proposto por Descartes também poderia ser aplicado ao estudo de qualquer espécie de animal, mas, como se disse acima, ele está mais interessado no animal em geral e não pretende considerar os processos embriológicos para espécies particulares: "Mas, porque aqui não considero senão a produção do animal em geral, e o tanto quanto necessário para fazer entender como todas as suas partes se formam, crescem e se nutrem, continuarei somente a explicar a formação de seus membros principais" (Descartes, 1986, p. 277).

É com esse instrumental teórico que Descartes constrói sua teoria embriológica. Sem adentrarmos nos detalhes de suas explicações, tomaremos as linhas mais gerais de seus resultados, capazes de tornar evidente sua relação com os problemas envolvidos na teoria de Maupertuis.

A primeira figura embriológica analisada é a semente que aparece como uma entidade material composta de partículas numa condição dinâmica especial. A configuração inicial da semente é introduzida no *A descrição* nos seguintes termos:

> Nada determino concernente à figura e ao arranjo das partículas da semente: basta-me dizer que a das plantas, sendo dura e sólida, pode ter suas partes arranjadas e situadas de certo modo, não podendo ser alterada sem torna-las inúteis; porém o mesmo não ocorre com a dos animais que, sendo muito fluida e ordinariamente produzida pela conjunção dos dois sexos parece ser apenas uma confusa mistura de dois licores que, servindo como fermento uma para a outra, se aquecem de modo que algumas de suas partículas, adquirindo a mesma agitação que tem o fogo, dilatam-se e comprimem as demais e, mediante isso, pouco a pouco as dispõem no modo requerido para formar os membros (Descartes, 1986, p. 253).

Pelo menos para os animais, Descartes adota aqui claramente a teoria da dupla semente, conforme menciona Maupertuis. Rostand diz que, "quanto a Descartes, ele não supera Hipócrates quando faz derivar a criança de uma mistura das semente parentais, que servem de fermento uma para a outra" (1966, p. 44). Isso parece-nos apenas em parte verdadeiro, pois se Descartes pressupõe elementos da embriologia hipocrática em sua teoria, as consequências que deles extrai já são bem diferentes, especialmente por virem acompanhadas da visão mecânica do organismo que é totalmente estranha à teoria tradicional. O mesmo ocorreu em Maupertuis, mas que adotou um mecanicismo de base newtoniana.

Estando em um meio fluido, as partículas atuarão de uma maneira especial que propicia uma espécie de agitação mútua a ponto de adquirirem a mesma agitação do fogo. Descartes entende essa agitação como resultante de um processo fermentativo onde há geração de calor sem produção de luz ou chama. Esta agitação dilata as partículas, comprimindo-as entre si. Como diz ele, a dilatação e a compressão das partículas é o fenômeno básico para formar todos os membros.

O calor produzido na fermentação da semente embrionária seria análogo àqueles produzidos por outros processos fermentativos como na fabricação do pão e da cerveja: "Pois, como se vê que a velha massa pode fazer inflar a nova, e que a espuma produzida pela cerveja basta para servir como fermento para outra cerveja, assim também é fácil crer que as sementes dos dois sexos, ao se misturarem entre si, servem como fermento uma para a outra" (Descartes, 1986, p. 253). Basta que uma certa quantidade de sêmen se misture para que o processo de fermentação ocorra mecanicamente.

Descartes apresenta outras analogias para o processo fermentativo, dando novas indicações de que essa produção de calor é o processo embriológico inicial mais fundamental: "Ora, creio que a primeira coisa que acontece nessa mistura da semente, fazendo que todas as gotas deixem de ser semelhantes, é que o calor as excita, e que é agir do mesmo modo que nos vinhos novos quando fermentam, ou no feno guardado antes de estar seco" (Descartes, 1986, p. 253-4).

Nessa passagem temos importantes indicações de como Descartes concebe a natureza material das partes seminais. Para não perdermos a continuidade da exposição, voltaremos a esse ponto no final desta seção.

Depois do estabelecimento das condições iniciais, os esboços das primeiras estruturas orgânicas começam a se formar. No *A descrição*, o primeiro órgão que aparece é o coração: "o calor [...] faz que algumas de suas partículas se reunam em algum lugar do espaço que as contém, e que ali se dilatem, comprimam as outras que as circundam; é isto que começa a formar o coração" (Descartes, 1986, p. 254). Não há qualquer menção a partículas especiais de coração necessárias para formar um coração.[2]

Após situar a formação do primeiro esboço cardíaco diretamente na agitação das partículas da semente, continua Descartes:

> Em seguida, porque essas partes assim dilatadas tendem a prosseguir seu movimento em linha reta, e porque o coração que começou a se formar lhes oferece resistência, aos poucos dele se afastam, tomam seu percurso rumo ao lugar onde se formará depois a base do cérebro e, por meio disso, tomam o lugar de algumas outras, as quais tomam por sua vez o lugar das primeiras, circularmente, no coração; onde após algum tempo necessário para que elas aí se reúnam, dilatam-se, e daí se afastam seguindo o mesmo caminho que as precedentes; isso faz que algumas destas precedentes, as que ainda se encontram naquele lugar, e também algumas outras que para aí vieram de outro lugar, no lugar daquelas que dali saíram nesse meio-tempo, vão para o coração, de onde, novamente dilatadas, saem. E nessa dilatação, que assim se produz repetidas vezes, é que consiste o batimento cardíaco, ou o pulso (Descartes, 1986, p. 254).

2 Nos *Primae cogitationes* (*Primeiros pensamentos*), o pulmão e o fígado já participam do processo de formação do coração (cf. Descartes, 1986). Nessa obra, não há uma exposição sistemática da ordem de aparecimento dos órgãos como no *A descrição* e, assim, é difícil determinar qual órgão efetivamente aparece primeiro.

Esta parece-nos uma descrição exemplar de uma embriologia mecânica por contato (choque de partículas): o calor gerado pela fermentação no interior do esboço cardíaco determina a agitação das partículas aí presentes que, movendo-se mais rapidamente, saem do coração. Ganhando outras partes da semente, tais partículas sutis encontrão outras mais densas e grosseiras, ainda não agitadas pelo fogo. Estas últimas serão como que empurradas num movimento circular que acaba por conduzi-las de volta ao coração. Nele serão aquecidas, dilatadas e eliminadas novamente. Como o movimento das partículas que saem do coração deve, segundo leis mecânicas, determinar uma trajetória retilínea, acabarão voltando para o coração. Sucessivas chegadas de partículas mais densas seguidas da saída de partículas mais sutis criam uma violenta agitação que determina a pulsação ou batimento cardíaco e este, por sua vez, coloca em movimento uma corrente circular de matéria na semente. É basicamente a partir desta circulação primordial que Descartes fará derivar a estrutura e o funcionamento dos demais órgãos passíveis de formação a partir da matéria fluida da semente.

A porção superior da corrente circular principal formará os ramos superiores da aorta e, na extremidade dessa corrente, se diferencia uma região onde o acúmulo de matéria mais tarde originará o cérebro. A partir dessa região, estende-se a porção inferior da corrente que volta para o coração; é ela que forma a espinha dorsal. Ramos secundários produzidos pelo mesmo processo progressivamente originarão toda a trama do sistema vascular.

Os primórdios dos sistemas circulatório e nervoso que vão aparecendo originarão gradativamente todos os demais órgãos e sistemas. A porção do coração que primeiro se forma é a esquerda e envia sangue para todo o embrião. Posteriormente forma-se – nos animais aéreos – a metade direita do coração, juntamente com o pulmão. A região acima mencionada, ligada à extremidade superior da corrente principal (agora comunicando-se com a metade esquerda do coração), transforma-se no cérebro. O sistema sensorial é o último a aparecer das partes fluidas do embrião. Finalmente, as demais estruturas dos sistemas nervoso e circulatório, cujos primórdios já haviam aparecido logo no início do desenvolvimento, também se organizam. Todos estes órgãos e sistemas são ainda líquidos e aparecem como uma rede de correntes e vesículas que se intercomunicam.

A formação das estruturas sólidas do embrião é explicada na quinta e última parte do *A descrição*. Essencialmente trata-se da formação dos envoltórios (peles), da musculatura (carnes) e das fibras de artérias, veias, coração e demais membranas corporais. A sedimentação de partículas mais densas vão dando resistência à massa dos órgãos e formando as paredes das vesículas e vasos que eram inicialmente fluidos. Descartes explica com detalhe a formação do pericárdio, considera-o como modelo para a formação das demais membranas e peles corporais.

Nos *Primeiros pensamentos* há descrições da formação de outros sistemas que não aparecem no *A descrição*, principalmente daqueles formados a partir das "excreções" produzidas por órgãos já diferenciados. Um "flato" proveniente do cérebro seria responsável pela formação do tubo digestivo a partir da boca.

Esses são, em linhas gerais, os principais elementos dos estudos de Descartes sobre a geração dos organismos. Retomaremos agora a questão da natureza material das partes seminais acima mencionada.

A formação sucessiva de partes do embrião permite classificar o mecanismo cartesiano de geração como sendo epigenético. Mas há detalhes importantes no processo concebido por Descartes que devem ser considerados.

Descartes parece entender que as partículas seminais são semelhantes entre si antes de se misturar com as partículas do sêmen do outro sexo; a diferenciação dessas partículas se inicia apenas quando entra em ação o calor produzido fermentativamente após a mistura dos dois líquidos seminais. Assim, o processo mais elementar de morfogênese começaria com partículas indiferenciadas que, dilatando-se e pressionando umas às outras, produzem movimentos e novas dilatações que gradativamente determinam a configuração do corpo.

Isso marca uma diferença essencial entre a natureza da semente na teoria de Descartes e na hipocrática-atomista: nesta última, as partes já estão diferenciadas antes da mistura dos líquidos seminais; a diferenciação prévia das partes seminais é, como já vimos em várias ocasiões, um efeito da origem pangenética dessas partículas a partir das várias partes corporais; elas possuem, de fato, uma semelhança com tais partes.

É exatamente isso que Maupertuis adota claramente em sua teoria e que designamos como uma pré-formação de partes. Já em Descartes, não há nem mesmo tal pré-formação. Em certo sentido, a matéria seminal em Descartes é algo semelhante àquela postulada por Harvey, ou seja, é homogênea; mas no primeiro caso, ela é homogênea e descontínua (particular) e no segundo, homogênea e contínua. O processo de passagem da homogeneidade seminal para a heterogeneidade do embrião é também radicalmente diferente. Em Harvey, há um processo de brotamento e subdivisão, enquanto, em Descartes, as partes seminais sofrem modificações decorrentes de choques mecânicos e de processos fermentativos.

Em resumo, podemos estabelecer as seguintes diferenças entre as teorias de Descartes e Maupertuis para a geração dos organismos: na primeira, as partes seminais estão inicialmente indiferenciadas, enquanto, na segunda, elas estão pré-formadas; Descartes vale-se apenas das leis do choque e da fermentação tanto para explicar a diferenciação das partes seminais, quanto para explicar a agregação dessas partes na formação dos órgãos. Maupertuis explica a agregação das partes semelhantes entre si através da ação da atração entre as partículas seminais na forma de afinidades químicas. São as diferenças entre o mecanicismo newtoniano e o cartesiano que se refletem mais diretamente nas duas teorias da geração. A diferença de natureza das partes seminais é um detalhe que possivelmente Maupertuis não tenha notado. De qualquer forma, parece-nos estranho que Maupertuis não tenha procurado mostrar a inadequação das explicações de Descartes no interior de suas detalhadas explicações. Isso nos leva a pensar que talvez Maupertuis tivesse encontrado maior dificuldade em refutar o *Formation du foetus* do que para refutar a astronomia e a mecânica cartesianas. Também acreditamos que a rejeição da teoria de Descartes está em boa parte fundamentada no receio das críticas levantadas ao cartesianismo discutidas anteriormente.

Gerações sucessivas e simultâneas

Voltando à nossa questão inicial, a teoria de Maupertuis escapa das críticas feitas a Descartes?

O que podemos tomar como resultado de nossa análise é que Maupertuis rejeita a possibilidade de explicar a geração dos organismos valendo-se apenas das leis do movimento. Veremos oportunamente que outros fatores Maupertuis julga necessário considerar para obter uma explicação satisfatória da geração; por ora a questão em foco é o papel de Deus no processo.

Retomemos a citação anterior, na qual Maupertuis diz: "se acreditamos que o Autor da natureza não abandona apenas às leis do movimento a formação dos animais; se se crê que é preciso que ele ali ponha diretamente a mão, e que ele tenha criado no início todos esses animais contidos uns nos outros: que se ganha em crer que ele os formou todos ao mesmo tempo?" (O2, p. 67). Maupertuis não rejeita a ação de Deus na geração dos organismos, mas questiona o modo pelo qual essa ação se dá no tempo, segundo a teoria da preexistência: Deus formou todos os organismos simultaneamente. A possibilidade oposta, de uma geração sucessiva dos organismos, poderia ser tão adequada para o estudo natural da geração: "o que perderá a física, se se pensa que os animais se formam sucessivamente?" (O2, p. 67). Mais do que isso, para Maupertuis a geração sucessiva é a maneira correta de encarar o problema do ponto de vista de uma investigação física (a geração simultânea em um passado remoto é uma falsa explicação, por tratar-se apenas da narrativa de um milagre; constitui um afastamento do problema real a ser resolvido). Seria a geração sucessiva igualmente adequada do ponto de vista metafísico, ou seja, teria sentido dizer que Deus gera os organismos ao longo do tempo? Maupertuis não apresenta uma resposta explícita ao problema, mas a problematiza com a seguinte questão, formulada na sequência da citação anterior: "Faz mesmo, para Deus, alguma diferença entre o tempo que nós consideramos como o mesmo e aquele que se sucede?" (O2, p. 67).

A possibilidade está ao menos lançada: alguma forma de relação entre Deus e a geração dos organismos poderia ser sustentada mesmo dentro de uma explicação epigenética da geração. Essa explicação poderia ser utilizada em uma direção completamente oposta, na medida em que reafirmava a autonomia da matéria na produção dos seres e restabelece o potencial criativo da natureza. Apesar dessas consequências poderem ser extraídas igualmente da teoria de Maupertuis, o autor não aderirá explicitamente a uma concepção materialista da vida.

A posição de Maupertuis perante esse problema constitui um dos pontos difíceis do estudo de sua obra. O *Vênus física* não desenvolve qualquer discussão sobre o papel de Deus na geração sucessiva e epigenética dos organismos, mas ela será introduzida no *Ensaio de cosmologia* e plenamente desenvolvida no *Sistema da natureza*. Dada a convergência de vários elementos teóricos em torno do tema, nós o trataremos quando discutirmos a segunda versão da teoria da geração de Maupertuis.

Crítica ao sistema dos desenvolvimentos a partir dos fenômenos: mestiços e híbridos

As inconsistências fenomênicas que Maupertuis aponta para as noções de pré-formação, preexistência e embutimento podem ser consideradas como o golpe mais forte dado pelo autor a essas concepções:

> Se não se vê nenhuma vantagem, nenhuma simplicidade maior, em crer que os animais, antes da geração, estavam já formados uns dentro dos outros, do que em pensar que se formam a cada geração; se o fundo da coisa, a formação do animal, permanece para nós igualmente inexplicável; razões muito mais fortes fazem ver que cada sexo contribui para ele igualmente (O2, p. 68).

A estratégia de Maupertuis é, fundamentalmente, destacar uma série de fatos que provam que os dois sexos contribuem para a determinação dos traços do organismo que é gerado:

> A criança nasce tanto com os traços do pai, quanto com aqueles da mãe; nasce com seus defeitos e seus hábitos, e parece obter deles até suas inclinações e as qualidades de espírito. Apesar de essas semelhanças nem sempre se observarem, elas se observam muito frequentemente para que se as possa atribuir a um efeito do acaso; e sem dúvida elas têm lugar mais frequentemente do que se pode notar (O2, p. 68-9).

Isso claramente refuta a ideia de que há um organismo pronto em um dos sexos. A própria combinação de caracteres já mostra que a geração é fruto de uma elaboração e que, portanto, não há uma estrutura já pronta. Quanto maior e mais evidente for a mistura de traços dos dois sexos encontrada em um organismo, mais profunda será a contradição desse fato com a ideia de pré-formação. Assim, Maupertuis concentra-se em apontar exemplos de organismos mestiços e híbridos:

> Em espécies diferentes, essas semelhanças são mais sensíveis. Quando um homem negro desposa uma mulher branca, parece que as duas cores são misturadas; a criança nasce olivácea e divide os traços da mãe com os do pai.
>
> Mas em espécies ainda mais diferentes, a alteração do animal que deles nasce é ainda maior. O asno e a jumenta formam um animal que não é nem cavalo nem asno, mas que é visivelmente composto dos dois; e a alteração é tão grande que os órgãos do mulo são inúteis para a geração (O2, p. 69).

Além das combinações produzidas naturalmente ou ocasionalmente pelo homem – cruzamentos de raças –, novas combinações poderiam ser produzidas experimentalmente: "Experiências mais profundas e com espécies mais diferentes mostrariam ainda verdadeiramente novos monstros. Tudo leva a crer que o animal que nasce é um composto de duas sementes" (O2, p. 69-70).

A direção dessa argumentação é bastante clara: uma quantidade enorme de fatos observáveis e mesmo passíveis de controle mostram a participação decisiva de ambos os sexos na determinação das características do organismo que é gerado. Em resumo, torna-se muito difícil sustentar que o embrião esteja pré-formado em apenas um dos pais.

Os monstros

Além dos casos anteriores, a produção de aberrações ou *monstros* pode ser incluída como uma forma especial de combinação de traços entre indivíduos e, assim, presta-se também para testar as teorias sobre a geração dos animais. Com relação ao século XVIII, o termo *monstro* pode ser aplicado a organismos que apresentam alguma alteração congênita mais marcante, podendo incluir tanto a presença de dedos supranumerários como a desorganização completa de embriões natimortos. As teorias sobre a geração deviam dar conta não apenas das produções regulares da natureza, mas igualmente dessas formas aberrantes.

Maupertuis mostra a insuficiência da pré-formação e da preexistência para a explicação desses fenômenos explorando um debate célebre ocorrido na *Académie de Paris* entre Lemery e Winslow. Estes dois importantes médicos eram partidários da preexistência ovista, mas tinham interpretações divergentes no que tange à sua aplicação à questão dos monstros: "um [Lemery] via que os monstros não eram jamais senão o efeito de algum acidente acontecido aos ovos; o outro pretendia que havia ovos originalmente monstruosos que continham monstros tão bem formados quanto os outros continham animais perfeitos" (O2, p. 72).

No primeiro caso, algum acidente ocorrido com os ovos, quando ainda estavam moles, destruiria alguma de suas partes. Isso produziria um monstro por escassez, nos quais faltaria algum órgão que se perdia na parte destruída acidentalmente. A situação oposta, a presença de órgãos em número maior do que o normal, os monstros por excesso, seriam produzidos pela "união ou a confusão de dois ovos ou de dois germes de um mesmo ovo" (O2, p. 72). Siameses seriam produzidos pela união de dois ovos intatos; animais com duas cabeças aparecem da combinação de um ovo normal com outro que teve todas as partes corporais destruídas, com exceção daquela correspondente à cabeça.

O médico oponente, Winslow, afirmava que as várias desordens que encontrava no interior dos organismos que dissecava não podiam ser explicadas por acidentes ocorridos com os ovos ou os embriões: "a cada razão que M. Lemery alegava, havia sempre algum novo monstro a ser combatido produzido por M. de

Winslow" (O2, p. 73). Winslow optava pela pré-formação de organismos já alterados.

O debate ampliou-se para o campo filosófico: Lemery considerava um escândalo que Deus tivesse criado diretamente ovos monstruosos; Winslow argumentava que isso aumentava ainda mais o poder de Deus (cf. O2, p. 73).

É sobretudo a partir dos monstros por excesso que Maupertuis objeta a tais explicações. Os órgãos supérfluos aparecem sempre na posição correta do corpo, ou seja, as duas cabeças de um animal monstruoso sempre aparecem ligadas ao pescoço e os dedos supranumerários aparecem sempre nas mãos. Tal regularidade dificilmente poderia ser atribuída, como faz Lemery, a causas acidentais. O mesmo pode ser dito para os monstros preexistentes: por que, pergunta Maupertuis, "os Germes Monstruosos observariam esta ordem na situação de suas partes? Por que orelhas não se encontrariam jamais nos pés nem dedos na cabeça?" (O2, p. 92). Aqui o argumento é mais fraco, pois Winslow poderia dizer que essa regularidade na geração dos monstros é fruto de uma escolha divina responsável pela criação dos germes monstruosos. De qualquer maneira, Maupertuis chama a atenção, nos dois casos, de que a produção de monstros é bem mais regular do que se pensa.

O destaque dado a essa regularidade para a geração de organismos frequentemente considerados como desvios é um ponto-chave da teoria de Maupertuis. O mecanismo gerativo que ele proporá cobre tanto as formas normais quanto as aberrantes e, assim, a noção mesma de desvio da natureza deverá ser reinterpretada.

Acidentes causados pela imaginação

No capítulo xv, Maupertuis analisa uma outra fonte de variação dos organismos ligada à produção de anormalidades, a saber, o efeito dos pensamentos, sentimentos e da imaginação de mulheres grávidas sobre o desenvolvimento orgânico dos embriões. Essa questão não guarda nenhuma relação direta com a refutação da preexistência, mas toca em pontos importantes das concepções de Maupertuis.

Segundo a explicação do autor, as emoções experimentadas pelas gestantes produziriam alguma forma de movimento físico em seu organismo, que seria por sua vez transmitido para o feto. Tal movimento seria responsável por modificações diversas no corpo do organismo em formação. A aceitação da percepção como capaz de produzir efeitos físicos sobre o organismos em formação será a conjectura principal de Maupertuis na elaboração final de sua teoria da geração.

Embora aceite a realidade da influência psicológica sobre a geração física do organismo, Maupertuis faz-lhe uma interessante objeção: "o sentimento que uma mulher prova pelo desejo ou pela visão de um fruto não se assemelha em nada ao objeto que excita esse sentimento" (O2, p. 78). Não há, segundo o autor, relação de semelhança entre a alteração orgânica produzida no feto e a forma do objeto que causou a alteração psicológica na mãe. Conforme veremos no *Sistema*, são as percepções dos elementos materiais que tanto atuarão na formação do embrião, como produzirão os eventos psíquicos experimentados pelo organismo.

O abandono do sistema dos desenvolvimentos e a aceitação da teoria da dupla semente

Como resultado final de suas críticas, Maupertuis rejeita o sistema dos desenvolvimentos, o que implica o abandono das noções de pré-formação, preexistência e embutimento, bem como da interpretação da formação do organismo como simples crescimento do germe. Podemos sumariar como principais razões apontadas pelo autor (cf. O2, p. 81-3) para tal abandono que:

(i) Tanto a preexistência ovista quanto a animalculista são incompatíveis com a epigênese de Harvey;
(ii) esses dois sistemas são ainda mais destruídos pelo fato de a criança assemelhar-se com ambos os pais e pela existência dos híbridos; mesmo sem explicar como se dá tal combinação de traços, pode-se concluir que os dois sexos participam de sua formação;
(iii) as explicações de Harvey sobre como ocorre a geração – analogia entre a formação das ideias no cérebro e do embrião no útero – provam apenas que o problema é difícil e foram propostas sobretudo pelo fato de o autor não ter encontrado semente masculina no útero;
(iv) a experiência de Verheyen, que prova que a semente masculina entra às vezes na matriz, é quase uma prova de que ela sempre aí entra, mas permanece raramente em quantidade suficiente para ser percebida. Por isso, Harvey não viu a semente masculina; o fato de não ter visto muito sêmen não prova que não exista nenhum sêmen, já que algumas gotas imperceptíveis poderiam estar presentes e ser suficientes para a geração do embrião.

Com tais razões, anuncia então claramente sua posição:

Assim, peço desculpas aos Físicos modernos se não posso admitir os sistemas que eles imaginaram tão engenhosamente, pois não me situo entre aqueles que creem que se avança a Física ao se admitir um sistema apesar de algum fenômeno lhe ser evidentemente incompatível; e que, tendo percebido algum lugar de onde necessariamente decorrerá a ruína do edifício, continuam entretanto a construí-lo, e o habitam com tanta segurança como se fosse dos mais sólidos (O2, p. 83-4).

Recusando as teorias oficiais da época, Maupertuis parte para a formulação de suas próprias ideias, que se articularão em torno da teoria da dupla semente. Diz Maupertuis que, mesmo com os animais espermáticos, mesmo com os pretensos ovos, está disposto a retomar a ideia dos antigos.

Maupertuis reconhece que apenas a postulação da mistura das sementes ou líquidos seminais não basta para explicar a geração, mas afirma que tal caminho confuso é melhor do que um claro caminho na direção falsa. A partir daqui, Maupertuis passará a incorporar à teoria da dupla semente novos elementos que constituirão a primeira formulação de sua teoria da geração.

Tabela das diferentes afinidades observadas entre as diferentes substâncias, elaborada por Geoffroy. Ela possui dezesseis colunas, no topo das quais aparecem os símbolos alquímicos de algumas substâncias. Abaixo destes, estão as substâncias que Geoffroy descobriu experimentalmente reagirem com as substâncias do topo da lista. Leicester, H. *The historical background of chemistry*. **Nova York, Dover, 1971. p. 127.**

Capítulo 12

A primeira teoria da geração de Maupertuis: a geração dos organismos individuais

As conjecturas de Maupertuis para explicar a formação do embrião na primeira parte do *Vênus física*

A adoção da antiga teoria da dupla semente é o primeiro saldo positivo decorrente do exame até aqui realizado por Maupertuis. Mas, ressalta claramente o autor, afirmar simplesmente que ocorre a mistura das duas sementes está bem longe de explicar como se forma o embrião. Para que tenhamos uma verdadeira teoria gerativa devemos explicar o que ocorre após essa mistura. Lembrando que as duas sementes são constituídas de partículas seminais que de alguma forma expressam a estrutura dos organismos que as produziram, tal explicação deve incluir como um de seus elementos principais a postulação de um agente ou entidade capaz de garantir a união ou agregação dessas partículas de modo a produzir os efeitos gerativos observados na natureza. Além desse agente agregador, o modo pelo qual Maupertuis concebe a natureza das partículas seminais terá profunda influência sobre a teoria. Esse segundo elemento vai sendo introduzido pelo autor em função de sua relevância para explicar os fenômenos que são tratados.

A estratégia inicial adotada por Maupertuis foi tomar um fenômeno observável que guardasse uma analogia com o que deveria ocorrer quando os líquidos seminais se misturassem no interior da fêmea. Maupertuis, como muitos outros autores fizeram, busca tal fenômeno na formação de certos cristais: "Quando misturamos prata e espírito de nitro com mercúrio e água, as partes dessas matérias vêm elas próprias arranjarem-se para formar uma vegetação tão semelhante a uma árvore que não se pode recusar-lhe o nome[a] (nota a: Árvore de Diana)" (O2, p. 86).

Maupertuis vale-se, pois, de uma antiga analogia que relaciona a formação de cristais com a formação de plantas e animais. Uma mistura de partes de certas substâncias em um meio líquido é capaz de organizar – de fazer vegetar – um corpo cristalino complexo o bastante para ser identificado como uma árvore química. Algo parecido poderia ocorrer com a formação de árvores vivas.

Ressalta Maupertuis que, após a descoberta dessa espécie, a Árvore de Diana, muitas outras foram encontradas: "uma, cujo ferro é a base, imita tão bem uma árvore que nela vemos não apenas um tronco, ramos e raízes, mas até mesmo folhas e frutos" (O2, p. 86) (figura 4). Tais cristalizações complexas, observáveis diretamente e reproduzíveis em laboratório, podem parecer fenômenos corriqueiros, mas "apenas o hábito diminui o maravilhoso da maior parte desses fenômenos da Natureza: acreditamos que o espírito os compreende quando os olhos a eles estão acostumados" (O2, p. 86). Do mesmo modo que Maupertuis afirmou anteriormente que o fenômeno ordinário do choque entre corpos encerra para o Filósofo o mistério da comunicação do movimento, essas vegetações químicas poderiam, igualmente para o Filósofo, encerrar na intimidade de seus processos o mistério da geração dos corpos organizados. Sustentado por tais analogias, Maupertuis faz, então, as primeiras conjecturas que fundamentaram sua teoria da geração:

> Não poderíamos duvidar que ainda encartaríamos várias produções semelhantes [...] E mesmo que elas pareçam menos organizadas do que os corpos da maioria dos animais, não poderiam depender de uma mesma mecânica e de certas leis semelhantes? As leis ordinárias do movimento bastariam ou seria preciso recorrer à ajuda de novas forças? (O2, p. 87).

Figura 4. *Árvore química* **que aparece no texto citado por Maupertuis (cf. Lemery, 1706, p. 418), prancha 15. Lemery assim descreve o processo de produção desta** *árvore de ferro*: **"quando vertemos espírito de nitro sobre a limalha de ferro, sabe-se que ocorre uma efervescência violenta acompanhada de forte calor [...] Eu coloquei óleo de tártaro [...] sobre essa dissolução de ferro [...] e pouco tempo depois formou-se nas paredes do vaso vários ramos pequenos bem distintos, que sempre se elevam do líquido sem fermentação aparente e aumentam continuamente [...] Podemos dar o nome de árvore de ferro ou de marte a essa espécie de vegetação química [...] frequentemente esses ramos estavam como que guarnecidos de folhas e, no alto, como que portando frutos e flores" (Lemery, 1706, p. 414-5).**

O caminho teórico está traçado: se é plausível que o processo de organização dos cristais complexos guarde uma analogia com a formação de organismos vivos, as leis e forças envolvidas no primeiro caso poderiam lançar uma luz na busca das leis naturais da geração. Nesse sentido, a pergunta inicial que leva a uma primeira compreensão do mecanismo de geração dos seres vivos é: "como é gerada a Árvore de Diana?". Bastam as leis gerais do choque (Descartes) ou será necessário apelar a novas forças? Maupertuis opta pela segunda resposta e toma a atração, expressa como afinidades químicas, como força gerativa fundamental.

A geração dos cristais e dos seres vivos; a atração e as afinidades químicas – Geoffroy

Para explicar como as diversas combinações de substâncias produzem os diversos compostos, a química da época possuía uma teoria geral que, valendo para as combinações mais simples, poderia ser aplicada aos corpos mais complexos. Trata-se da noção de ligação ou afinidade, desenvolvida pelo químico francês Etienne-François Geoffroy. Este autor, "Um dos mais ilustres membros desta Companhia, que nossas ciências lamentaram por muito tempo a perda[a] [nota a: M. Geoffroy]; um daqueles que havia penetrado mais profundamente nos mistérios da Natureza" (O2, p. 87-8), sugeriu a existência de ligações (*rapports*) entre as substâncias como forças capazes de explicar as operações químicas que as leis comuns do movimento não explicavam. Maupertuis toma tais forças como agentes fundamentais da geração dos organismos.

A definição de ligação, apresentada por Geoffroy nas *Mémoires de la Académie* de 1718 e citada por Maupertuis, é: "todas as vezes que se encontrarem juntas duas substâncias dotadas de alguma disposição para unir-se, surgindo uma terceira que tenha maior ligação com uma das duas, ela se une a esta e faz com que a outra se desprenda" (O2, p. 88). Para Geoffroy, as afinidades possuem diferentes graus e leis particulares. Isso pode ser constatado, segundo o autor, pelo fato de que "entre várias matérias misturadas que têm alguma disposição de unir-se, percebe-se que uma dessas substâncias une-se sempre [e] constantemente com uma certa [substância] preferencialmente a todas [as outras]" (Geoffroy, 1770, p. 149). Há, pois, uma seletividade nas uniões segundo a natureza da substância em questão. As leis envolvidas são reveladas – ou inferidas – a partir da especificidade com que certos pares de substâncias mantêm-se unidos:

> Eu observei que, dentre as substâncias que possuem essa disposição de unir-se, encontrando-se duas unidas, algumas [substâncias] que delas se aproximam ou a elas misturam-se, unem-se a uma delas e expulsam a outra; e outras [substâncias] não se unem a nenhuma das duas e não as separam. Daí, pareceu-me que poderíamos concluir com razoável verossimilhança que aquelas que se unem a uma das duas tinham maior relação de união ou de disposição de unir-se a ela do que com aquela que se afastou devido à sua aproximação (Geoffroy, 1770, p. 149).

A partir dessas observações, Geoffroy deduz a proposição geral que Maupertuis cita no *Vênus física* acima transcrita. Essa propriedade geral das substâncias garantiria que "a maioria dos movimentos ocultos que resultam das misturas dos corpos e que eram quase impenetráveis sem esta chave" (Geoffroy, 1770, p. 150) pode ser conhecida. Temos, pois, uma chave para interpretar a seletividade das reuniões de substâncias que formarão os distintos corpos químicos. É quase natural sua aplicação à produção dos organismos: certos conjuntos de substâncias podem engendrar mecanicamente segundo as leis das afinidades corpos cristalinos complexos tais como a Árvore de Diana e, talvez, corpos vivos ainda mais complexos.

Geoffroy oferece uma tabela de afinidades entre as principais substâncias utilizadas em Química, "onde, com um golpe de vista, podemos ver as diferentes ligações que elas possuem entre si"; com essa tabela os químicos poderão encontrar "um método simples para descobrir o que ocorre em muitas das operações difíceis de desvendar e o que deve resultar da mistura de diferentes corpos mistos que eles realizam" (Geoffroy, 1770, p. 150). Temos aqui um projeto delineado para a elucidação da produção de corpos químicos. Maupertuis sugere que esse projeto possa ser estendido para a produção de corpos vivos.

Corpos mistos, compostos de várias substâncias, aparecem em uma certa configuração ou ordem cuja causa está na diferença de afinidades possuídas pelas substâncias. Uma tal disposição eletiva das substâncias poderia estar contida nas partes seminais que compõem os licores masculino e feminino, gerando a ordem do embrião.

A noção de afinidade ou ligação de Geoffroy foi relacionada na época com a atração newtoniana e Maupertuis vale-se de tal aproximação. O autor afirma que essas forças e afinidades não são outra coisa senão o que "Filósofos mais ousados chamam atração" (O2, p. 88). Os Astrônomos foram os primeiros a reconhecer a importância dessa força e "os Químicos mais famosos de hoje admitem a atração e aplicam-na mais longe do que o fizeram os Astrônomos" (O2, p. 89).

A Astronomia e a Química admitem a atração; Maupertuis já estava convencido de que ela não é um princípio supérfluo, mas útil na explicação dos fenômenos astronômicos. Assim, o autor pode afirmar: "se essa força existe na natureza, não teria ela um papel da formação do corpo dos animais?" (O2, p. 90). A força de atração passa a ser, para Maupertuis, o agente gerativo ou agregador das partes seminais responsável pela produção do embrião.

A natureza das partes seminais e a primeira explicação da geração dos organismos

Dissemos anteriormente que, além da agregação por forças atrativas, era necessário fazer suposições sobre a natureza das partes seminais para que os fenômenos gerativos pudessem ser explicados com a teoria da dupla semente. O problema central a ser considerado nesse sentido é que as partes seminais, da mesma maneira que as diversas substâncias químicas, já devem estar de alguma forma previamente individualizadas ou diferenciadas. Há portanto uma outra analogia que é estabelecida – embora não afirmada explicitamente – entre a diversidade de substâncias que compõem os corpos mistos da química e a diversidade de partes seminais que compõem os corpos vivos.

A diferenciação prévia das partes seminais é claramente afirmada por Maupertuis: "há, em cada uma das sementes, partes destinadas a formar o coração, a cabeça, as entranhas, os braços, as pernas" (O2, p. 89). Como já esclarecemos, essa afirmação é uma decorrência da origem pangenética da semente aceita por Maupertuis logo no início do desenvolvimento da teoria. Portanto, não há dúvida de que, para ele, precisa haver uma pré-ordem que se reflete, conforme também já designamos, em uma pré-formação de partes. A figura 5 ilustra a formação pangenética da semente.

A pré-diferenciação ou pré-ordem da semente define justamente as diferenças de afinidades que as partes seminais terão entre si: "tendo cada uma dessas partes uma afinidade maior de união com aquela que, para a formação do animal, deve ser sua vizinha do que com qualquer outra, o feto se formará e, mesmo que ele fosse ainda mil vezes mais organizado, ele formar-se-ia" (O2, p. 89). A figura 6 ilustra a relação entre forma e força de atração que se estabelece nas partes seminais.

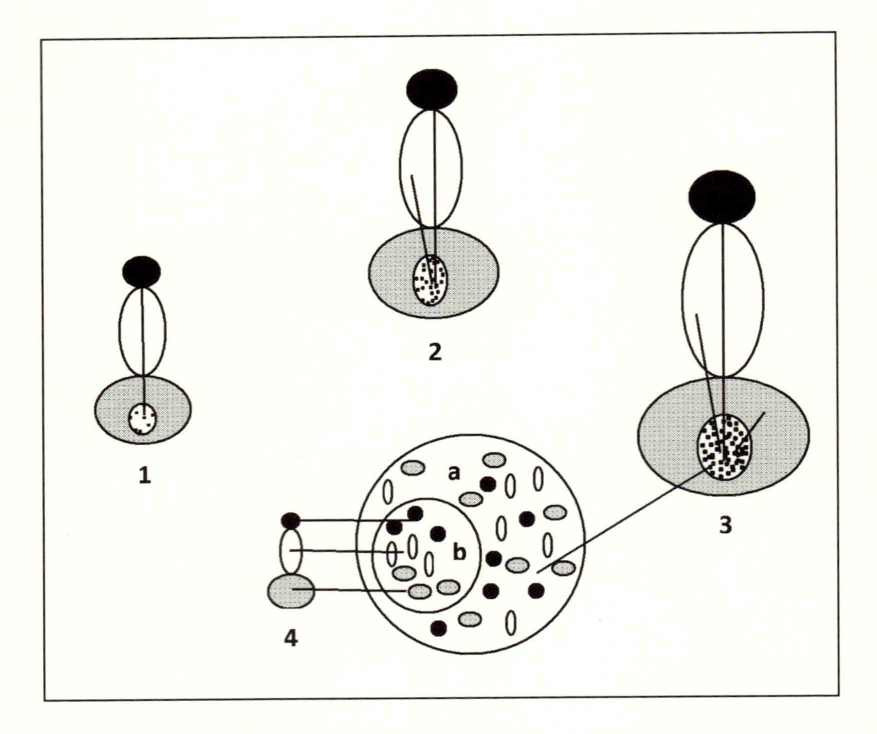

Figura 5. Esquema simplificado da produção das partes seminais segundo a teoria da pangênese adotada por Maupertuis em sua teoria da geração (apenas um indivíduo dos dois sexos está representado). O sêmen ou líquido seminal é um produto do acúmulo de partículas oriundas das diversas partes corporais (representadas na figura simplificadamente por três "órgãos", um na cor preta, um em branco e um em cinza). Os números 1, 2 e 3 representam hipoteticamente a formação progressiva da semente ao longo da maturação do organismo (Maupertuis não fala nada a esse respeito). O esquema ilustra ainda um aspecto da teoria que será discutido mais adiante, a saber, que da quantidade total de partículas produzidas por cada progenitor (a), apenas uma parte (b) será utilizada na geração do embrião (4).

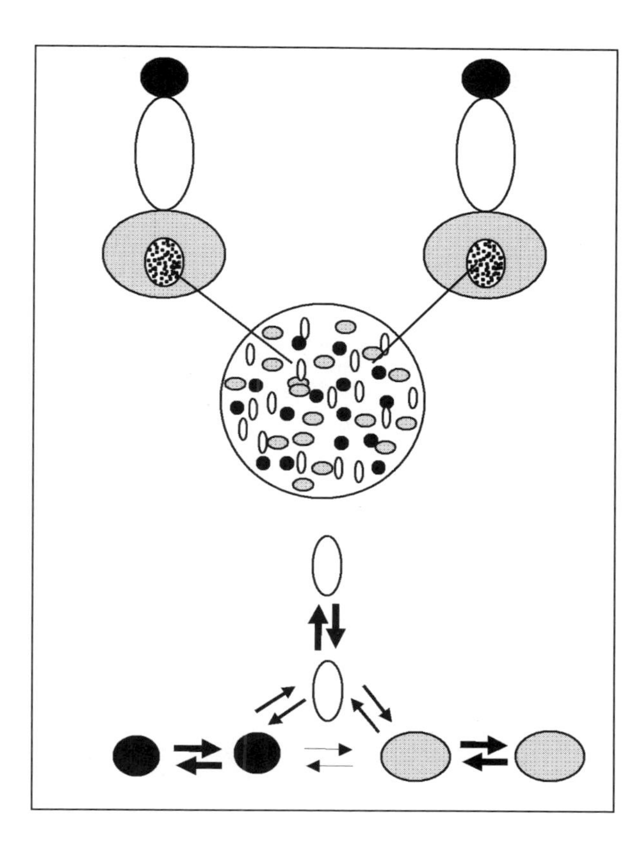

Figura 6. União das sementes masculina e feminina, primeiro evento gerativo segundo a teoria de Maupertuis (as diferenças entre cada sexo não estão representadas, bem como o fato de o macho introduzir a semente no interior da fêmea). Daí segue-se a interação entre as partículas exercidas graças à força de atração. As setas indicam a afinidade entre as partículas; a espessura das setas indica a maior ou menor intensidade dessa afinidade. Maupertuis afirma que uma dada parte possui maior *rapport d'union* com a sua vizinha do que com qualquer outra parte; por parte vizinha podemos entender tanto aquelas que participam da formação de um mesmo órgão, como aquelas que participam da formação de órgãos vizinhos. Assim, as partes de mesmo tipo (mesma cor e forma no esquema) terão maior força de atração entre si do que com qualquer outra, mas as partes constituintes de órgãos vizinhos (preto-branco e branco-cinza) deverão ter maior afinidade entre si do que com as partes constituintes de órgãos mais distantes (preto-cinza); supomos também que mesmo neste último caso haja uma afinidade, ainda que bem fraca. Maupertuis não esclarece esses detalhes, mas tais suposições são plausíveis e necessárias para explicar tanto a formação adequada de cada órgão em particular, como a organização dos órgãos segundo a estrutura total do organismo em formação (ver discussão no texto).

Partes formadoras de pernas terão maior afinidade entre si do que com partes formadoras de braços e assim sucessivamente. Mas as partes formadoras dos braços deverão ter maior afinidade com as partes formadoras da região posterior do tronco, por exemplo, do que com as partes formadoras das pernas. Esse detalhe não é discutido por Maupertuis, mas ele deve ser levado em consideração, pois é preciso explicar tanto a formação de cada órgão em particular como a ligação dos órgãos entre si. Para tanto, é preciso que a afinidade entre as partículas não seja absoluta, ou seja, ela deve ser maior ou menor tanto em função de pertencerem ou não a um mesmo órgão, quanto em função de pertencerem ou não a órgãos adjacentes.

De qualquer forma, a ordem das partes segundo cada espécie deve corresponder à natureza – ou ao grau – das afinidades das partes seminais. Mas, enfim, o que exatamente estabelece essa diferença entre as partes seminais? Podemos dizer que, em consequência da própria origem pangenética de tais partes, deve-se esperar que a diferença mais fundamental seja determinada pela forma. Maupertuis não esclarece como entende a relação entre a forma das partes e a do todo orgânico. Diz que há uma analogia entre as partes oriundas do coração e o próprio coração, por exemplo. Podemos interpretar, à luz da pangênese, que essa analogia revela-se sobretudo na morfologia. Essa conclusão é fundamental para compreender parte da teoria de Maupertuis e dos problemas que ela coloca. Dela podemos inferir que, havendo uma diferença de afinidades atrativas entre as partes seminais segundo a disposição morfológica em que se encontram, temos como pressuposto, pelo menos nesse ponto do desenvolvimento da teoria de Maupertuis, a existência de uma relação direta entre a *forma* e a *força* (afinidade) que possuem as partes seminais. São certas consequências dessa relação, válida no *Vênus física*, que levarão Maupertuis a rejeitar posteriormente a utilização das afinidades químicas para explicar a geração dos organismos.

Além dessa relação entre forma e afinidade, outro aspecto da natureza da semente refere-se à quantidade relativa de cada tipo de parte seminal presente nos líquidos seminais. Sobre isso Maupertuis faz as seguintes suposições: "Não devemos acreditar que haja nas duas sementes apenas precisamente as partes que devem formar um feto ou o número de fetos que a mulher deve portar; cada um dos sexos fornece sem dúvida muito mais do que o necessário" (O2, p. 91).

As partes seminais devem estar presentes em uma quantidade de muito maior do que a necessária para formar um feto ou uma prole de mais de um indivíduo (ver figura 5). Mesmo que uma mulher gere, por exemplo, quatro fetos, ainda assim devem sobrar muitas partes seminais. Essa superfluidade de partículas terá um papel fundamental na explicação de uma série de fenômenos gerativos anormais, mas, por ora, está em questão a geração regular e sem alterações.

Levando em conta as suposições até aqui discutidas, Maupertuis apresenta a aplicação direta de sua teoria à geração:

> as duas partes que se devem tocar estando uma vez unidas, uma terceira, que poderia ter feito a mesma união, não mais encontra lugar e torna-se inútil. É assim que, pela repetição de tais operações, a criança é formada a partir das partes do pai e da mãe e frequentemente traz marcas visíveis da participação de um e de outro (O2, p. 89-90).

Essa pode ser considerada a primeira explicação física-padrão da geração de um organismo, ilustrada na figura 7. Ela mostra com clareza a vertente atomista da geração dos organismos, que se vale da formação de cristais como modelo básico de organização e de produção dos corpos vivos.

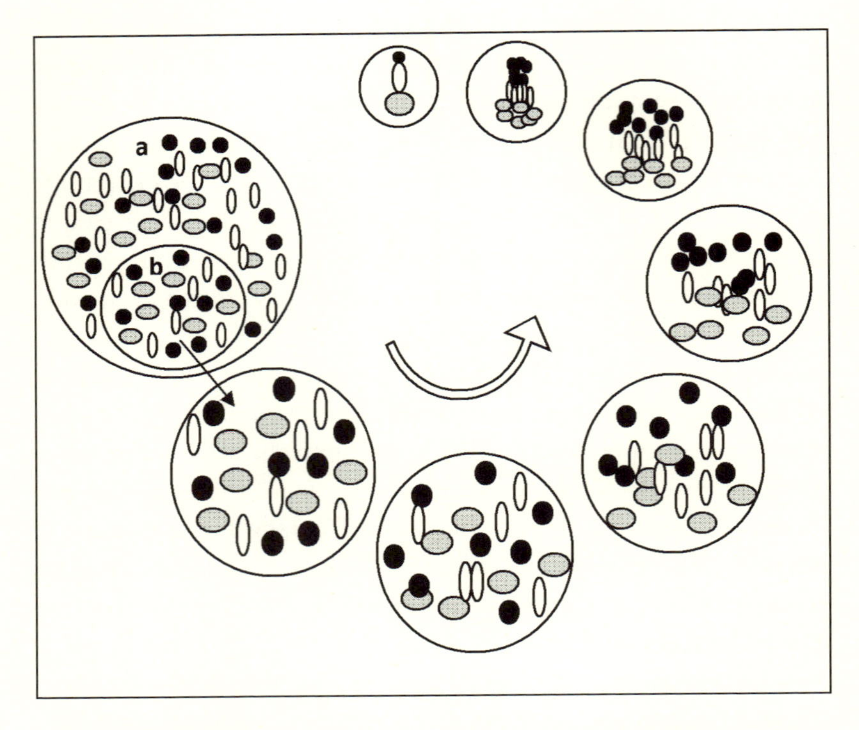

Figura 7. Esquema representativo do processo de agregação das partículas seminais segundo a afinidade ou atração de cada parte com as demais que lhes são análogas. O conjunto *b* é constituído das partes seminais que efetivamente participarão da formação do embrião e *a* é o conjunto das partículas supérfluas; estas não estão representadas na sequência da formação do embrião; sua origem, função e destino são discutidos no texto.

A explicação dos demais fenômenos gerativos

O mecanismo acima exposto deve explicar não apenas as gerações regulares ou normais, mas também os casos considerados como desvios, sobretudo os monstros. O sistema deve atender a uma exigência metodológica básica feita por Maupertuis desde seus primeiros estudos: um sistema melhor deve cobrir um campo de fenômenos maior. A proposição de um mesmo mecanismo natural para explicar tanto as formas regulares como as aberrantes implica mesmo uma relativização da ideia de desvio, aqui aplicada à geração dos organismos.

Aplicando o mecanismo acima descrito, Maupertuis explica da seguinte maneira a produção dos monstros por escassez: "Se algumas partes encontram-se muito distantes ou de uma forma pouco conveniente ou com a afinidade de ligação fraca para unir-se àquelas que devem fazê-lo, nasce um monstro por escassez" (O2, p. 90). Uma deficiência orgânica – órgãos em quantidade menor que o normal – é gerada quando um número menor que o necessário de partes seminais estão disponíveis para a formação de uma dada parte do corpo do embrião. As partículas podem ser normais, mas estar distantes do sítio de formação do embrião (do ponto vivo, utilizando uma expressão de Harvey); a distância reduziria a intensidade da força de atração. Mas pode ser que existam partículas alteradas, seja em sua forma – forma pouco conveniente –, seja em sua força de ligação ou de união, que podem apresentar uma intensidade menor que a normal.

A produção de monstros por excesso ocorre quando "partes supérfluas encontram ainda seu lugar e unem-se às partes cuja união já era suficiente" (O2, p. 90); isso levaria à formação de um órgão igualmente supérfluo. Conforme já mencionado na discussão anterior sobre os monstros, Maupertuis apresenta como uma demonstração desse processo o fato de que "as partes supérfluas encontram-se sempre nos mesmos lugares que as partes necessárias" (O2, p. 90-1), ou seja, a afinidade das partes supérfluas é preservada e, assim, elas unem-se na região correta do corpo: "Há vários exemplos de homens que nascem com dedos supranumerários: mas é sempre na mão ou no pé que eles se encontram" (O2, p. 91). Isso seria dificilmente explicado pela combinação de partes embrionárias pré-formadas em ovos distintos, como postula Lemery.

Maupertuis apresenta ainda uma outra evidência: "Eu vi uma maravilha ainda mais decisiva sobre essa matéria: é o esqueleto de uma espécie de gigante que não possui outra deformidade a não ser uma vértebra a mais, situada na sequência das outras vértebras e formando com elas uma mesma espinha" (O2, p. 91). Tal esqueleto foi visto por Maupertuis na sala de Anatomia da *Académie Royale de Sciences et Belles Lettres de Berlin*, conforme esclarece em nota de rodapé.

A explicação da geração de híbridos será tratada na segunda parte da obra, mas podemos adiantar que a semelhança das partes corporais de organismos de duas espécies distintas poderá estabelecer afinidades entre as partículas seminais de ambos e, assim, produzir uma combinação de órgãos.

Como conclusão final, Maupertuis fecha o penúltimo capítulo da primeira parte do *Vênus física* (o último capítulo é devotado à função dos espermatozoides, já discutido anteriormente) como segue:

> Parece que a ideia que propomos sobre a formação do feto seria mais satisfatória do que qualquer outra para os fenômenos da geração; à semelhança da criança tanto ao pai quanto à mãe; aos animais mistos que nascem de duas espécies diferentes; aos monstros tanto por excesso como por escassez: enfim essa ideia parece a única que possa subsistir com as observações de Harvey (O2, p. 93).

Capítulo 13

A primeira teoria da geração de Maupertuis: a geração das genealogias e a produção de novas espécies

Conforme discutimos no capítulo 6, a segunda parte do *Vênus física* trata de temas relacionados à criança albina. Tal parte pode ser interpretada como uma aplicação da teoria desenvolvida na primeira parte para o problema da origem das raças humanas, da filogenia e para a produção de novas espécies. O mecanismo proposto para explicar a geração de um organismo individualmente é estendido para as linhagens de descendência. A regularidade e as variações observadas na produção de um animal são analisadas tomando-se várias gerações.

A questão que poderíamos considerar como fundadora das investigações que aqui serão apresentadas e discutidas é: como explicar o nascimento de uma criança com a pele branca a partir de pais negros? Essa questão pode ser reformulada de modo a evidenciar ainda mais os problemas que são tematizados e que provavelmente teriam chamado a atenção de Maupertuis: entendendo que aquilo que consideramos como o tipo negro envolve um conjunto de caracteres dentre os quais a coloração negra da pele é um traço marcante,[1] como um casal de negros que apresenta todos os traços de sua raça poderia originar um descendente que

---

1 Em uma análise mais contemporânea acerca do peso que os diversos caracteres teriam na caracterização de uma dada raça humana, a coloração da pele poderia ser bem menos importante que outros caracteres oriundos da morfologia, da genética e da bioquímica. Estamos colocando em relevo a coloração da pele, pois foi ela que norteou toda a discussão de Maupertuis em suas explicações sobre a origem das raças humanas.

possui justamente um dos traços particularmente marcante completamente alterado? Essa alteração possui ainda como característica particular o fato de ser um traço marcante de uma outra raça de homens – a branca. Assim, o aparecimento de um indivíduo da raça negra e de cor branca sugere peculiarmente que certos traços que caracterizam ou mesmo definem subtipos dentro de um grupo – no caso o humano – podem combinar-se de maneira diferente e, assim, produzir novas configurações. Isso por sua vez parece ter sugerido que, talvez, haja algo em comum, em algum nível, entre todos esses subtipos humanos, uma vez que seus traços definidores e mais característicos podem intercambiar-se.

Assim, acreditamos que a tentativa de compreender como essa criança negra de pele branca foi gerada introduziu Maupertuis no complexo problema das variações no interior do tipo humano. O negro albino aparece como um exemplo ou como um efeito particular de um processo de produção e fixação de variações no interior de grupos ou tipos de organismos. Assim, essa abordagem do problema da geração via uma *alteração* tem consequências teóricas especiais nos estudos de Maupertuis, que se refletirão nos pontos mais arrojados de suas teorias.

Variedades no tipo humano

A segunda parte do *Vênus física* tem como título *Variedades na espécie humana* e se inicia com uma exposição descritiva dessa variedade e de sua distribuição geográfica. A raça negra tem destaque especial: "Desde o Trópico de Câncer até o Trópico de Capricórnio, a África não tem mais que habitantes negros. Não apenas sua cor os distingue, mas diferem dos outros homens pelos traços de sua face: nariz largo e achatado, lábios grossos e a lã no lugar de seus cabelos, parecem constituir uma nova espécie de homens" (O2, p. 98).

Embora não muito desenvolvida, há uma tentativa de definir uma identidade taxonômica às variedades humanas. Além do negro, Maupertuis discute outras raças:

> Antes de sairmos de nosso continente, poderíamos falar de uma outra espécie de homens bem diferentes daqueles. Os habitantes da extremidade Setentrional da Europa são os menores de todos os que nos são conhecidos: os Lapões do lado do Norte, os Patagões do lado Meridiano parecem os termos extremos da raça dos homens (O2, p. 99).

O resultado mais importante desse estudo introdutório à questão da geração é que no interior do que estamos chamando de o tipo humano[2] pode existir mais de uma espécie.

Para Maupertuis, toda diferença mais evidente entre dois organismos pode definir, em princípio, duas espécies distintas. Tal definição de espécie que poderíamos chamar de morfológica não é formalmente apresentada pelo autor, mas pode ser inferida através da maneira pela qual o conceito é aplicado. A capacidade de produzir descendentes férteis, associável a um conceito biológico de espécie, é secundária em relação ao critério morfológico. Assim, em princípio, espécies diferentes podem intercruzar-se. Além disso, os termos raça e espécie não são aplicados univocamente por Maupertuis.

O autor discute também a inclusão de certos macacos – orangotangos – dentro do tipo humano:

---

2 Utilizamos aqui o termo tipo por ser taxonomicamente mais neutro do que espécie e raça, uma vez que em Maupertuis esses níveis taxonômicos podem sobrepor-se. No interior do tipo humano encontramos várias raças e espécies, inclusive alguns tipos de macacos, conforme veremos em seguida.

> Se percorrêssemos todas essas ilhas, talvez achássemos alguns dos habitantes bem mais embaraçosos para nós que os Negros; teríamos bastante dificuldade em recusar-lhes ou dar-lhes o nome de homens. Os habitante das florestas de Bornéu, de que falam alguns viajantes, tão semelhantes de resto aos homens, pensam menos por ter caudas de símios? E o que não se faz depender nem do branco nem do negro, dependerá do número de vértebras? (O2, p. 100).

A capacidade de pensar é aplicada, como foi feito por uma tradição de estudiosos, como critério sistemático definidor do homem. Podemos ver ainda como Maupertuis articula propriedades psíquicas a atributos morfológicos na definição do tipo humano. Se a cor é contigente para a capacidade de pensar (as raças ou espécies branca e negra pensam), outros traços da morfologia como, por exemplo, a presença de algumas vértebras (as da cauda dos macacos) também poderiam sê-lo. A aceitação do pensamento nos animais será importante na argumentação desenvolvida no *Sistema*.

Maupertuis apresenta a seguir uma certa "lei" de distribuição da diversidade humana no que diz respeito à coloração da pele: "*O fenômeno mais notável e a lei mais constante, sobre a cor dos habitantes da Terra,* é que toda essa ampla faixa que cinge o globo do Oriente ao Ocidente, que se chama zona tórrida, só é habitada por povos negros, ou bastante trigueiros" (O2, p. 102).

Em suma, Maupertuis inicialmente identificou uma certa variação dentro do tipo humano à qual associou uma distribuição geográfica. É no interior dessa diversidade e distribuição que o autor lançará suas conjecturas, incluindo uma explicação para o fenômeno representado pelo negro albino.

A origem das raças – espécies humanas

Maupertuis ataca diretamente a questão da origem das raças humanas que acaba de expor: "Todos esses povos que acabamos de percorrer, tantos homens diversos, saíram todos eles de uma mesma mãe? Não nos é permitido duvidar. O que nos resta examinar é como de um único indivíduo puderam nascer tantas espécies tão diferentes. Aventarei algumas conjecturas sobre isso" (O2, p. 106).

Aparentemente Maupertuis estaria afirmando seu acordo com a descrição do Gênese bíblico para a origem do gênero humano e, assim, fundamentando sua análise inicial da origem das raças na existência de um primeiro e único indivíduo feminino – Eva. Nessa citação Maupertuis nada diz sobre a origem sobrenatural dessa primeira mãe de todas as raças humanas.

Essa questão tem um peso teórico enorme: tal como o tipo humano, as demais formas vivas terão sua primeira origem em um organismo primordial. Mesmo que se associe uma grande diversidade para cada um desses tipos, os tipos propriamente ditos serão irredutíveis entre si. Com isso combinam-se duas visões aparentemente contraditórias sobre a história da vida, a saber, o transformismo e o fixismo. Esses dois conceitos articulam-se a um novo conjunto de questões teóricas clássicas na história dos problemas biológicos e faremos uma breve discussão sobre eles.

A questão da geração em relação à origem das várias linhagens de descendência abre espaço para um problema novo e fundamental: quão regular é o processo de geração quando tomamos grandes intervalos de tempo no qual várias gerações de organismos são produzidas? São todas as espécies geradas sem variações ou novas formas são produzidas ao longo do tempo?

A concepção de inspiração cristã pode ser dita fixista, pois exige que todas as espécies foram criadas por Deus no início do mundo e que, de lá para cá, vêm reproduzindo-se sem qualquer modificação. Não há, pois, nem formação de novas espécies nem extinção das espécies criadas. A teoria da preexistência está em perfeito acordo com tal concepção, pois as linhagens embutidas em cada espécie podem atualizar-se ao longo do tempo sem mudanças, já que o que ocorre é apenas o crescimento de uma forma fixa.

A concepção oposta pode ser dita, de maneira muito geral, *transformista*. Ela admite diferentes graus de modificação no processo de geração que determinam o aparecimento desde formas levemente alteradas (variações intraespecíficas normais) até a produção de novas espécies. Entre esses dois extremos poderíamos situar a produção dos monstros, dos mestiços e dos híbridos.

Os termos fixismo e transformismo podem ser aplicados com precisão apenas às concepções mais extremas: a visão cristã ortodoxa é claramente fixista, enquanto a teoria da evolução orgânica contemporânea é claramente transformista. Entre esses dois extremos a aplicação dos dois termos depende de como interpretam-se as transformações ocorridas no processo de geração dos organismos; mais precisamente, depende do peso teórico que se atribui a tais transformações para um dado sistema de Filosofia ou de História natural.

Há uma ampla discussão do papel de Maupertuis nesse processo de estabelecimento das concepções transformistas e a ela voltaremos. Mas o problema já é introduzido na *Vênus física*, conforme afirmamos acima, na referência feita pelo autor de que todas as raças humanas saíram de uma única mãe.

Se existe um primeiro organismo ancestral para o tipo humano, o mesmo poderia, em princípio, ser dito para as demais formas vivas. Assim, na Criação teria existido um certo número de organismos primevos que não se originaram entre si, mas que tiveram uma outra origem não biológica. Esse é o lado fixista da concepção. Mas, tal como ocorreu com o tipo humano, uma certa diversidade teria surgido ao longo do tempo a partir desses primeiros organismos, o que dá um caráter transformista à teoria.

É essa combinação que devemos ter em vista ao longo da discussão que se seguirá.

A explicação pela teoria da preexistência

Maupertuis começa a examinar a origem das espécies humanas a partir da teoria da preexistência dos germes. Vimos que a teoria foi rejeitada na primeira parte da obra, e o mesmo acontecerá aqui.

Em sua análise, Maupertuis toma principalmente as raças branca e negra nas quais a cor é o único traço hereditário considerado.

> Se os homens foram primeiro todos formados de ovo em ovo, haveria na primeira mãe ovos de diferentes cores que conteriam séries inumeráveis de ovos da mesma espécie, mas que só deveriam eclodir em sua ordem de desenvolvimento após um certo número de gerações e no tempo em que a Providência tivesse marcado para a origem dos povos que aí estivessem contidos (O2, p. 106).

Estando isso correto, uma previsão que se pode fazer é que "um dia a sequência de ovos brancos que povoam nossas regiões, vindo a faltar, todas as nações europeias mudassem de cor? Como não seria impossível também que, a fonte dos ovos negros tendo se esgotado, a Etiópia não tivesse senão habitantes brancos?" (O2, p. 107).

Tal previsão pode ser considerada pelo menos estranha. Mas, mais do que isso, do mesmo modo que "quando a veia de mármore branco se esgotou, acham-se nada mais do que pedras de diferentes cores, que se sucedem umas às outras" (O2, p. 107), raças humanas com cores nunca antes vistas podem aparecer, bem como raças já bem conhecidas poderiam extinguir-se (cf. O2, p. 107). A figura 8 ilustra esses pontos.

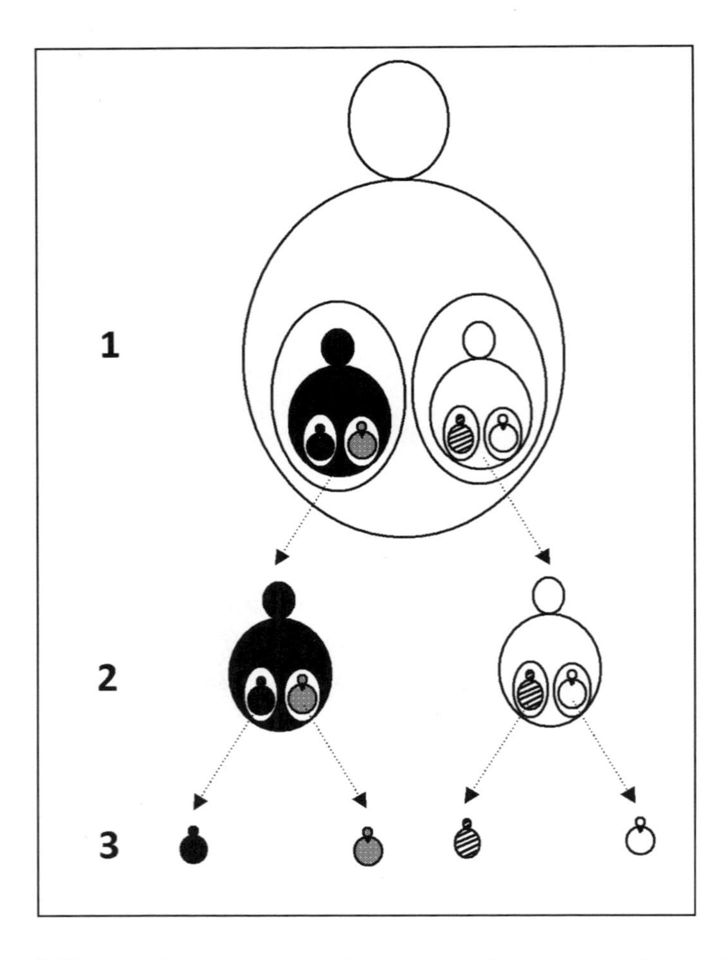

Figura 8. Esquema representativo da origem das raças humanas segundo a teoria da preexistência ovista. Tomamos quatro raças hipotéticas, representadas em preto, cinza, branco com linhas diagonais e branco. O indivíduo 1 representa a primeira mãe do gênero humano (Eva), que contém em seu interior todos os ovos e todos os embriões pré-formados e embutidos, que originarão todos os indivíduos humanos – conforme já foi explicado na análise da teoria da preexistência. Para simplificar o processo, consideramos apenas dois ovos. Em 2 há o aparecimento do primeiro indivíduo ancestral da raça representada pela cor preta; em 3, surgem as raças representadas pela cores cinza e branco com linhas diagonais. Desse modo, ao longo do tempo as diversas raças humanas preexistentes foram aparecendo no mundo.

Segundo as considerações feitas anteriormente, tais opiniões são bastante significativas do ponto de vista teórico. Maupertuis está afirmando que, mesmo dentro de um sistema fixista, como é a preexistência dos germes, é possível o aparecimento e a extinção de tipos – raças ou espécies. Uma dada espécie ou raça criada diretamente por Deus pode conter nas sucessivas gerações de embriões pré-formados e embutidos uma variação interna. Tal variação não apresenta qualquer novidade com relação ao plano da Criação: elas estavam todas presentes em germe desde o início e foram todas produtos de uma ação divina. Mas a manifestação dessa diversidade ocorre ao longo do tempo e, em certo sentido, são novidade. No caso citado por Maupertuis, os etíopes apareceram depois dos europeus e, quando isso ocorreu, os últimos poderiam ter considerado tal evento como o aparecimento de uma *nova* raça. Outras raças ainda não conhecidas poderão surgir, bem como poderá ocorrer o desaparecimento de outras. A princípio, o que ocorre com raças poderá ocorrer com espécies – diferença que para Maupertuis não é importante.

Esse é um claro exemplo do efeito que a interpretação do processo de transformação pode ter sobre o julgamento do quão fixista é uma teoria da geração. Na preexistência do germe, podemos considerar que a verdadeira diversidade de tipos, raças e espécies é aquela existente em potência como embriões pré-formados no interior dos primeiros organismos. Assim procedendo, garantimos a integral fixidez das espécies, pois o aparecimento de variedades orgânicas ao longo do tempo não significa o aparecimento de novidades reais na natureza. Ao contrário, podemos dar maior peso à diversidade de organismos já desenvolvidos e, assim, a diversidade presente no princípio da criação do mundo seria radicalmente diferente – bem menor – do que aquela existente no presente. Algum tipo de transformação teria ocorrido com a diversidade de espécies ao longo do tempo – uma transformação externa aparente causada pela atualização de uma diversidade interna fixa e preexistente.

Tomando a versão vermista da preexistência, as consequências são praticamente as mesmas:

> Se admitíssemos o sistema dos vermes, se todos os homens tivessem primeiro estado contidos nesses animais que nadavam no sêmen do primeiro homem, dir-se-ia dos vermes o que acabamos de dizer dos ovos: o verme pai dos negros continha, de verme em verme, todos os habitantes da Etiópia, o verme Darien, o verme Hotentote e o verme Patagão, com os todos seus descendentes, estariam já todos formados e deveriam povoar um dia as partes da Terra onde se acham todos esses povos (O2, p. 107-8).

A teoria pode explicar não apenas o aparecimento de uma diversidade não existente em ato no princípio, mas também a sua distribuição espacial (geográfica) e temporal. Maupertuis reconhece que o *Sistema dos desenvolvimentos* – a preexistência e o embutimento – pode explicar essa produção e distribuição de variedades, mas tais sistemas apresentam todas as dificuldades apontadas na primeira parte do *Vênus física*: "são talvez apenas demasiado cômodos para explicar a origem dos Negros e dos Brancos: eles explicariam mesmo como espécies diferentes poderiam ter saído dos mesmos indivíduos. Mas vimos na dissertação precedente quais dificuldades podemos contrapor" (O2, p. 108).

A explicação de Maupertuis

A explicação oferecida por Maupertuis está dispersa em várias partes dos capítulos III a VII da segunda parte do *Vênus física*. Há pelo menos duas ordens de explicações que se relacionam por sua vez com dois níveis de fenômenos: a produção das variações e a fixação dessas variações ao longo do tempo na produção de novas espécies. Ao longo do texto, esses dois níveis se entrelaçam em várias ocasiões, e ao expor a explicação de Maupertuis procuraremos separá-los.

Referindo-se às variedades percebidas dentro do tipo humano, em particular a cor da pele, Maupertuis diz: "Essas variedades, se pudéssemos segui-las, talvez teriam sua origem em algum ancestral desconhecido. Elas perpetuam-se através de gerações repetidas de indivíduos que as possuem e se apagam através de gerações de indivíduos que não as possuem" (O2, p. 109). Para cada uma das variedades reconhecíveis dentro do tipo humano houve um indivíduo ancestral que as apresentou pela primeira vez e é apenas através da contínua geração de indivíduos com esse novo traço que se estabelecerá uma nova variedade de organismos. Para que essa afirmação não seja apenas a descrição de algo evidente, Maupertuis deve explicar como se produz uma variação pela primeira vez e que mecanismo garante a fixação de uma variedade através de uma série de nascimentos.

Apresentaremos inicialmente as teses mais gerais propostas pelo autor para explicar os fenômenos identificados. A primeira delas, que pode ser considerada o primeiro fundamento de sua teoria, é: "A Natureza contém o fundo de todas essas variedades, mas o acaso ou a arte as colocam em obra" (O2, p. 110). Explicação direta, mas ainda obscura, sem uma série de esclarecimentos que aparecem na sequência do texto. O fundo[3] das variações, que interpretamos por base ou fundamento das variações, está na natureza; isso significa que as variações observadas terão como causa fenômenos diversos associados ao mecanismo gerativo. Mais precisamente, trata-se das possibilidades de modificações

3 No original *fonds*, que também poderia ser traduzido como "recurso próprio a qualquer coisa" (cf. Robert, 1994).

inerentes a esse mecanismo que ocorrem sobretudo entre as partes seminais: "embora eu suponha aqui que o fundo de todas essas variedades encontrem-se nos próprios licores seminais, eu não excluo a influência que o clima e os alimentos possam ter" (O2, p. 123). Eventos diversos ligados à produção, transmissão e interação das partes seminais determinarão tanto a produção regular dos organismos ao longo do tempo, como a manifestação de novas formas. O ambiente (a ação do clima e da alimentação) terá, como veremos, um papel importante na produção desses eventos mas, em última análise, as variedades observadas fenomenicamente nos organismos tem seu fundamento material em modificações imperceptíveis ocorridas entre as partículas seminais.

O acaso ou a arte colocam em obra essas modificações. É por acaso que um traço alterado aparece pela primeira vez em um organismo como efeito da realização de algum processo também fortuito inerente às suas partes seminais. Quanto à arte, trata-se da seleção artificial de organismos:

> aqueles cuja indústria aplicam-se a satisfazer o gosto dos curiosos são, por assim dizer, criadores de novas espécies. Vemos aparecer raças de cães, pombos, sereias que não existiam antes na Natureza. Não eram inicialmente senão indivíduos fortuitos; a arte e as gerações repetidas delas fizeram espécies (O2, p. 110).

De modo fortuito nascem animais com traços orgânicos diferentes dos traços de seus pais. Garantindo que essas formas variantes se intercruzem, há um progressivo aumento da quantidade de organismos portadores da variação. Em um dado momento, tais organismos fundarão uma nova espécie ou raça. O processo de seleção aplica-se igualmente à espécie humana: "Por que essa arte limitar-se-ia aos animais? Por que esses Sultões enfastiados em seus haréns, que não encerram senão mulheres de todas as espécies conhecidas, não são levados a produzir novas espécies?" (O2, p. 110-1).

Maupertuis apresenta ainda outros exemplos:

> Se nós não vemos, foram-se entre nós essas novas espécies de belezas,[4] vemos apenas frequentemente produções que para o Físico são do mesmo gênero; raças de vesgos, de coxos, de gotosos, de tísicos: e infelizmente não é preciso para seu estabelecimento uma longa sequência de gerações. Mas a sábia Natureza, pelo desgosto que inspirou por esses defeitos, não quis que eles se perpetuassem; cada pai, cada mãe fazem o melhor possível para apagá-las; as belezas são mais seguramente hereditárias; a estatura e a perna que admiramos são a obra de várias gerações, onde nos aplicamos a formá-las (O2, p. 111-2).

Podemos adiantar aqui uma discussão sobre o efeito que teriam as escolhas no processo de seleção. As variações que, do ponto de vista humano, seriam defeituosas têm duas características: elas se perpetuam com maior facilidade, pois é necessário, diz Maupertuis, um menor número de gerações para o seu estabelecimento. Mas, apesar disso, elas seriam menos hereditárias do que as variações que, também do ponto de vista humano, seriam mais belas ou mais desejáveis. Isso porque a seleção artificial se aplicaria mais no sentido de inibir os defeitos e promover as variações mais agradáveis. Mas essa escolha humana tem uma contribuição da natureza: é ela que inspira o desgosto por aquilo que é defeituoso. De certa forma, a própria natureza reconheceria essas formas indesejáveis como defeitos. Isso significa, a nosso ver, uma sugestão da existência de uma tendência na natureza, algo que é muito importante quando se avalia esse tipo de teoria.

---

4 Maupertuis refere-se aqui às mulheres contidas nos haréns anteriormente mencionadas.

Maupertuis enfraquece um pouco essa consequência quando antes sugere que as belezas e os defeitos seriam, para o Físico, do mesmo gênero. Voltaremos mais adiante a essa aparente contradição sobre a valoração das variações.

Notemos ainda que Maupertuis considera a transmissão das doenças que citou – entre elas algumas infecciosas – como sendo hereditárias; isso significa que uma doença pode ser a causa da produção de uma variação que se fixará posteriormente e talvez produzirá uma nova espécie; elas têm ainda alguma coisa de especial por necessitarem de menos gerações para se estabelecer (talvez o autor esteja raciocinando a partir da velocidade pelo qual são espalhadas algumas doenças infecciosas).

Continuando sobre o mesmo tema, diz:

> Os chineses imaginaram acreditar que uma das maiores belezas das mulheres era ter pés sobre os quais elas não pudessem sustentar-se. Essa nação, apegando-se em seguir em tudo as opiniões e o gosto de seus ancestrais, vieram a ter mulheres com pés ridículos [...] não devemos atribuir apenas à Natureza a pequenez do pé das chinesas; durante os primeiros tempos de sua infância mantêm-se seus pés apertados para os impedir de crescer. Mas há grande aparência de que as chinesas nascem com os pés menores do que as mulheres de outras nações (O2, p. 112-3).

A seleção artificial aparece como indubitável fator de fixação de variação. As mulheres com pés naturalmente menores seriam preferidas às outras e, assim, deixariam mais descendentes com tal característica. Acrescenta Maupertuis que a redução dos pés possa ser igualmente provocada por um mudança orgânica e não herdada. Não diz o autor se essa mudança orgânica torna-se, para esse caso em particular, hereditária. Mas essa é uma expectativa que pode existir, dado que na pangênese as mudanças orgânicas podem ser incorporadas às partes seminais e, assim, ser transmitidas aos descendentes.

Do que vimos até aqui, podemos identificar dois pontos básico da teoria de Maupertuis: (i) o aparecimento fortuito de indivíduos com traços alterados, primeiro evento necessário à produção de novas espécies; (ii) a seleção desses indivíduos capaz de garantir a perpetuação desse traço dentro de uma linhagem de descendência. Posto isso, podemos agora analisar suposições mais particulares que Maupertuis julga necessário fazer para explicar esses fenômenos:

> Para agora explicar todos esses fenômenos; a produção das variedades acidentais, a sucessão dessas variedades de uma geração a outra e, enfim, o estabelecimento ou a destruição de espécies, eis, parece-me, o que é preciso supor [...] É preciso pois considerar como fatos, o que me parece, a experiência nos força a admitir,
> 1º Que o líquido seminal de cada espécie de animais contém uma multitude inumerável de partes próprias a formar pela sua reunião a animais da mesma espécie;
> 2º Que no líquido seminal de cada indivíduo as partes próprias a formar traços semelhantes àqueles desse indivíduo são aquelas que estão ordinariamente em número maior e que têm maior afinidade, embora aí existam muitas outras para traços diferentes;
> 3º Quanto à maneira pela qual se formarão nas sementes de cada animal partes semelhantes a esse animal, será uma conjectura bem audaciosa, mas que talvez não seja destituída de toda verossimilhança pensar que cada parte fornece seus germes (O2, p. 120-1).

Maupertuis inicialmente separa as duas ordens ou níveis de questões acima destacadas: uma coisa é explicar a produção de variações acidentais, outra é explicar a sucessão dessas variedades de uma geração à outra; a integração desses dois fenômenos implica a produção e a destruição de espécies. Temos aqui um bom resumo dos fenômenos hereditários investigados na segunda parte do *Vênus física*.

As suposições primeira e terceira já foram estabelecidas na primeira parte da obra; já a segunda suposição introduz uma importante novidade na teoria: no líquido seminal devem existir tanto as partículas responsáveis para a produção regular da espécie quanto para a produção das variedades observáveis nos organismos. As partículas responsáveis pela geração regular, geração de organismos da mesma espécie, diferenciam-se das demais por possuírem maior afinidade e por estarem presentes em maior quantidade. Em outra parte do texto Maupertuis refere-se a essas partículas como análogas aos órgãos parentais, "as partes análogas àquelas do pai e da mãe" (O2, p. 121); manteremos essa designação doravante e, por comodidade, chamaremos de *não* análogas as partículas responsáveis pelos traços variantes; a figura 10 ilustra esses pontos.

Em resumo, o total das partes seminais presentes em cada indivíduo encerra dois subconjuntos: o de partículas seminais análogas a seus órgãos corporais e um outro conjunto de partículas não análogas. Quando, na formação do embrião, se expressa apenas o primeiro conjunto de partículas, ocorre uma geração regular ou "normal" – a produção de um organismo da mesma espécie que a dos pais (figura 9); a expressão das partículas não análogas no processo produzirão no organismo algum traço distinto daqueles presentes em seus pais (figura 10). É por isso que o fundo de todas essas variedades encontrem-se nos próprios licores seminais.

Posto isso, aparece um primeiro problema envolvido com a origem desses dois tipos de partículas. As análogas são produzidas pelo processo de pangênese – cada órgão produz sua partes correspondentes. Mas e as partículas não análogas, como são produzidas? Como elas chegam a fazer parte do líquido seminal dos organismos? Essa é uma parte algo obscura da teoria, mas para a qual é possível encontrar uma resposta.

A primeira explicação que aparece no texto recorre a um fenômeno tradicionalmente designado por *herança dos caracteres adquiridos*. Esse fenômeno hereditário pode ser considerado uma

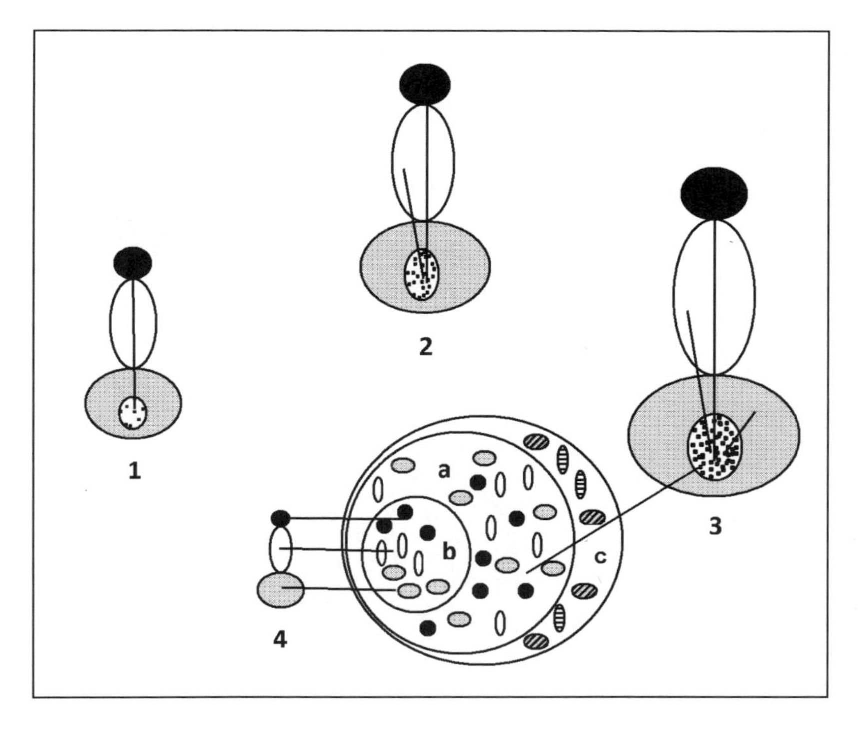

Figura 9. Trata-se do mesmo esquema apresentado na figura 5, mas agora também representando o conjunto de partículas não análogas (c) presentes no sêmen junto das análogas (a). No caso hipotético ilustrado, nenhuma partícula não análoga faz parte do conjunto de partículas que efetivamente formarão o embrião (b); assim, não há a expressão no embrião de qualquer traço modificado e distinto daqueles que possuem seus pais. As partículas não análogas farão parte do conjunto de partículas supérfluas que, juntamente com outras partículas, não entrarão na formação do embrião. A origem e o destino dessas partículas não análogas são explicados no texto.

decorrência da pangênese: se cada parte do corpo produz suas partículas seminais ou germes, a estrutura de cada órgão refletir-se-á de alguma maneira na estrutura ou forma das partículas. Assim, qualquer alteração estrutural que ocorra com os órgãos deverá, em princípio, ser transferida para as partículas seminais. Essa modificação adquirida (em oposição à herdada) tornar-se-á hereditária, já que é incorporada ao sêmen. As fontes de

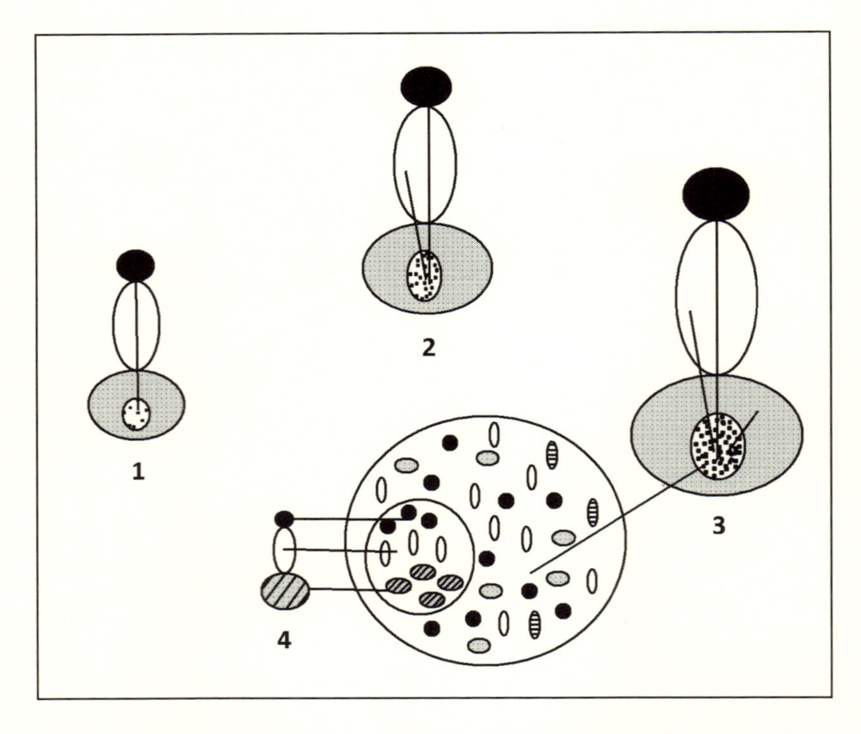

Figura 10. Produção de uma variação orgânica através da expressão de partes seminais não análogas. Algum evento casual levou à expressão de partículas seminais capazes de determinar um traço orgânico distinto daquele presente nos pais (representada pela parte corporal em cinza com linhas diagonais no embrião comparativamente à mesma parte no progenitor representada em cinza). A ocorrência desse fenômeno é fundamental, na teoria de Maupertuis, para a formação de novas espécies. Os detalhes do processo e suas condições de ocorrência são desenvolvidos no texto.

modificações adquiridas podem ser atribuídas a efeitos ambientais diversos sobre os organismos tais como acidentes mecânicos, efeitos climáticos (sobretudo a temperatura), tipo de alimento ingerido e doenças. Este último fator é apresentado por Maupertuis como exemplo, justamente no que concerne à coloração branca na pele do homem. Referindo-se aos negros albinos, diz:

> M. du Mas viu, entre os Negros, Brancos cuja brancura se transmitia de pai para filho. Ele considera essa brancura como uma doença da pele[a] (nota a: Ou antes da membrana reticular, que é a parte da pele cuja pintura produz a cor dos Negros); é, segundo ele, um acidente, mas um acidente que se perpetua e que subsiste durante várias gerações [...] tomemos esta brancura por uma doença, ou pelo acidente que quisermos, ela sempre será apenas uma variedade hereditária que se confirma ou se apaga por uma sequência de gerações (O2, p. 117-8).

Mesmo sem afirmar se concorda ou não com a explicação de M. du Mas, Maupertuis salienta que o aparecimento da variedade branca ocorre graças a um acidente que se perpetua ou não pela sequência de gerações. Na verdade, a explicação de Maupertuis para a origem específica da cor branca no homem vai em uma direção bem diferente, como veremos mais abaixo. O que deve ser aqui frisado é que, para o autor, certos acidentes podem produzir novos traços nos organismos que passarão a ser hereditários. Isso nos proporciona uma possível primeira explicação para a origem das partículas não análogas acima referidas: elas são produzidas pangeneticamente a partir de uma modificação adquirida.

Com tais esclarecimentos, podemos avançar mais detalhadamente as explicações de Maupertuis para os fenômenos hereditários em questão. Primeiramente temos a geração regular ou normal (sem alterações) de organismos: "As partes análogas àquelas do pai e da mãe, sendo mais numerosas e sendo aquelas que possuem maior afinidade, serão aquelas que se unirão mais ordinariamente, e elas formarão ordinariamente animais semelhantes àqueles dos quais eles sairão" (O2, p. 121-2). Isso já ficou bem claro: é a participação das partes análogas que gera um indivíduo da mesma espécie que a dos pais, sem qualquer alteração visível.

Para que possamos compreender, a partir daqui, como são produzidos os indivíduos alterados – e deles as novas raças e espécies –, será útil distinguirmos os vários tipos de alterações orgânicas implicados nos fenômenos estudados por Maupertuis.

O autor afirma que cada indivíduo possui tanto partículas análogas como não análogas em seus líquidos seminais. A primeira fonte possível de produção de partículas não análogas são, como vimos, alterações acidentais nos órgãos corporais cujos efeitos serão transferidos às partes seminais. Quando um tal acidente ocorre com um organismo, teremos duas formas de variação: aquela adquirida, que se expressa diretamente nas partes corporais ou órgãos, e aquela hereditária, transferida às partes seminais e, assim, não observável nesse indivíduo.[5] Se tal organismo, ou dois organismos na mesma situação, produzirem novos descendentes, poderá ocorrer, na formação destes, a expressão das partes não análogas transmitidas na mistura dos licores e, assim, eles nascerão com o mesmo traço alterado presente em um ou ambos os pais. A alteração que é assim produzida no embrião não é mais adquirida, mas hereditária. Esse diferença é fundamental, pois marca duas formas completamente distintas de produção de variações orgânicas.

---

5 Utilizando a terminologia da genética contemporânea, diríamos que a modificação adquirida nos órgãos expressa-se fenotipicamente, enquanto a mudança ou mutação ocorrida com a produção de partes não análogas se expressa genotipicamente. Essa mutação genética e hereditária poderá expressar-se ou não fenotipicamente na próxima geração.

Uma outra distinção deve ainda ser feita quanto aos tipos de variação. É possível que um indivíduo já nasça com uma alteração, mas que ela não tenha sido herdada dos pais. Trata-se de uma modificação que, usando termos atuais, seria dita congênita mas que, nesse caso hipotético, não foi herdada. Na teoria de Maupertuis, isso é possível caso ocorra alguma variação ou acidente no processo de agregação das partes seminais durante a formação do embrião. Esse fenômeno ocorreria na produção de monstros por escassez e por excesso. No primeiro caso, alguma circunstância impede que as partículas seminais unam-se para formar um determinado órgão, que fica ausente no indivíduo. No segundo, uma quantidade suplementar de partículas (que sempre existe na mistura de líquidos seminais) pode produzir um órgão também suplementar. Os dois processos podem ocorrer mesmo quando o indivíduo recebe uma quantidade normal de partes seminais de seus pais e, portanto, sem a aquisição hereditária de variação. Mas, uma vez que ocorram, essas variações congênitas também passarão a ser, pela teoria de Maupertuis, hereditárias.

Por fim, há ainda, pelo menos como possibilidade, a alteração direta das próprias partículas seminais, ou seja, sem a prévia alteração de uma parte corporal ou órgão. Trata-se da produção de uma mudança no sêmen, que será hereditária, sem a ocorrência de uma mudança adquirida. Em princípio, essa mudança direta das partículas seminais pode ocorrer em qualquer momento do processo: pode haver um erro no mecanismo pangenético (partículas provenientes de um dado órgão podem ser produzidas de forma alterada); pode ocorrer uma simples modificação acidental nas partículas já produzidas e acumuladas no líquido seminal de um indivíduo adulto; pode, por fim, ocorrer uma tal modificação durante o próprio processo de geração do organismo, quando as partículas provenientes dos dois sexos são misturadas e começam a agregar-se.

Essas distinções teóricas são completamente coerentes com o sistema de Maupertuis, embora o autor não as apresente como tal. Podemos dizer que elas – sobretudo a diferença entre modificação adquirida e herdada – ficam subentendidas no conjunto das explicações fornecidas pelo autor e, sem identificá-las, torna-se difícil entender e discutir as particularidades de sua teoria.

Tendo discutido esses pontos, podemos introduzir o passo mais difícil e importante das explicações de Maupertuis, a saber, a produção de novas espécies e raças. Referindo-se ao nascimento de indivíduos com traços alterados, o autor afirma que:

> Essas produções são de início apenas acidentais: as partes originárias dos ancestrais encontram-se ainda as mais abundantes nas sementes; após algumas gerações, ou desde a geração seguinte, a espécie original retomará a predominância e a criança, em vez de assemelhar-se a seu pai e a sua mãe, assemelhar-se-á a ancestrais mais distantes. É isso que acontece todos os dias nas famílias. Uma criança que não se parece nem com seu pai nem com sua mãe parecer-se-á com seu avô (O2, p. 122-3).

Uma alteração adquirida modifica um traço orgânico de um indivíduo, levando a uma produção acidental. Esse indivíduo produzirá suas próprias partes seminais; o órgão ou parte orgânica alterados produzirão partes seminais não análogas, mas que assim o são em relação a seus pais e aos demais ascendentes da linhagem de organismos. Essa ambiguidade pode ser resolvida se postularmos que o acidente ocorre diretamente com a partícula seminal (uma das possibilidades vistas acima); essas partículas serão, pois, não análogas em relação a qualquer dos órgãos ou partes corporais do indivíduo.

De qualquer forma, esse indivíduo virá a gerar seus próprios filhos. O que acontecerá, então, a partir daqui? Vemos que, pelo texto, Maupertuis primeiro considera que ocorrerá o fenômeno hereditário do apagamento ou perda dessa modificação adquirida. Isso acontece primeiramente porque as partes originais dos ancestrais ainda são mais abundantes, ou seja, esse indivíduo, mesmo possuindo partes não análogas, as possui em uma quantidade muito menor do que as análogas; quando esse indivíduo alterado gerar novos organismos, as partes análogas poderão predominar sobre as não análogas e a criança nascerá como seus avós, ou seja, sem a alteração presente em um (ou ambos) de seus pais.

Esse fenômeno de retomada dos traços ancestrais pode ocorrer, afirma Maupertuis, já na primeira geração ou algumas gerações depois. Mais precisamente, o indivíduo que sofreu uma alteração poderá ter filhos normais, sem a alteração em questão, e, portanto, filhos semelhantes aos avós (bem como aos demais ascendentes), *ou* poderá ter filhos alterados que, por sua vez, gerarão filhos normais. Em outras palavras, uma alteração adquirida poderá desaparecer da família em uma ou mais gerações. Esse ponto é fundamental, pois é ele que introduz na teoria de Maupertuis a produção de novas espécies. Não é necessário que a alteração sempre desapareça: essa alteração adquirida inicialmente de forma acidental poderá permanecer e fixar uma nova variedade na família:

> Para fazer espécies como raças que se perpetuam é preciso verdadeiramente que essas gerações sejam repetidas várias vezes; é preciso que as partes próprias a fazer os traços originários, menos numerosas a cada geração, se dissipem ou permaneçam em um número tão pequeno que seria preciso um novo acaso para produzir a espécie originária (O2, p. 123).

Para que um novo traço variante seja fixado, é preciso que ocorram vários nascimentos de indivíduos portadores desse traço ao longo das gerações. Temos aqui uma aparente circularidade: para que o novo traço seja fixado ele, deve aparecer repetidas vezes.

Mas não é o caso, pois mesmo que ele apareça várias vezes, em vários indivíduos, o traço sempre poderá desaparecer. Para que isso não ocorra deve haver um acúmulo das partes seminais correspondentes ao traço alterado entre os indivíduos pertencentes à linhagem de organismos. As partes seminais alteradas devem progressivamente substituir as partes ancestrais até que as primeiras sejam incorporadas, por assim dizer, à linhagem de descendência e passem a ser um traço normal. Isso é possível através dos processos de seleção artificial que já apresentamos anteriormente. A seleção garante o intercruzamento de indivíduos alterados e estas garantem o aumento da quantidade de partes seminais correspondentes. Em várias gerações, essa variação será incorporada e passará a ser normal. Quando isso ocorre temos, em essência, o que Maupertuis entende pela produção de uma nova espécie.

Essa explicação dá conta de praticamente todo o processo, mas há um detalhe ainda obscuro. Trata-se de explicar o que garante a manifestação das partes seminais alteradas quando elas ainda estão em pequena quantidade, ou seja, como são produzidos os primeiros indivíduos alterados hereditariamente. Para que a seleção atue é necessário que esses primeiros indivíduos existam; não se trata dos primeiros indivíduos que adquiriram a alteração, mas dos primeiros indivíduos que herdaram a variação daqueles que a adquiriram. Em outras palavras, como a teoria de Maupertuis explicaria a herança (e não a aquisição) das variações nos primeiros indivíduos de uma linhagem de descendência? A teoria não nos oferece todas as respostas, mas com algumas suposições plausíveis e com ela consistentes podemos oferecer uma possível explicação.

Refazendo o processo, iniciemos por um organismo que adquiriu a alteração pela primeira vez e que transmite partes seminais alteradas correspondentes para seus filhos. Sabemos que esses filhos poderão nascer normais, ou seja, sem a alteração correspondente; eles serão mais parecidos com os avós do que com os pais, tal como acima foi explicado. Mas, como isso é possível? A única forma de isso acontecer é que esses filhos tenham herdado de seus pais tanto partículas alteradas como normais para um dado traço orgânico. Isso nos leva à origem dessas partículas normais. A estrutura orgânica original dos pais, ou seja, aquela existente *antes* de terem adquirido a variação acidental, é a mesma dos avós. Mas Maupertuis afirmou que a quantidade total de partículas seminais formada pela mistura dos dois líquidos seminais é sempre muito maior do que a necessária para a formação do embrião. O que ocorre, então, com essas partículas supérfluas? A ação e o papel de tais partículas encontram seu lugar na teoria de Maupertuis justamente na explicação dos fenômenos de perda ou aquisição hereditária de alterações inicialmente adquiridas (além de atuarem, como vimos, na produção de monstros por excesso). As partículas supérfluas serão o veículo material hereditário dos traços que não se manifestam na estrutura visível do organismo.[6] É aqui que devemos incluir uma suposição que não é afirmada por Maupertuis, embora seja exigida por sua teoria: a parte do total das partículas seminais que um indivíduo herdou e que não entra na formação do embrião deve ser *diretamente* incorporada às partes seminais do novo indivíduo já no embrião. Assim, do conjunto de partículas seminais herdadas, algumas se manifestaram na constituição orgânica visível enquanto outras permaneceram sem se manifestar no líquido seminal, desde os primeiros estágios de formação do organismo. Se postulássemos que as partículas supérfluas simplesmente fossem perdidas ao longo do processo, não teríamos como explicar o salto que um traço apresenta entre uma geração e outra e que claramente Maupertuis reconhece ser bastante frequente.

6 Também utilizando termos biológicos atuais, diríamos que essas partículas supérfluas podem fazer com que um organismo seja *portador* de um traço genotípico que não se manifesta fenotipicamente.

Voltando à nossa reconstituição do processo, temos um indivíduo que herdou um conjunto de partículas seminais que, para um dado traço orgânico, inclui dois tipos: partículas alteradas, produzidas pelos órgãos dos pais que adquiriram a modificação acidental, e partículas normais, que são aquelas partículas supérfluas oriundas dos avós. Se são as partículas alteradas herdadas que se manifestam na formação do embrião, o organismo nascerá com a alteração adquirida por seus pais. Caso contrário, essas partículas ficarão ocultas no líquido seminal. O que determina um ou outro desses eventos? Essa é uma parte da teoria que, na *Vênus física*, também não é muito clara. Maupertuis disse que as partes variantes, em comparação às partes normais ou análogas, possuem menor força de ligação. Assim, há maior probabilidade de que elas não se manifestem. A única explicação consistente com a teoria é que um novo acaso faça com que essas partículas entrem na composição do embrião. É mais ou menos isso que Maupertuis parece acreditar que aconteça ao explicar a origem da raça negra, da qual trataremos mais adiante. Assim, suponhamos que seja isso que ocorra: as primeiras manifestações orgânicas de partículas alteradas e herdadas dos pais depende de algum evento fortuito que as faça agregarem-se, apesar da possibilidade de isso ocorrer ser muito pequena. Isso acontecendo, teremos um indivíduo alterado na família cujo traço modificado não foi adquirido, mas herdado. Esse indivíduo, quando adulto, produzirá seu líquido seminal. Uma parte das partículas presente nesse líquido terá sido herdada de seus pais e outra será produzida por pangênese. Entre as partículas herdadas poderão estar aquelas dos ancestrais, ou seja, as normais. Porém, como esse indivíduo também possui um órgão ou parte corporal alterada, produzirá partículas seminais correspondentes igualmente alteradas (sempre em relação aos indivíduos ancestrais que ainda não tinham adquirido a alteração).

As considerações acima podem explicar o nascimento dos primeiros indivíduos modificados por hereditariedade não adquirida. A fixação da variação que esses primeiros organismos apresentam, quando da produção de uma nova espécie, dependem do intercruzamento desses indivíduos. Esses intercruzamentos aumentam a quantidade de partículas seminais alteradas entre os organismos pertencentes à linhagem, até que esse traço, outrora dito alterado, passa a ser um traço normal da nova espécie que se forma. Esse aumento é acompanhado de uma diminuição também progressiva das partículas seminais ancestrais para esse traço, aquelas produzidas pelos organismos *antes* da aquisição da modificação acidental. Aqui temos um outro aspecto fundamental da teoria: para Maupertuis, a produção da nova espécie exige que essas partículas ancestrais dissipem-se ou permaneçam em um número tão pequeno que seria preciso um novo acaso para produzir a espécie originária. O retorno da espécie ancestral dentro de uma linhagem que se fixou como uma nova espécie é uma possibilidade aberta na teoria de Maupertuis. Como veremos logo a seguir, o nascimento da criança albina é justamente a ocorrência desse fenômeno.

A explicação para o nascimento da criança negra albina e a origem das raças humanas branca e negra

A explicação para o nascimento da criança negra albina é apresentada antes das considerações que fizemos acima, mas seria difícil compreendê-las sem tais considerações: "O acaso ou a escassez de traços de família produzirão às vezes outras reuniões: e veremos nascer de pais negros uma criança branca ou mesmo talvez um negro de parentes brancos; embora esse último fenômeno seja muito mais raro que o outro" (O2, p. 121-2).

Para que essa criança branca tenha nascido, seus pais negros devem ter-lhe transmitido partículas seminais brancas. Como vimos, a única possibilidade de isso ocorrer é terem seus pais retido partículas ancestrais no sêmen ao longo das gerações. Essas partículas ancestrais, portanto, foram produzidas por um organismo também ancestral, cuja pele era obrigatoriamente branca. Isso já nos dá uma indicação de que, para Maupertuis, a raça humana primordial é a branca e que a partir dela originou-se a raça negra. Mas isso necessita ainda de outras explicações, pois nada impede que o contrário tivesse acontecido.

Voltando à criança negra albina, seu caráter cor branca da pele é a expressão de partículas seminais herdadas e, portanto, não é um caráter adquirido, mas sim um fenômeno hereditário. Ele se expressa, como Maupertuis disse acima, devido a um novo *acaso* ou à escassez de traços de família: no primeiro caso, algum evento fortuito fará com que as partículas brancas ancestrais, mesmo em diminuta quantidade, entrem na formação do embrião conferindo-lhe a coloração branca na pele; no segundo caso, a criança poderá herdar de seus pais negros poucas partículas negras (traço típico da família, mas escasso), o que pode igualmente garantir a expressão das partículas brancas ancestrais. Essa escassez do traço familiar poderia ser explicada por algum defeito na produção pangenética de partículas, seja nos próprios pais da criança, em parentes mais distantes ou em ambos.

Notemos que no interior da teoria de Maupertuis há dois efeitos distintos do acaso: aquele que produz uma variação pela primeira vez em um organismo e aquele que *manifesta* essa variação. São sempre acidentes que produzem indivíduos fortuitos, mas no primeiro caso trata-se de um acidente adquirido e no segundo trata-se da manifestação hereditária desse acidente adquirido.

Se parece-nos estranho que um traço tão marcante como a coloração completa da pele humana possa variar de maneira tão sensível em função de alterações aparentemente bem pequenas nas partes seminais correspondentes, Maupertuis apresenta casos semelhantes entre os animais:

> A cor negra é tão inerente aos corvos e aos melros quanto o é aos Negros; entretanto, eu vi várias vezes melros e corvos brancos. E essas variedades formariam verdadeiramente espécies se as cultivássemos [...] é muito provável que a diferença entre o branco e o negro, tão sensível aos nossos olhos, seja pouca coisa para a natureza. Uma leve alteração na pele do cavalo mais negro aí faz crescer pelos brancos, sem nenhuma passagem pelas cores intermediárias (O2, p. 118-9).

As modificações de cor são, também aqui, modificações em um órgão corporal; para que elas tenham significado hereditário, essas modificações deverão ser incorporadas às partes seminais. Maupertuis refere-se novamente à grande diferença entre o quão evidente é uma alteração para nós e o quão difícil ela é de ser produzida pela natureza.

Voltando à questão da origem das raças branca e negra, vemos que o fundamento da explicação de Maupertuis desse fenômeno geral está no fenômeno particular do nascimento da criança albina:

> Desses nascimentos súbitos de crianças brancas entre os povos negros poderíamos talvez concluir que o branco é a cor primitiva dos homens e que o negro é apenas uma variedade que tornou-se hereditária após vários séculos, mas que não apagou inteiramente a cor branca, que tende sempre a reaparecer; pois não vemos acontecer o fenômenos oposto; não vemos nascer de ancestrais brancos crianças negras (O2, p. 125).

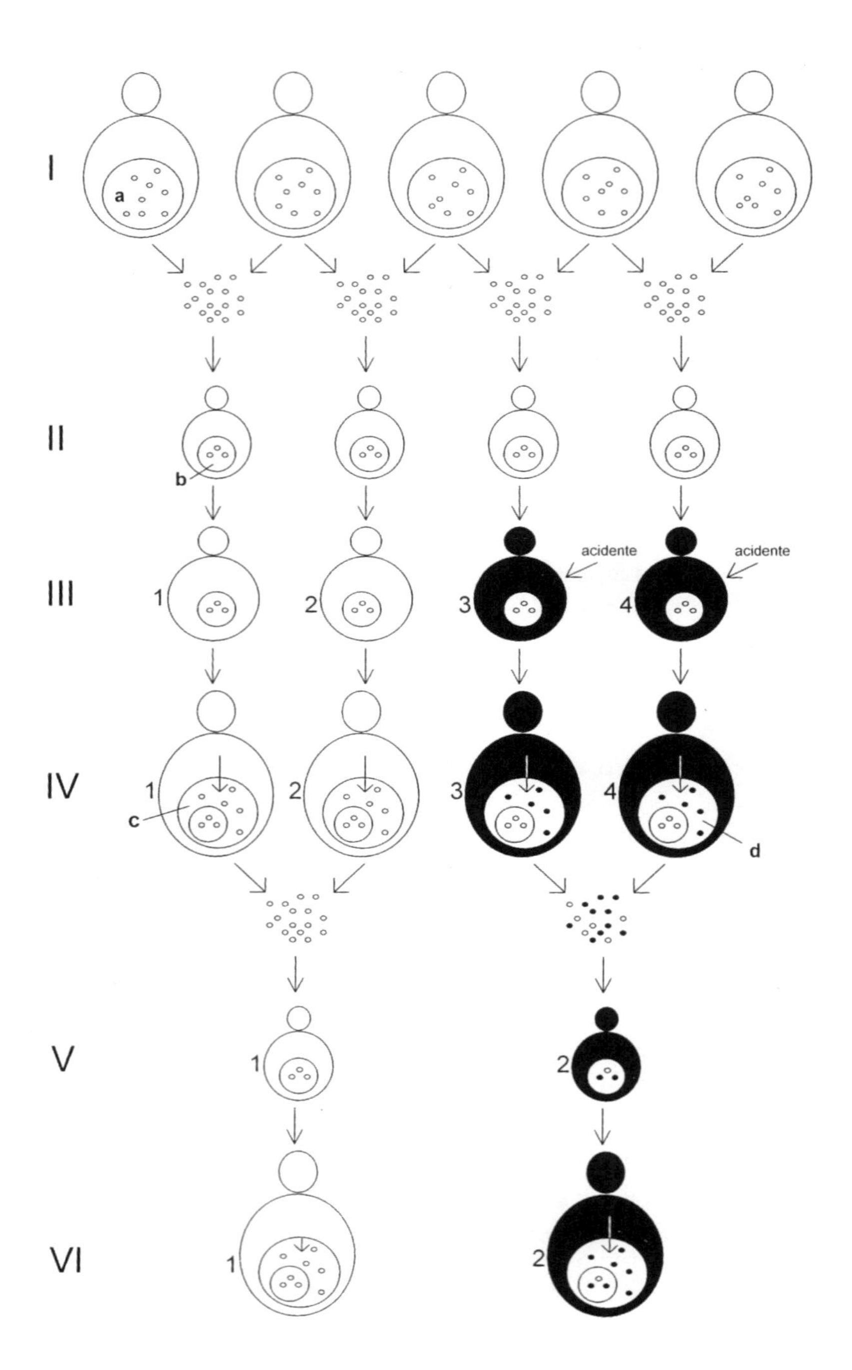
I
a
II
b
III
1
2
3
4
acidente
acidente
IV
1
2
3
4
c
d
V
1
2
VI
1
2

A explicação é bastante clara e consistente com o que vimos até aqui. A figura 11 ilustra a origem da raça negra a partir da branca, considerando todos os elementos da teoria desenvolvida por Maupertuis.

A criança albina é um retorno da cor ancestral após várias gerações, conforme podemos ver representado na figura 12.

Essas explicações são inteiramente plausíveis dentro do modelo apresentado por Maupertuis, mas elas não eliminam, como reconhece o autor, a possibilidade de as coisas terem ocorrido exatamente ao contrário, ou seja, de que a raça negra seja a ancestral e que a branca seja uma variedade inicialmente acidental que se fixou ao longo do tempo. Mas para que essa possibilidade tenha a mesma base empírica que a primeira, é necessário que crianças negras nasçam de pais brancos. É a cor ancestral que ten-

Figura 11. Esquema representando a produção da raça negra a partir da raça branca conforme o mecanismo genético proposto por Maupertuis. Em I estão representados cinco indivíduos brancos que se intercruzam produzindo quatro descendentes. As partículas seminais produzidas pangeneticamente por esses indivíduos (a) são todas brancas, ou seja, análogas em relação à coloração da pele. A mistura das partículas que formarão os embriões incluem, portanto, apenas partículas brancas. Os quatro indivíduos formados a partir dessas misturas representados em II são todos igualmente brancos na fase embrionária; em (b) estão representadas as partículas que não entraram na formação do embrião e que permaneceram no estado seminal já no embrião. A seguir, em III, os indivíduos já nascidos e algo crescidos encontram-se ainda em fase jovem e, portanto, não produziram ainda novas partes seminais por pangênese. Hipoteticamente, os indivíduos 3 e 4 sofrem um acidente qualquer que altera a cor da pele para o negro. Temos, portanto, dois indivíduos que adquiriram a coloração negra da pele, mas que possuem partículas seminais brancas que foram adquiridas hereditariamente. Em IV os indivíduos passam a produzir suas partículas seminais; os indivíduos 3 e 4 incorporam, então, partículas negras ao sêmen. Esses dois indivíduos intercruzam-se e produzem um embrião (V-2) que, dada a maior quantidade de partículas seminais negras disponível na mistura dos dois semens, terá a pele negra. Esse indivíduo será o primeiro a adquirir hereditariamente a coloração da pele que, transmitida regularmente às gerações futuras, constitui e fixa a raça negra. Na fase adulta (VI-2) ele produzirá mais partículas seminais negras, mas poderá sempre reter nas partes supérfluas do sêmen (aquelas que não entram na composição do embrião) partículas seminais brancas oriundas de ancestrais mais distantes. Tais partículas, como vemos na figura 12, são responsáveis pelo fenômeno do retorno da cor ancestral.

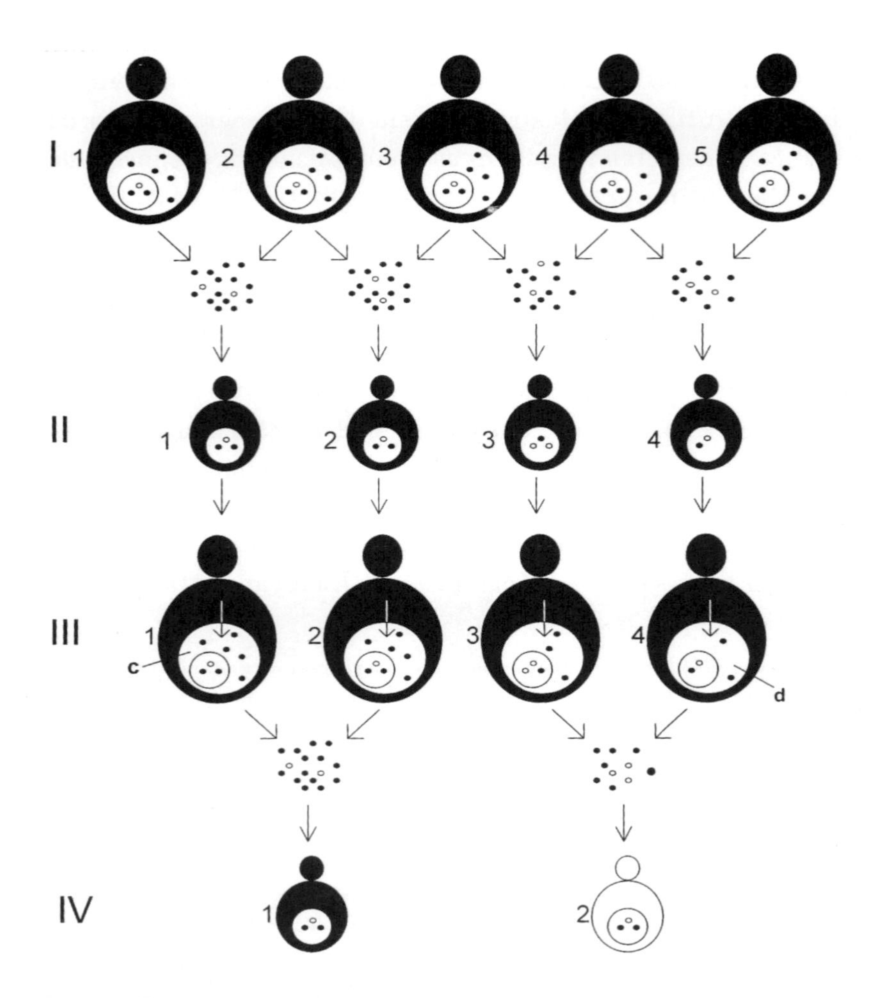

Figura 12. Esquema representativo do nascimento do negro branco que, segundo a teoria elaborada por Maupertuis, constitui o retorno da cor ancestral humana no interior de uma família de indivíduos negros. No caso aqui ilustrado, o processo conta com uma redução progressiva da quantidade de partículas seminais negras (carência de traços de família, nos termos de Maupertuis), que se inicia com os indivíduos I-4 e I-5. O acúmulo dessa redução determina um aumento das partículas seminais brancas (oriundas de ancestrais mais remotos) em relação às partículas negras. Um acidente ocorrido entre as partes seminais poderá levar à expressão das partes seminais brancas ao invés das negras, como ocorreu com os indivíduos III-3 e III-4. Eles, negros, geraram o indivíduo IV-2, branco. Trata-se do fenômeno de retorno da cor ancestral analisado por Maupertuis e, assim, o indivíduo IV-2 pode representar, nesse esquema, o negro albino tratado no texto.

de sempre a reaparecer. Maupertuis garante sua explicação argumentando sobre a raridade desse último nascimento.

Não há registro de nascimento de crianças negras nas famílias brancas. Maupertuis menciona um caso que teria ocorrido na França, mas que é "tão destituído de provas suficientes que nele não podemos acreditar razoavelmente" (O2, p. 125); se isso tivesse realmente acontecido, seria muito difícil ocultá-lo:

> todos aqueles que viram nascer crianças negras sabem que elas não nascem muito negras e que no início de sua vida teríamos dificuldade em distingui-las das outras crianças. Assim, quando em uma família branca nascesse uma criança negra, permaneceria certo tempo incerto que ela o fosse: não pensaríamos inicialmente em escondê-la e não poderíamos escapar, ao menos nos primeiros meses de sua existência, da notoriedade pública, nem esconder em seguida o que ela teria se tornado (O2, p. 126).

A essas considerações, Maupertuis acrescenta:

> Se nascem crianças brancas entre os povos negros, se esses fenômenos não são mesmo muito raros entre os povos pouco numerosos da África e da América, quão mais frequente não deveriam nascer Negros entre os inumeráveis povos da Europa se a Natureza ocasionasse tão facilmente tanto um quanto outro desses acasos? [...] Parece-me, pois, demonstrado que se nascem negros de pais brancos, esses nascimentos são incomparavelmente mais raros que os nascimentos de crianças brancas de pais negros (O2, p. 127-8).

Essa maior raridade dos nascimentos de crianças negras de pais brancos é, como dissemos, a principal base empírica para Maupertuis considerar a raça branca como a ancestral.

Maupertuis completa sua explicação com uma conjectura sobre o mecanismo de seleção que teria isolado as raças negra e branca: "tendo [os Negros, bem como outras formas humanas inicialmente diferentes] nascido entre outros homens, o orgulho ou o medo teriam colocado contra eles a maior parte do gênero humano; e a espécie mais numerosa teria relegado essas raças disformes aos climas menos habitáveis da Terra" (O2, p. 130). Pelo mesmo processo, raças de anões e de gigantes teriam sido isoladas de suas raças ancestrais: "Os Anões teriam retirado-se na direção do polo ártico; os Gigantes teriam habitado as terras de Magalhães; os Negros teriam povoado a zona tórrida" (O2, p. 130). Um processo de seleção racial teria garantido o isolamento reprodutivo das novas formas humanas que, com o passar do tempo, formariam as populações existentes em regiões distintas do planeta.

Uma última questão, levantada logo no início desta seção, pode ser agora retomada nos seguintes termos: como originou-se a própria raça branca? A resposta de Maupertuis não é direta, mas ela pode ser facilmente inferida no que se segue:

> Essa dificudade sobre a origem dos Negros tanto debatida e que algumas pessoas quiseram fazer valer contra a história do Gênese, que nos ensina que todos os povos da Terra saíram de um único pai e de uma única mãe; essa dificuldade é eliminada se admitirmos um sistema que é ao menos tão verossímil quanto tudo o que até aqui se imaginou para explicar a geração (O2, p. 128).

Maupertuis aceita a criação especial de uma raça humana prototípica, da qual surgiram, direta ou indiretamente, todas as demais raças; fica evidente a partir do que foi exposto que essa raça é a branca.

A introdução das qualidades psíquicas na teoria da geração: dúvidas e questões

No último capítulo do *Vênus física*, *Conclusão desta obra: dúvidas e questões*, Maupertuis faz uma rápida avaliação de sua teoria e formula um conjunto de questões que aponta para o rumo futuro de suas conjecturas sobre o tema.

Primeiramente, o autor chama a atenção para o caráter hipotético e conjectural da teoria apresentada e afirma não estar completamente satisfeito com o esboço de sistema que ofereceu e para o qual dá apenas o "grau de assentimento que ele merece" (O2, p. 130-1). Essa insatisfação traduz-se em problemas que, segundo o autor, devem ser primeiramente resolvidos se quisermos "descobrir alguma coisa sobre uma matéria tão obscura" (O2, p. 131).

A primeira questão apresentada sugere que o comportamento instintivo dos animais poderia ser exibido por suas partes materiais:

> Esse instinto dos animais, que os faz procurar o que lhes convém e fugir do que os prejudica, não pertence às menores partes das quais o animal é formado? Esse instinto, embora disperso nas partes das sementes e menos forte em cada uma delas do que no animal todo, não bastaria para fazer as uniões necessárias entre essas partes? (O2, p. 131).

Maupertuis lança aqui a hipótese que fundamentará a versão final de sua teoria da geração, desenvolvida em 1751 no *Sistema da natureza*: a agregação e a orientação das partes seminais necessárias à formação do embrião podem ser explicadas apenas por intermédio de uma propriedade psíquica associada à matéria em geral. Agindo globalmente no organismo, o instinto orienta seus movimentos em uma direção que lhe é conveniente. Os animais possuem um comportamento dirigido para um fim que não se explica mecanicamente:

> vemos que, nos animais completamente formados, ele [o instinto] move seus membros. Pois quando dissermos que é por uma mecânica inteligível que esses movimentos ocorrem, quando os tivermos explicado todos pela tensão e pelo relaxamento que a afluência ou a ausência dos espíritos ou do sangue causam aos músculos, será sempre preciso retornar ao próprio movimento dos espíritos e do sangue que obedece à vontade (O2, p. 131-2).

Do que acompanhamos até aqui em nossa análise do *Vênus física*, podemos afirmar que ela não foi outra coisa senão uma explicação mecânica da geração, cujos processos básicos estão sob o controle de leis naturais associadas à força de atração e às afinidades químicas. Essas explicações são diferentes daquelas apresentadas por Descartes, mas não nos parece que elas incluam uma ruptura com o modelo mecanicista. Contudo, o autor afirma que a vontade é a causa inicial da fisiologia do movimento animal e, sugere a conjectura, também do movimento das partes gerativas; isso implicaria, no mínimo, um afastamento do mecanicismo newtoniado[7] como fundamento de sua teoria da geração. Mas há outros modelos que, talvez, possam integrar a vontade a uma explicação mecânica da fisiologia e da geração:

---

7 Apesar de alguns newtonianos terem formulado explicações fisiológicas vitalistas ou quase vitalistas, Newton deixou em sua obra elementos para o desenvolvimento de uma fisiologia mecanicista, fundada na atração material a curta distância; em suas explicações teria havido apenas uma mudança de ênfase, passando da atração entre partículas imutáveis para a atração entre fluidos relacionados ao éter amorfo (cf. Guerrini, 1985).

> E se a vontade não é a verdadeira causa desses movimentos, mas simplesmente uma causa ocasional, não poderíamos pensar que o instinto seria uma causa semelhante dos movimentos e das uniões das pequenas partes da matéria? Ou que em virtude de alguma harmonia preestabelecida esses movimentos estariam sempre de acordo com as vontades? (O2, p. 132).

Maupertuis apenas lança as questões; posteriormente nenhuma dessas possibilidades será efetivamente utilizada como alternativa ao mecanicismo newtoniano. No *Sistema* pode-se encontrar elementos da monadologia de Leibniz, mas não há qualquer referência à harmonia preestabelecida nem ao ocasionalismo de Malebranche. Na verdade, Maupertuis não fundamenta plenamente sua teoria da geração em quaisquer sistemas metafísicos disponíveis.

Outra questão que o autor examina refere-se à distribuição do instinto e da vontade na estrutura orgânica. Valendo-se de uma analogia com a distribuição do poder ou do governo no estado civil, o instinto e a vontade poderiam estar restritos a alguma parte especial do animal – como em um Estado monárquico – ou estar distribuído por todas as partes – como em uma república. No primeiro caso, a parte especial que contém o instinto, conjectura o autor, "não seria o que constitui propriamente a essência do animal, enquanto as outras seriam apenas envelopes ou espécies de vestimentas?" (O2, p. 132). Encontramos essa noção claramente desenvolvida em Leibniz (cf. 1997, p. 144-6), para quem o verdadeiro animal, aquele que contém sua essência, é uma parte específica do todo orgânico, indestrutível com a morte e inegendrável pelos processos naturais. São mais ou menos essas propriedades que Maupertuis atribui a essa parte essencial do animal:

> Na morte, essa parte não sobreviveria?; e livre de todas as outras não conservaria sua essência inalterável?; sempre pronta a produzir um animal ou, melhor dizendo, [sempre pronta] a reaparecer revestida de um novo corpo; após ter sido dissipada no ar ou na água, escondida nas folhas das plantas ou na carne dos animais, se reencontraria ela no interior da semente de um animal que ele deveria reproduzir? (O2, p. 131).

Essa explicação combina elementos preformistas, tal como Leibniz incorporou em seu sistema, bem como elementos de uma teoria *panspermista*. Maupertuis também não irá aderir a essas interpretações; ao contrário, optará, segundo a analogia acima, pelo modelo semelhante à república, no qual os atributos psíquicos estão distribuídos por todas as partes corporais.

Por fim, coloca uma questão que abre outra perspectiva fundamental desenvolvida no *Sistema*: "Essa parte não poderia jamais reproduzir senão um animal da mesma espécie? Ou não poderia ela produzir todas as espécies possíveis, apenas através da diversidade de combinações de partes que a ela se uniriam?" (O2, p. 133).

As transformações ocorridas em um único organismo, ou pelo menos em sua parte essencial, podem originar todas as espécies possíveis; no *Sistema*, essas condições de possibilidade serão traduzidas em processos empíricos. As espécies poderão transformar-se não pela agregação diversa de partes secundárias a uma parte principal, mas por novas combinações de elementos materiais que possuem todos uma mesma importância da geração do embrião. O processo de produção de novas espécies, presente de maneira mais ou menos restrita no *Vênus física*, será ampliado a ponto de, talvez, originar grupos de espécies muito maiores: todos os animais que se reproduzem sexuadamente poderão, em princípio, surgir a partir de um único casal.

Capítulo 14

A versão final da teoria da geração de Maupertuis: o *Sistema da natureza*

O principal texto que analisaremos nos próximos quatro capítulos é a *Dissertação metafísica inaugural para a obtenção de grau de doutor,* que Maupertuis publicou pela primeira vez sob o pseudônimo de Dr. Baumann em 1751. A obra contém a forma definitiva da teoria da geração elaborada pelo autor e recebeu, em 1756, o título final de *Sistema da natureza.*[1] No estudo da obra também utilizaremos outros textos publicados pelo autor mais ou menos na mesma época, que aprofundam alguns pontos particulares tratados no *Sistema*: o *Ensaio de cosmologia* (1750) e as *Cartas* (1752), em especial a *Carta* XIV. *Sobre a geração dos animais*.

Em 1746, um ano após a primeira edição do *Vênus física*, Maupertuis já está instalado como presidente da *Académie de Sciences de Berlin*, cargo que mantém até sua morte em 1759. Nesse período, Maupertuis diversifica bastante os temas de seus estudos, conferindo-lhes um caráter filosófico mais acentuado. Tonelli esclarece que a *Académie de Berlin* era "a única que, na época, tinha uma classe de filosofia" e "Maupertuis encontrar-se-á portanto na cabeça de uma academia particularmente 'filosófica' – seja que ele próprio desejou dar-lhe este caráter, seja que ele cedeu aos desejos do monarca [Frederico II]. O presidente deveria ser ele próprio um filósofo e Maupertuis vê-se obrigado a desenvolver talentos filosóficos" (Tonelli, 1987, p. 3). Seria difícil jul-

1 É essa edição que aparece reproduzida nas *Oeuvres* de 1768 que estamos utilizando. Em 1754 a obra foi ainda publicada como *Essai sur la formation des corps organisée* (*Ensaio sobre a formação dos corpos organizados*).

gar até que ponto o *Système de la nature* foi influenciado por esse aprofundamento nas questões filosóficas, mais claramente presente em outros textos como o *Essai de philosophie morale* (*Ensaio de filosofia moral*). Mas, certamente, temas de caráter filosófico já presentes em seus estudos em Física reaparecem no *Sistema* e são de grande importância para a elaboração da teoria da geração.

Foi também em Berlim que Maupertuis desenvolveu investigações de caráter empírico no domínio da geração dos organismos. A esse respeito, Samuel Formey, secretário da *Académie de Berlin*, dá o seguinte relato:

> A casa de M. de Maupertuis era um verdadeiro zoológico, pleno de animais de todas as espécies, que aí não conservavam a limpeza. Nos apartamentos [havia] tropas de cães e de gatos, papagaios, periquitos etc. Ele trouxe certa vez de Hamburgo um carregamento de galinhas raras com seu galo. Era perigoso passar às vezes por dentre a maioria desses animais, pelos quais se era atacado... M. de Maupertuis se divertia sobretudo em criar novas espécies pelo acasalamento de diferentes raças; e ele mostrava com prazer os produtos de seus acasalamentos, que participavam das qualidades dos machos e das fêmeas que os havia engendrado (Formey *apud* Glass, 1947, p. 205).

Na *Carta* XIV, Maupertuis apresenta os resultados de alguns de seus cruzamentos com cães. Mas, mais importante, é o estudo nela apresentado sobre a herança da hexadactilia entre os habitantes de Berlim, do qual trataremos oportunamente.

Ainda em 1746 aparece o *As leis do movimento e do repouso deduzidas de um princípio metafísico*, no qual Maupertuis apresenta a prova científica da existência de Deus baseada nas leis gerais da natureza que discutimos no capítulo 3. Na ocasião informamos que essa prova era precedida por críticas a outras provas da existência de Deus a partir das maravilhas da natureza e que nelas compareciam referências à organização e à origem dos corpos vivos. Nos próximos capítulos trataremos dessas questões, cujo significado pode agora ser entendido à luz dos problemas presentes no *Sistema*. Boa parte do texto do *As leis do movimento* aparece de forma reorganizada no *Ensaio de cosmologia*, juntamente com novos desenvolvimentos.

Por volta de agosto de 1750 Maupertuis leu o *Nouvelles observations microscopiques (Novas observações microscópicas)* de Joseph Needham (1713-1781). A obra causou grande impacto em Maupertuis e, segundo Beeson (cf. 1992, p. 208), ela teria inspirado o autor a retomar suas reflexões e estudos sobre a geração dos organismos como, de fato, sugere a carta a La Condamine de 24 de agosto de 1750:

> Lestes o livro de Needham? Onde estamos? Que novo universo! É lamentável que um homem que observe tão bem raciocine tão mal! Após a leitura de seu livro, tive o espírito tão aturdido com todas as ideias que ele me apresentou que foi preciso deitar-me, como que doente; e eu ainda não estou tão bem curado da confusão em que esta leitura me colocou. Quando esse tumulto estiver um pouco mais mitigado espero retomar o fio de algumas meditações sobre o assunto que iniciei há algum tempo e ver se é possível descobrir alguma coisa de razoável (Maupertuis, 1750, 125B).

Apesar dessa reação, Maupertuis não entrará posteriormente em muitos detalhes sobre as observações específicas de Needham, mas o fará em relação às observações de Buffon, publicadas em 1749 no segundo volume da *Histoire naturelle* (*História natural*). No *Vênus física*, a análise da variedade pela qual os organismos se reproduzem já indicava uma intenção do autor em buscar um mecanismo gerativo único, mas muitos processos importantes ficaram sem explicação, tais como a reprodução vegetativa, a partenogênese e, sobretudo, a geração espontânea. Ao ler as observações relatadas por Buffon e Needham, Maupertuis conheceu uma diversidade ainda maior de processos e estruturas envolvidos na geração dos animais. Esse novo universo será investigado teoricamente (ou filosoficamente) e o resultado será uma teoria que pretende explicar todos os fenômenos da geração a partir de um princípio geral. Aproximadamente um ano após a publicação do *Sistema*, Maupertuis escreve na *Lettre sur le progrès des sciences* (*Carta sobre o progresso das ciências*):

> Alguns Naturalistas modernos [...] deram-nos descrições mais exatas e colocaram as classes dos animais em uma ordem melhor. Assim, não é isso que falta atualmente à História natural: e quando isso nela faltasse, não seria o que eu mais desejaria que lhe fosse suprido. Todos esses tratados sobre os animais que havemos, mesmo os mais metódicos, são apenas quadros agradáveis à vista: para fazer da História natural uma verdadeira Ciência, seria preciso que nos aplicássemos a pesquisas que nos fizessem conhecer, não a figura particular deste ou daquele animal, mas os processos gerais da Natureza em sua produção e sua conservação (O2, p. 418).

O *Sistema* revela quais são esses *processos gerais* da produção e da conservação dos animais, traduzidos em um princípio gerativo fundamental que não se aplicará apenas aos animais, mas a todos os corpos organizados. Assim, para Maupertuis, sua obra final pode ser considerada como uma contribuição à História natural científica que, antes de se ocupar com minúcias da morfologia e da anatomia,[2] deve buscar por princípios gerais.

---

2 Apesar dessa crítica, Maupertuis reafirma a importância das observações de Buffon e Needham na mesma *Lettre* anteriormente citada: "As observações de M. de Buffon e de M. Needham revelaram-nos uma nova Natureza; e parecem colocar-nos no direito de es-

No *Vênus física* Maupertuis rejeitou o sistema dos desenvolvimentos e a teoria de Descartes, adotando a força de atração e as afinidades químicas como agentes fundamentais da geração. No *Sistema*, o autor critica o uso dessas forças e inclui como nova entidade organizadora associada às partes seminais uma forma elementar de percepção e inteligência. Em relação à *Vênus física*, essa substituição modificou certos elementos da teoria, mas não interferiu em outros. Assim, centraremos nossa discussão mais nos novos problemas colocados pelo *Sistema*.

O texto se inicia com uma retrospectiva crítica à aplicação dos sistemas mecânicos na explicação da geração dos organismos, introduzindo uma breve descrição das sucessivas generalizações ocorridas nessa ciência para explicar os fenômenos naturais:

> Alguns filósofos acreditaram que com a *matéria* e o *movimento* podiam explicar toda a Natureza: e para tornar a coisa ainda mais simples, advertiram que por matéria entendiam apenas a *extensão*. Outros, sentindo a insuficiência dessa simplicidade, acreditaram que seria preciso acrescentar à extensão a *impenetrabilidade*, a *mobilidade*, a *inércia*; e enfim chegaram até a *atração* (O2, p. 140).

A sucessiva introdução dessas propriedades pode explicar campos fenomênicos cada vez mais amplos, mas, diz Maupertuis, "se examinarmos bem as coisas [...] elas não são ainda suficientes para explicar muitos outros [fenômenos]" (O2, p. 140). Para o autor, a atração proposta por Newton como lei universal,

perar por novas maravilhas. Elas são tão curiosas e tão importantes que, embora a experiência tenha mostrado que elas não estão além das possibilidades dos particulares, elas merecem ser encorajadas pelo Governo; que a elas se apliquem vários observadores; que a eles se distribuam diferentes matérias para observar; que se proponha um prêmio para o óptico que tenha fornecido o melhor microscópio" (O2, p. 422).

que explica satisfatoriamente o movimento dos astros, não explica os movimentos associados às transformações químicas. Para tanto é preciso "supor atrações que sigam outras leis" (O2, p. 141) que, como já discutimos no capítulo 12, estão associadas às afinidades químicas de Geoffroy. No *Vênus física* essas atrações múltiplas aparecem não apenas como princípio fundamental para explicar a formação dos corpos químicos mas, também, para explicar a geração dos organismos. No *Sistema*, Maupertuis muda de opinião: "Mas com essas mesmas atrações, a menos que se suponha, por assim dizer, que haja tantas [atrações] quantas partes diferentes no interior da matéria, estamos ainda bem longe de explicar a formação de uma planta ou de um animal" (O2, p. 141).

A persistência no uso das afinidades para explicar a geração de corpos mais complexos implicaria problemas teóricos que, provavelmente, Maupertuis tenha percebido. Embora o autor não dê muitos detalhes, podemos supor que a complexidade dos corpos vivos o fez recuar na aplicação dos princípios elementares da química das afinidades para explicar a geração desses corpos. Comparativamente aos cristais (corpos organizados brutos), as formas orgânicas vivas possuem uma estrutura muito mais complexa que se evidencia, mesmo em um exame anatômico simples, na imensa heterogeneidade de suas partes. Ao microscópico, essa complexidade é multiplicada e percebida em níveis ainda menores. Muito provavelmente Maupertuis disso apercebeu-se com mais clareza com a leitura do *Novas observações microscópicas* de Needham e da *Histoire des animaux* (*História dos animais*) de Buffon, que apresentam uma grande diversidade de novas estruturas associadas ao processo de geração dos animais e dos vegetais. Assim, insistir na aplicação das afinidades químicas para explicar a organização de todas as distintas partes que constituem os organismos vivos exigiria, no limite, postular uma afinidade particular para cada parte orgânica identificada. Cada nova descoberta sobre a estrutura fina dos organismos exigiria, em princípio, a postulação de novas afinidades. Se a tabela construída por Geoffroy para as afinidades químicas poderia dar conta dos fenômenos químicos ordinários, explicar a produção dos corpos orgânicos complexos poderia exigir um número crescente de afinidades correspondentes às diversas partes que as observações revelassem existir nos seres vivos. No limite, teríamos que supor, como disse Maupertuis, tantas atrações quantas partes diferentes existissem no interior da matéria.

Também teríamos como resultado teórico indesejável desse procedimento o possível abandono da busca de um princípio único ou lei geral para a produção de todos dos corpos organizados que constitui a meta central do *Sistema*. Além disso, postular e associar uma nova afinidade para cada nova estrutura, parte ou elemento orgânico reconhecido seria, metodologicamente, muito semelhante a utilizar as qualidades ou virtudes ocultas para explicar os efeitos vitais.

Retomar a atração universal, expressa em sua lei geral e única, também não leva à explicação dos fenômenos da geração, pois, diz Maupertuis:

> Uma atração uniforme e cega espalhada em todas as partes da matéria não poderia servir para explicar como essas partes arranjam-se para formar os corpos cuja organização é a mais simples. Se todas têm a mesma tendência, a mesma força para unirem-se umas com as outras, por que estas vão formar o olho e aquelas a orelha? Por que esse arranjo maravilhoso? E porque todas elas não se unem confusamente? (O2, p. 147).

O principal problema da organização dos corpos dentro de uma concepção atomista é aqui expresso em toda a sua clareza: o que garante a diretividade do movimento das partículas ou dos átomos gerativos necessária à formação de um corpo orgânico? Se a seletividade das afinidades químicas foi abandonada, é necessário postular um novo agente organizador. Maupertuis concebe esse novo agente como um princípio inteligente:

> Se quisermos ainda dizer sobre isso [a geração dos seres vivos] alguma coisa concebível, ainda que o concebamos apenas sob alguma analogia, é preciso recorrer a algum princípio de inteligência, a alguma coisa parecida com aquilo que em nós chamamos *desejo*, *aversão*, *memória* (O2, p. 147).

Esse princípio de inteligência será a nova fundamentação de todas as explicações sobre a geração dos corpos organizados na teoria de Maupertuis. Associados às partes seminais, o desejo e a aversão estabelecerão as necessárias preferências que essas partes deverão exibir ao combinarem-se para a adequada estruturação do embrião. A memória terá um papel ligado à hereditariedade: a posição correta que cada parte ocupa no todo orgânico pode ser retomada ou reencontrada quantas vezes forem necessárias graças à lembrança que a partícula guarda da posição ocupada no organismo ao longo das gerações.

Com essa nova associação Maupertuis acredita que "Todas as dificuldades insuperáveis nos outros sistemas desaparecem" (O2, p. 158). A teoria pode agora explicar tanto os processos ordinários de reprodução (sexuados) como aqueles deixados por explicar no *Vênus física*, a saber, a geração espontânea, a partenogênese e a reprodução vegetativa a partir de fragmentos corporais. Nas duas versões, a teoria pode ser aplicada tanto à geração individual dos organismos como à geração de grupos de organismos ligados por laços de descendência, incluídas as modificações que levam à produção e à fixação de novas formas ou espécies. Contudo, é apenas no *Sistema* que aparece uma tentativa explícita de resposta ao problema da *primeira origem* dos organismos e das espécies. Por fim, essa resposta vem associada a um outro resultado original, a saber, a aplicação do mecanismo gerativo aos corpos organizados não vivos, os minerais. Maupertuis obtém, portanto, o resultado que vinha buscando desde 1744: um princípio ou mecanismo geral da geração dos corpos aplicável a todos os fenômenos e formas de geração conhecidos.

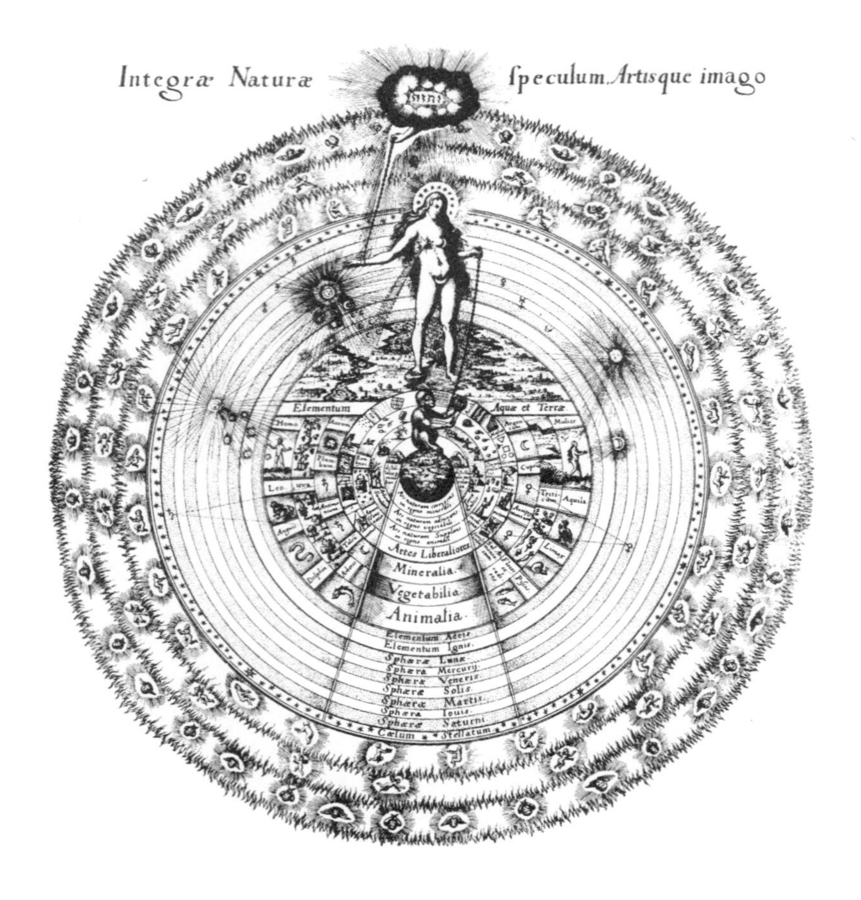

Figura que aparece no *Utriusque cosmi maioris scilicet et minoris metaphysica, physica atque technica historia...* **(1617) de Robert Fludd (1534-1637). Nesta representação, de inspiração neoplatônica do cosmo, a figura feminina representa a** *alma do mundo*, **entidade espiritual cuja atividade confere vida ao mundo e a todos os seus seres. Os platônicos de Cambridge do século XVII postularam uma entidade análoga, a** *natureza plástica* **responsável pela produção dos processos naturais mais complexos, como a geração orgânica. O cartesianismo eliminou tais entidades, mas manteve um substancialismo anímico no homem. No interior de um ambiente dominado pela mecânica newtoniana, Maupertuis atribui propriedades psíquicas à matéria sem retornar ao animismo renascentista ou ao substancialismo de Descartes. Godwin, J.** *Robert Fludd: hermetic philosopher and surveyor of two worlds.* **Londres: Thames and Hudson, 1979. p. 23.**

Capítulo 15

A percepção como propriedade da matéria

O princípio inteligente proposto vem associado diretamente às partículas seminais e, assim, à própria matéria. Desse modo, a atribuição de propriedades psíquicas e materiais a um mesmo sujeito envolve a conjectura de Maupertuis no problema da coexistência das substâncias extensa e pensante. O autor formula e responde a possíveis objeções que seriam sustentadas com base nesse problema: "Já ouço murmurar todos aqueles que tomam com um zelo piedoso a perseverança em seu sentimento ou a dificuldade que têm em receber novas ideias. Dirão que tudo é perdido se admitirmos o pensamento na matéria" (O2, p. 147). É a Descartes e aos cartesianos que Maupertuis irá fundamentalmente responder, mas, em sua argumentação, separa os problemas que julga ligados à Teologia e à Religião daqueles mais diretamente vinculados à Filosofia.

A primeira questão enfrentada diz respeito à alma dos animais. Maupertuis primeiro argumenta, contra o cartesianismo, pela existência de algum grau de inteligência nos animais. Feito isso, passa a atribuir a existência dessa mesma propriedade às suas partes elementares.

Para o autor, aqueles que acreditaram que os animais são puras máquinas não pensantes, se o creem de fato, talvez o façam porque a Religião os obrigue a isso, proibindo a admissão de algum grau de pensamento nos animais. Esse ponto é mais desenvolvido na *Lettre* v. *Sur l'ame des bêtes* (*Carta* v. *Sobre a alma dos animais*), onde Maupertuis afirma que:

> Descartes acreditou que conhecia toda a natureza da alma e a definiu como um ser *pensante, indivisível e imortal*: admitir uma

> tal alma nos animais parecia-lhe fazê-los participar da eternidade, dos castigos que o homem é ameaçado após a morte e às recompensas que lhes são prometidas. Descartes, temendo tais consequências, determinou-se privar de alma os animais e reduzi-los a puras máquinas. Com efeito, não é preciso acreditar que ele as privou apenas das operações que chamamos intelectuais: ele tirou-lhes toda percepção e todo sentimento. O sentimento mais grosseiro ou mais confuso não mais podia pertencer a autômatos do que a mais sublime ideia (O2, p. 242-3).

Mas essa precaução teve, segundo Maupertuis, o efeito contrário: "se admitíssemos um tal mecanismo para a causa de todas as ações dos animais, poderíamos também sustentar que ele bastasse para os homens e que os animais, não tendo alma, os homens também poderiam não a ter" (O2, p. 243). Além disso, os Teólogos sempre aceitaram algum grau de inteligência nos animais, mesmo que tenham associado tal faculdade a alguma forma de alma sensitiva. Maupertuis enfatiza que não pretende ressuscitar tal noção em seu sistema: "eu não procuro aqui dissimular a coisa pelos termos de *alma sensitiva* ou outras semelhantes". Para ele, separar o pensamento dos demais atributos psíquicos é um erro:

> alguns Filósofos [...] quiseram de tal modo distinguir o pensamento da sensação que eles atribuíram aos animais uma *alma sensitiva*, reservando para os homens a *alma pensante*. Essa distinção é fundada apenas sob as mais confusas ideias. Eles aparentemente consideram a sensação como podendo pertencer aos corpos, como podendo ser apenas o efeito da organização e do movimento de suas partes; mas eles aceitam que o pensamento pode pertencer apenas a uma substância simples e indivisível. A primeira seria destruída pela separação das partes do corpo com a morte: a outra subsistiria inalterável (O2, p. 246-7).

Os atributos psíquicos em conjunto possuem uma certa unidade: "todos aqueles que raciocinam estão de acordo em reduzir o sentimento à percepção, ao pensamento" (O2, p. 148). Ao longo do *Système*, os termos percepção, pensamento e inteligência são utilizados mais ou menos como sinônimos, mas verifica-se que Maupertuis sempre procura relacionar tais atributos à esfera dos fenômenos e à percepção. Tudo leva a crer que, em seu sistema, uma certa forma rudimentar de percepção é considerada como fundamento de todas essas propriedades ou manifestações psíquicas, sem qualquer princípio anímico sustentando-as (exceto no caso das qualidades morais, como teremos oportunidade de discutir).

Feitas essas considerações, Maupertuis conclui que, no que tange à Teologia, não há problema em atribuir algum grau de inteligência aos animais; o mesmo pode ser feito com relação às suas partes:

> Ora, se nos grandes amontoados de matéria, tal como são os corpos dos animais, admitimos sem perigo algum princípio de inteligência, que perigo maior encontraríamos em atribuí-la às menores partes da matéria? [...] O perigo, se ele existisse, seria tão grande em admitir [algum princípio de inteligência] no corpo de um elefante ou de um macaco quanto em admiti-lo em um grão de areia (O2, p. 147).

Se um animal percebe, pensa e sente, sua partes materiais também o fazem. Há uma relação causal entre essas duas formas de pensamento: "Se dissermos que a organização [da matéria] faz a diferença, conceberíamos que a organização, que é apenas um arranjo de partes, não pudesse nunca fazer nascer um pensamento?" (O2, p. 149). As diferenças entre as manifestações psíquicas do todo orgânico em relação às suas partes materiais podem ser atribuídas aos diferentes graus de organização da matéria, do mesmo modo que a sensação, como afirmou acima, pode pertencer aos corpos apenas como o efeito da organização e do movimento de suas partes. É um pensamento rudimentar da matéria que, organizado de certa maneira, determina o pensamento nos organismos.

Essa argumentação não pretende apresentar uma prova empírica da existência das percepções elementares. Para Maupertuis, a existência de qualidades psíquicas pode ser provada apenas pelo acesso individual e subjetivo à percepção e à consciência. A atribuição dessa mesma faculdade às partes elementares da matéria é, antes de tudo, um procedimento útil na explicação dos fenômenos da geração. Maupertuis não irá se ocupar com a elaboração de uma justificativa filosófica para tal atribuição, mas tentará dar uma solução para alguns problemas teóricos muito evidentes que sua conjectura revela.

O primeiro deles diz respeito à causa ou origem das percepções elementares. Transferir a percepção e outras faculdades psíquicas da alma ou dos organismos para a matéria desorganizada não esclarece o problema da origem dessas faculdades. Se, por um lado, podemos remeter às partes materiais os fenômenos psíquicos dos animais, ainda seria necessário explicar o que causa ou como se origina esse pensamento ou percepção elementar na matéria. Maupertuis dá uma resposta bastante clara a essa questão: ao criar o mundo, Deus atribuiu diretamente as propriedades psíquicas aos elementos seminais que formam os organismos. A esse ponto voltaremos oportunamente.

Voltando ao argumento, Maupertuis ainda não respondeu aos filósofos (cartesianos) e passa a fazê-lo logo em seguida:

> Os primeiros que se apresentam são aqueles que querem que seja impossível que o pensamento pertença à matéria. Eles consideram o pensamento como a essência própria da alma e a extensão como a essência própria do corpo: e não encontrando na

> ideia que fazem de alma qualquer propriedade que pertença ao corpo nem na ideia que fazem de corpo qualquer das propriedades que possam convir à alma, acreditam-se fundados para assegurar não apenas a distinção dessas duas substâncias, mas ainda a impossibilidade de que elas possuam algumas propriedades comuns (O2, p. 150-1).

Podemos aqui identificar duas questões em exame: (i) as substâncias extensa e pensante são essências totalmente distintas, e disso segue-se que (ii) é impossível que elas possuam propriedades comuns.

Maupertuis não teria objeções a fazer a esse raciocínio se, de fato, pudéssemos ter certeza de que a extensão é a essência do corpo e o pensamento a essência da alma. Mas, para ele, isso constitui apenas um "julgamento precipitado e feito sobre coisas que não conhecemos o bastante na natureza" (O2, p. 151). Para o autor nada é mais claro do que "a diferença entre a extensão e o pensamento" (O2, p. 151), mas daí passar a considerá-los como essências é um passo precipitado, pois não considerou a possibilidade de essas substâncias serem tratadas apenas como simples propriedades:

> Mas se uma e outra são apenas propriedades, elas podem pertencer todas duas a um sujeito cuja essência própria nos é desconhecida; todo o raciocínio desses Filósofos cai e não provam mais a impossibilidade da coexistência do pensamento com a extensão do que não provariam que fosse impossível que a extensão se encontrasse ligada à mobilidade (O2, p. 151).

As manifestações próprias dos corpos podem ser todas remetidas à extensão e as manifestações da alma, ao pensamento. Mas disso não se pode concluir que essas duas substâncias são, respectivamente, a essência da alma e do corpo; não se pode ter certeza de que não haja alguma forma de comunicação entre ambas garantida por uma substância ainda mais fundamental. Vejamos esse ponto com mais detalhe.

O argumento utilizado por Maupertuis para a defesa da inclusão do pensamento junto da matéria é praticamente o mesmo que utilizou, no mesmo sentido, em relação à atração. O espaço teórico para a introdução da percepção como propriedade da matéria já fora aberto vários anos antes por Maupertuis, sob bases newtonianas, no *Discurso sobre a figura dos astros*: "os corpos, além das propriedades que deles conhecemos, têm eles ainda a de pensar ou de tender uns na direção dos outros, ou de etc.? Cabe à experiência, à qual já devemos o conhecimento das outras propriedades dos corpos, ensinar-nos se eles possuem ainda estas outras" (O1, p. 96). Vejamos resumidamente como esse resultado foi obtido.

É apenas a partir de um conhecimento da essência dos corpos, apenas se "conhecêssemos bem o que são em si mesmos e quais são suas propriedades, como e em que número elas residem nos corpos" (O1, p. 94), é que poderíamos ter certeza se a atração é uma dessas propriedades. O mesmo pode ser dito em relação ao pensamento. Para Maupertuis estamos longe desse conhecimento, pois "conhecemos os corpos apenas a partir de algumas propriedades, sem conhecer de maneira nenhuma o sujeito no qual essas propriedades encontram-se reunidas" (O1, p. 94). Portanto, não podemos negar dogmaticamente e *a priori* a existência de certas propriedades, principalmente se elas são úteis na explicação dos fenômenos.

No argumento de Maupertuis também comparecia a noção de uma hierarquia de propriedades dos corpos. Tomemos a extensão e o pensamento não como essências, mas como propriedades: todas as manifestações psíquicas dos corpos poderiam ser interpretadas como propriedades hierarquicamente inferiores em relação a uma propriedade mais geral ou primordial relacionado ao psiquismo, como acontece, por exemplo, em relação à extensão – no choque dos corpos, a mobilidade ou capacidade de sair do estado de repouso seria uma consequência necessária da impenetrabilidade e esta o seria da extensão.

Em resumo, os fenômenos revelam duas ordens distintas de propriedades que se acumulam em torno do pensamento e da extensão. É apenas o hábito de assim observá-las distintamente que nos leva a pensar que são incomunicáveis e constituem duas essências absolutamente separadas: "se é verdade que encontramos mais repugnância em conceber em um mesmo sujeito a extensão e o pensamento do que conceber a extensão e a mobilidade, isso advém apenas do fato de que a experiência mostra continuamente uma a nossos olhos e nos faz conhecer a outra apenas por raciocínios e induções" (O2, p. 152).

Nada impede que talvez exista uma propriedade de ordem ainda mais superior da qual a extensão e o pensamento sejam manifestações secundárias. Para Maupertuis, o exame das diversas propriedades dos corpos pode levar a uma hierarquia, mas dela não se pode deduzir uma precedência ontológica das propriedades mais gerais em relação às secundárias; enfim, elas não podem ser elevadas ao estatuto de essências ou substâncias. Essa argumentação estabelece a possibilidade de que a matéria pense, mas ela o faz de fato? Maupertuis responde a isso praticamente da mesma maneira como o fez em relação à atração no *Figura dos astros*. Não sendo impossível nem contraditório que a atração fosse uma propriedade dos corpos, é o exame dos fenômenos que decide se ela é ou não um princípio inútil na explicação deles. No *Sistema* o autor diz: "Tudo o que resulta disso então é que o pensamento e a extensão são duas propriedades bastante distintas uma da outra. Mas podem elas encontrarem-se juntas em um mesmo sujeito ou não? É o exame dos fenômenos da Natureza que deve nos ensinar o que devemos pensar" (O2, p. 152). Posto isso, o autor invoca no *Sistema* o princípio utilizado no *Figura dos astros*, praticamente nos mesmos termos:

> Na explicação desses fenômenos temos apenas uma regra a observar: que empreguemos o mínimo de princípios e os princípios mais simples possíveis. Mas, dir-se-á talvez, admitir o pensamento na matéria é empregar princípios simples? Se pudéssemos explicar os fenômenos sem essa propriedade, estaríamos errados em admiti-la: se, supondo apenas a extensão e o movimento na matéria pudéssemos dar explicações suficientes, Descartes seria o maior de todos os filósofos: se acrescentando as propriedades que os outros foram obrigados a admitir pudéssemos satisfazer-nos, não deveríamos recorrer a novas propriedades: mas se, com todas essas propriedades, a Natureza permanece inexplicável, admitir novas propriedades não é de modo algum transgredir a regra que estabelecemos (O2, p. 152-3).

Já discutimos com detalhe esse princípio e vemos aqui sua aplicação integral. Na sequência do texto Maupertuis reafirma mais ou menos a mesma coisa que apresentamos no capítulo 14: os sistemas de filosofia natural da época foram incapazes de explicar a geração dos corpos, apesar de seu sucesso em outros campos da física. Os sistemas particulares criados para explicar a geração foram rejeitados pelo autor por suas inconsistências empíricas e filosóficas. Assim, Maupertuis considera plenamente justificada a inclusão do pensamento na matéria, desde que assim se resolvam os problemas deixados em aberto pelos demais sistemas.

Capítulo 16

A explicação dos fenômenos gerativos

A geração regular e a manutenção das espécies

Vejamos primeiramente como a inclusão das propriedades perceptivas ou intelectivas na matéria articula-se com os detalhes da teoria: "Os elementos próprios para formar o feto nadam nas sementes dos animais pai e mãe: mas cada um extraído da parte semelhante àquela que deve formar, conserva uma espécie de lembrança de sua antiga situação e irá retomá-la todas as vezes que puder, para formar no feto a mesma parte" (O2, p. 158-9). Nada muda com relação à origem pangenética das partes seminais, que é apenas enunciada de forma mais explícita; mas há uma grande diferença quanto ao mecanismo hereditário envolvido: o veículo da forma está na memória das partículas seminais e, portanto, a transferência da forma dos pais aos filhos é feita através de uma retomada dessa memória.

A lembrança correta da posição ocupada pelas partículas seminais nos organismos parentais explica a produção, no embrião, da mesma estrutura existente nos primeiros. Mas junto da memória devem agir o desejo e a aversão, pois a identificação do sítio correto de ligação da partícula deve, de alguma maneira, provocar o desejo que deve se traduzir em alguma forma de atração; do mesmo modo, sítios incorretos devem produzir uma aversão que se traduz em alguma forma de repulsão. Assim, a ocorrência do processo ordinário de geração, ou seja, aquele no qual não há produção de variações, garante a preservação ou conservação das espécies. Podemos ilustrar alguns dos pontos acima apresentados na figura 13.

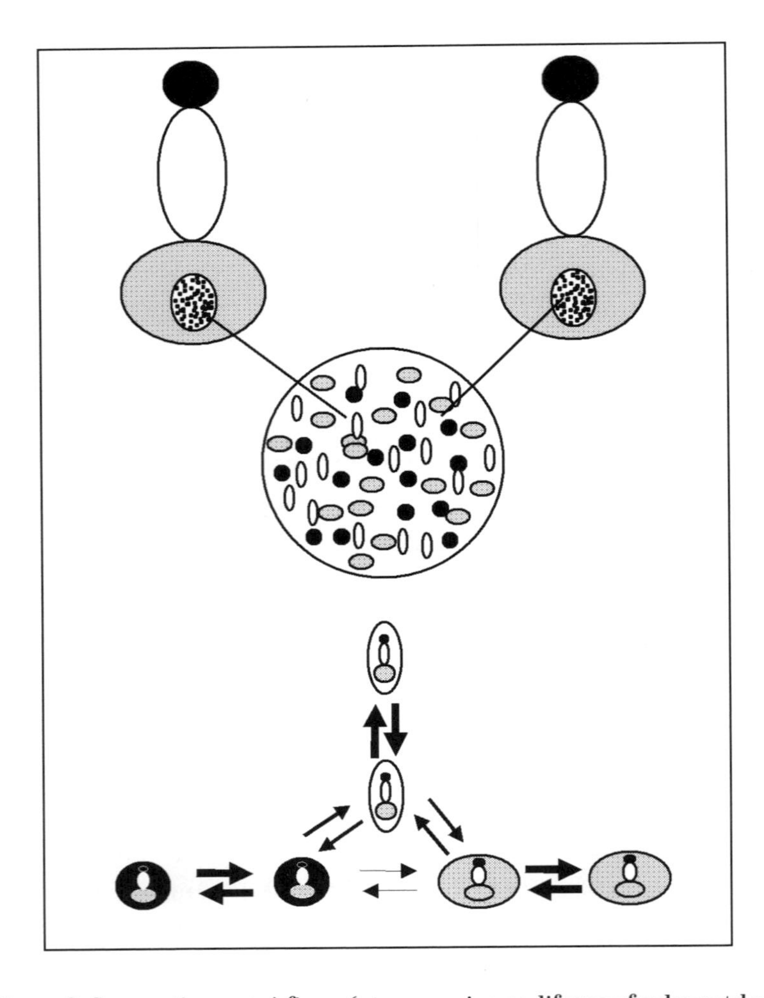

Figura 13. Comparativamente à figura 6, temos aqui como diferença fundamental que as partes seminais contam com a percepção da estrutura dos organismos parentais e é ela que estabelece a maior ou menor interação dessas partes. Procuramos esquematizar essa percepção inserindo dentro de cada partícula uma espécie de representação do todo orgânico que, conforme discutiremos no texto, não corresponde necessariamente a uma exigência explícita da teoria de Maupertuis. É necessário que cada partícula recorde sua antiga situação e, para tanto, bastaria a lembrança de sua posição em relação à partícula vizinha.

Antes de avançarmos, apontaremos algumas questões que surgem ao considerarmos as primeiras explicações de Maupertuis para esse caso-padrão da geração – a reprodução sexuada sem ocorrência de variações nos indivíduos produzidos.

Primeiramente, a teoria não explica a relação que existe entre a propriedade psíquica de uma dada partícula e sua estrutura morfológica. Por pangênese, cada órgão produz suas próprias partículas, que se acumularão nos líquidos seminais. As diferenças entre as partículas devem, portanto, refletir as diferenças entre os diversos órgãos. Quando inicia o processo de geração do embrião pela mistura dos dois líquidos seminais, as partículas semelhantes tenderão a unir-se entre si; isso ocorre devido a um maior desejo de união entre as partes semelhantes. Partículas estruturalmente distintas desenvolverão uma aversão mútua. Porém, como essa diferença morfológica induz a diferenças psíquicas a teoria não esclarece.

Maupertuis também não explica com que extensão cada partícula seminal representa ou percebe o todo orgânico, dizendo apenas que é a lembrança da antiga situação que ocupava nos pais. Podemos entender que essa situação seja definida em relação às partículas vizinhas de um mesmo tipo que compõem um mesmo órgão; mas na vizinhança de órgãos distintos deve haver uma representação ainda maior do todo orgânico, pois uma mesma partícula deverá ligar-se a duas ou mais estruturas orgânicas distintas e contíguas. Por fim, podemos entender que cada partícula possui uma representação de todo o organismo, como representamos na figura 13. Mas nesse caso devemos imaginar que a essa percepção global deve necessariamente somar-se uma outra percepção individualizada do local específico ocupado pela partícula.

Outra peculiaridade da teoria é que a propriedade psíquica associada à partícula deve cumprir duas funções distintas: a percepção elementar deve tanto atuar na orientação da partícula para que ocupe o local correto, como garantir a coesão dessa partícula às demais. Em outras palavras, a percepção deve funcionar ao mesmo tempo como princípio de transmissão hereditária da organização e como força de atração das partes orgânicas. Essas duas funções bastante distintas não são tratadas em separado por Maupertuis e parece que não as considerou como tal. Ao introduzir a percepção como propriedade dos corpos, não há a exclusão de qualquer uma das demais propriedades; a atração e a percepção podem atuar conjuntamente na geração dos organismos, mas Maupertuis não explica como isso ocorreria.

Boa parte dessas questões poderiam ser satisfatoriamente discutidas através de um estudo comparativo do *Sistema* com a *Monadologia* de Leibniz. Inicialmente tencionávamos incluir tal estudo em nosso trabalho, mas não pudemos concluí-lo.[1]

Os monstros e a produção de novas espécies

A explicação dada para a geração dos monstros no *Sistema* e no *Vênus física* são praticamente as mesmas: os monstros por escassez são produzidos quando faltam partículas ou quando elas não

1 O estudo da relação entre as teorias de Maupertuis e de Leibniz deve começar pela Física e, nesse campo, há várias questões ainda em debate entre os comentadores quanto ao grau de adesão do autor à cosmologia e à dinâmica leibnizianas, sobretudo no que diz respeito ao papel desta última na formulação do princípio da mínima ação. Uma boa introdução a essas questões encontra-se em Gueroult (1967). Quanto à relação entre a monadologia e a teoria da geração de Maupertuis, o estudo mais detalhado que tivemos acesso está em Duchesneau (1982). O autor interpreta a teoria do *Sistema* como uma "conjectura epigenética fundada sobre um tipo de monadologia física" (1982, p. 236). Maupertuis teria utilizado o esquema metafísico da monadologia para explicar *fenomenicamente* a produção dos corpos; Leibniz, diz Duchesneau, utiliza metáforas organicistas para elaborar seu sistema, mas não constrói uma explicação verdadeiramente fisiológica a partir das leis da percepção monádica. Para tanto o problema deveria ser "transportado do nível dos átomos metafísicos àqueles dos elementos que entram na formação dos compostos orgânicos" (1982, p. 240). Esta seria a tese básica do *Sistema*.

podem se unir e os monstros por excesso ocorrem quando "os elementos encontram-se em grande quantidade ou quando, após sua união ordinária, alguma parte que permaneceu descoberta permite ainda que alguma outra nela se aplique" (O2, p. 159). Basta lembrar que é a atuação conjunta da memória, do desejo e da aversão que produzirá esses efeitos e não mais as afinidades químicas.

O nascimento de outros tipos de monstruosidade que não apresentam a mesma regularidade orgânica que os tipos anteriores pode ser explicado com a nova teoria: "Um esquecimento total da primeira situação fará nascer esses monstros cujas partes são confusas" (O2, p. 163). Uma confusão orgânica mais generalizada pode ser mais bem compreendida pela atuação de propriedades psíquicas, pois é mais fácil atribuir maior variabilidade a uma propriedade não física, como a memória, do que às propriedades físicas, como as afinidades químicas. Mas essa variabilidade nunca será quantitativa, uma vez que a percepção é postulada por Maupertuis como uma propriedade primordial que, conforme sua hierarquia de propriedades, não pode variar para mais ou para menos.

Iniciaremos a seguir a discussão do fenômeno mais complicado e mais importante tratado por Maupertuis, a saber, a produção de novas espécies; será útil mais uma vez compararmos o *Vênus física* com o *Sistema*.

A causa que determina a produção dos primeiros indivíduos modificados em uma dada linhagem de organismos é a mesma nas duas teorias: são acidentes que produzem uma modificação orgânica qualquer. No *Vênus física*, a mudança acidental da cor da pele humana e sua posterior fixação nas linhagens de organismos foi tomada como caso exemplar para boa parte das explicações mais gerais. Segundo as distinções que fizemos, essa forma de variação pode ser dita qualitativa, pois depende da modificação nas partes seminais quanto à natureza do traço orgânico por elas determinado. A produção dos monstros por excesso e por escassez são variações quantitativas, na medida em que dependem exclusivamente do aumento ou da diminuição da quantidade de partes seminais que entra na formação do embrião, sem que haja necessariamente uma mudança estrutural na própria partícula. Mesmo no caso da produção dos monstros totalmente desorganizados, as partes seminais não modificam necessariamente a memória a elas associadas, havendo apenas o posicionamento incorreto dentro da estrutura orgânica.

No *Vênus física*, os dois tipos de variação são tratados, mas o caso estudado em detalhe foi a mudança da coloração da pele. Já no *Sistema*, a produção de novas espécies é estudada apenas para as formas quantitativas de variação. Acreditamos que há uma razão especial para isso associada às mudanças que a teoria recebeu.

Os monstros por excesso e por escassez podem perpetuar-se ao longo de várias gerações e, em ambas as teorias, o fenômeno é entendido como a fixação de uma nova variação dentro de uma linhagem de descendência. A primeira produção ocorre, já dissemos, graças a uma causa acidental qualquer. Mas, diferentemente de como ocorria no *Vênus física*, a fixação da nova forma depende agora da fixação de um *hábito* nos elementos seminais:

> Certas monstruosidades, seja por excesso, seja por carência, perpetuam-se muito ordinariamente e durante várias gerações [...] a primeira monstruosidade tendo sido o efeito acidental de alguma das causas do parágrafo precedente [variações quantitativas nas partes seminais], o hábito da situação das partes no primeiro indivíduo as faz se recolocar da mesma maneira no segundo, no terceiro etc., tanto quanto esse hábito não seja destruído por um outro qualquer mais potente, seja da parte do pai, seja da parte da mãe, ou por qualquer acidente (O2, p. 160-1).

A fixação hereditária de uma primeira variação acidental ocorre em função da manutenção (conservação) de um *hábito* associado à nova forma produzida. Esse hábito pode ser interpretado como um efeito secundário da reunião de diferentes memórias associadas a diferentes partículas seminais. Cada memória particular é invariável, mas, dependendo da maneira como se organizam, podem produzir diferentes efeitos. As estruturas orgânicas, seja a de certos órgãos, de um grupo de órgãos ou do organismo completo, podem ser entendidas como tais efeitos. A repetição da mesma estrutura ao longo das gerações é o efeito da manutenção de uma mesma associação de memórias particulares; a conservação das espécies não é mais que um hábito gerado pela permanência temporal de um mesmo conjunto de memórias particulares.

Um acidente pode alterar essa organização habitual e, assim, haverá uma espécie de confronto entre o novo e o antigo hábito. A predominância de um ou de outro dependerá, nos termos de Maupertuis, de sua potência ou força. É essa força que, em última análise, garante a união física entre as partes que compõem o organismo. Assim, Maupertuis claramente aceita que variações no âmbito das propriedades psíquicas – não físicas – produzem efeitos físicos, traduzidos na coesão das partes corporais. Mas, como isso ocorre, a teoria também não explica.

As variações qualitativas poderiam ser absorvidas pela teoria do *Système* com algumas modificações. Quando um acidente produz uma alteração qualitativa em um dado órgão parental, ocorrerá uma igual modificação qualitativa nas propriedades psíquicas dos elementos. Quando este órgão produzir suas próprias partículas, elas passarão aos líquidos seminais e poderão transmitir a alteração à descendência. Como ocorria na teoria do *Vênus física*, haverá a introdução de partes seminais não homólogas na linhagem de organismos.

O estudo da herança da hexadactilia

Dando maior atenção às variações quantitativas, Maupertuis realizou em Berlim estudos muito precisos sobre a herança da hexadactilia (a posse de seis dedos nas mãos e nos pés), relatados na *Carta* XIV: "Essa singularidade de dedos supranumerários encontra-se na espécie humana e estende-se a raças inteiras: podemos ver que ela é igualmente transmitida pelos pais e pelas mães" (O2, p. 307). Para conhecer a dinâmica da transmissão familiar desse traço, Maupertuis fez um levantamento da genealogia da família de um cirurgião de Berlim, Jacob Ruhe, e nela descobriu oito indivíduos hexadáctilos. No texto, o autor descreve o parentesco e a distribuição da anomalia entre os indivíduos que pode ser mais facilmente visualizada em um heredograma (figura 14).

Na posse desses resultados, Maupertuis concluiu que:

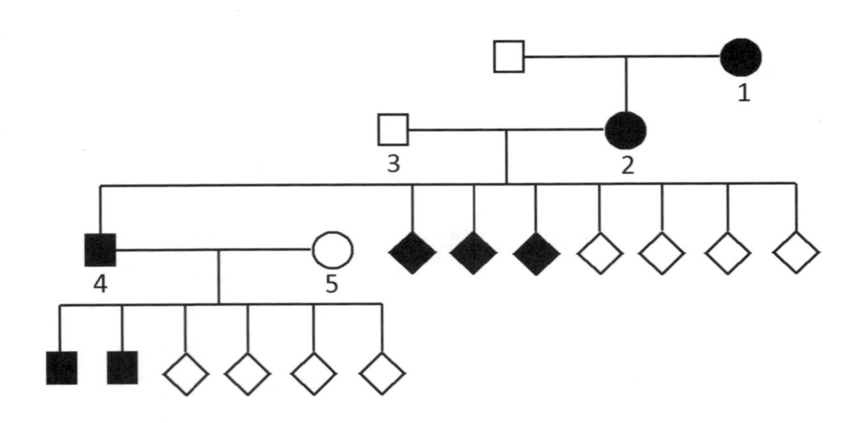

Figura 14. Heredograma da família Ruhe levantada por Maupertuis em seu estudo da hexadactilia; 1. Elisabeth Horstmann; 2. Elisabeth Ruhen; 3. Jean Christian Ruhe; 4. Jacob Ruhe; 5. Sophie Louise de Thungen. As figuras cheias representam os indivíduos hexadáctilos; os quadrados, homens; os círculos, mulheres; os losangos, sexo desconhecido (Modificado a partir de Glass, 1947, p. 201).

> Vemos por essa genealogia, que segui com exatidão, que a hexadactilia é transmitida igualmente pelo pai e pela mãe [e] vemos que ela se altera pelas alianças com pentadáctilos. Pela repetição de tais alianças, ela deve verdadeiramente apagar-se e perpetuar-se por alianças nas quais será comum aos dois sexos (O2, p. 308).

Aplicando sua teoria, Maupertuis explica o fenômeno de forma mais abrangente: "em sua primeira origem, esses dedos supranumerários são apenas variações acidentais [que], uma vez confirmadas por um número suficiente de gerações, fundam espécies; e é talvez assim que todas as espécies se multiplicaram" (O2, p. 308-9). A produção do primeiro indivíduo hexadáctilo foi acidental, mas há uma altíssima probabilidade de que o nascimento dos próximos indivíduos portadores do traço não poderá ocorrer a ao acaso: "se quisermos considerar a continuação da hexadactilia como um efeito do puro acaso, é preciso ver qual é a probabilidade dessa variedade acidental em um primeiro parente não se repetir em seus descendentes" (O2, p. 309). Maupertuis calcula essa probabilidade da seguinte forma:

> Após uma pesquisa que fiz em uma cidade com cem mil habitantes [Berlim], encontrei dois homens que tinham essa singularidade. Suponhamos, o que é difícil, que três outros tenham escapado-me; e que para cada 20.000 homens possamos contar 1 hexadáctilo: a probabilidade de que seu filho ou sua filha não nasça com a hexadactilia é de 20.000 para 1: e a de que seu filho e seu neto não serão hexadáctilos é de 20.000 vezes 20.000, ou 400.000.000 para 1: enfim, a probabilidade de que essa singularidade não continue por três gerações consecutivas será de 8.000.000.000.000 para 1: números tão grandes que a certeza das coisas melhores demonstradas em Física não se aproximam dessas probabilidades (O2, p. 309-10).

Na genealogia levantada por Maupertuis há três gerações de hexadáctilos (com quatro indivíduos na segunda e dois na terceira) e, como mostram esses cálculos, não foram produzidas por acaso, mas através de um mecanismo preciso de geração.[2]

O autor faz ainda algumas conjecturas sobre a herança dos dedos supranumerários nos cães:

> não há animais nos quais os dedos supranumerários pareçam ser mais frequentes do que nos cães. É uma coisa notável que eles tenham ordinariamente um dedo a menos nos pés traseiros do que nos pés dianteiros, onde possuem cinco. Entretanto, não é raro encontrar cães que possuem um quinto dedo nos pés traseiros, embora ele esteja mais frequentemente destacado do osso e sem articulação. Esse quinto dedo dos pés traseiros é um dedo supranumerário ou é, na ordem ordinária, um dedo perdido de raça em raça que tende de tempos em tempos a reaparecer? Pois as mutilações podem tornar-se hereditárias como as superfluidades (O2, p. 311-12).

O autor também realizou alguns experimentos através do cruzamento de cães de diferentes raças que apresentavam traços mais raros, sempre com o intuito de observar com que frequência eles se perpetuariam ao longo das gerações:

> O acaso fez-me encontrar uma cadela muito singular, dessa espécie que em Berlim são chamados de cães da Islândia: ela tinha todo o corpo cor de ardósia e a cabeça inteiramente amarela, singularidade que aqueles que observam a maneira pela qual as cores são distribuídas nesse gênero de animais acharam tal-

2 Em Ramos (2004, p. 123-4), há uma breve discussão sobre a natureza do uso das probabilidades por Maupertuis.

> vez mais rara do que aquela dos dedos supranumerários. Eu quis perpetuá-la e, após três ninhadas de cães com diferentes pais, que deles nada tinham, na quarta ninhada nasceu um que possuía [a referida singularidade]. A mãe morreu e, desse cão, após vários acasalamentos com diferentes cadelas, nasceu um outro que lhe era inteiramente semelhante (O2, p. 310-1).

Maupertuis não acrescenta nenhuma discussão a esses dois últimos resultados, mas é fácil notar que constituem tentativas de corroborar empiricamente o mecanismo gerativo que apresentou.

A geração de híbridos

Animais híbridos ou mestiços podem ser produzidos quando "os elementos partem de animais de diferentes espécies, mas nos quais resta ainda bastante relação entre os elementos; uns mais ligados à forma do pai e outros, à forma da mãe" (O2, p. 161). Interpretando esse fenômeno à luz das propriedades psíquicas das partes seminais, a existência de uma compatibilidade entre os elementos capaz de viabilizar o nascimento de um híbrido depende do estabelecimento de desejos de união entre as partes oriundas das diferentes espécies, capaz de compor um todo orgânico. Esse desejo, como já foi esclarecido, depende da semelhança estrutural da partícula que é, por sua vez, determinada pela estrutura do órgão a partir do qual elas foram produzidas. A hibridização não ocorre quando não há compatibilidade ou analogia suficiente entre os elementos oriundos de ambas as espécies: "os elementos não podem tomar ou não podem conservar um arranjo conveniente, a geração torna-se impossível" (O2, p. 161).

A experiência revela que os híbridos ou mestiços são normalmente estéreis e Maupertuis apresenta uma conjectura para explicar esse fenômeno:

> Não podemos dizer que, tendo os elementos tomado um arranjo particular nas partes do mulo e da mula [mestiços], que não era nem aquele que eles possuíam no asno, nem aquele que eles tinham na jumenta; quando esses elementos passam para as sementes do mulo e da mula, o hábito desse último arranjo, sendo mais recente, e o hábito do arranjo que elas tinham nos ascendentes (avós), sendo mais forte, como contraído por um maior número de gerações, os elementos permanecem em um certo equilíbrio e não se unem nem de uma maneira nem de outra? (O2, p. 163-4).

Quando dois animais híbridos copulam e misturam seus líquidos seminais, haverá uma espécie de competição entre dois hábitos com forças que se equilibram: aquele gerado pelo novo arranjo híbrido e aquele herdado das espécies ancestrais que geraram esse mesmo híbrido. Na formação do embrião, as partes seminais tenderiam a retomar a estrutura ancestral e, ao mesmo tempo, manter a estrutura híbrida com a mesma intensidade; uma estrutura anularia a outra e nenhuma geração ocorreria. Mas, segundo Maupertuis, esse equilíbrio nem sempre ocorre: "Podem, ao contrário, ocorrer arranjos tão tenazes que, desde a primeira geração, eles dominam sobre todos os arranjos precedentes e apagam o hábito" (O2, p. 164). Nesse caso, pode-se ter o primeiro passo da formação de uma nova espécie por hibridação.

As gerações não ordinárias

Todas as explicações anteriores, todo o poder da teoria até aqui elaborada, aplicou-se apenas aos casos de geração ordinária, no qual há a mistura dos licores masculino e feminino; foram sempre casos que atualmente designaríamos como reprodução sexuada. A consideração de processos não ordinários – identificáveis aos processos reprodutivos que hoje diríamos assexuados – abre novas questões. São eles a reprodução vegetativa, a partenogênese e a geração espontânea. Os dois primeiros foram discutidos no *Vênus física*, mas não foram explicados. O terceiro aparece somente agora na teoria de Maupertuis.

O autor explica os casos de reprodução assexuada postulando exceções à teoria da dupla semente e relacionando a geração espontânea com a partenogênese dos pulgões e a reprodução vegetativa dos pólipos:

> Conhecem-se insetos nos quais cada indivíduo basta para a reprodução: descobriram-se outros que se reproduzem pela secção das partes de seus corpos. Nem um nem outro desses fenômenos trazem qualquer nova dificuldade para o nosso sistema. E se é verdade, como alguns dos mais famosos observadores pretendem, que há animais que sem pai nem mãe nascem de matéria nas quais não suspeitávamos qualquer de suas sementes, o fato não será mais difícil de explicar: as verdadeiras sementes de um animal são os elementos próprios a unir-se de uma certa maneira: e esses elementos, embora, para a maior parte dos animais, encontram-se na quantidade suficiente ou nas circunstâncias próprias à sua união apenas na mistura dos licores que os dois sexos emitem, podem, entretanto, para a geração de outras espécies, encontrar-se em apenas um indivíduo; enfim, [podem encontrar-se] noutra parte que não seja dentro do próprio indivíduo que eles devem produzir (O2, p. 165-6).

A mistura das sementes masculinas e femininas, que no *Vênus física* fora considerada como o grande princípio da geração, aparece no *Sistema* como caso mais frequente, mas não universal. As partes ou elementos seminais ganham, portanto, uma autonomia muito maior e a dinâmica de suas interações passa a ser o processo mais fundamental da geração. Essas verdadeiras sementes dos animais podem entrar em ação no interior de um único animal (partenogênese dos pulgões), a partir de um fragmento retirado do corpo do animal (reprodução vegetativa dos pólipos), ou estando fora de qualquer organismo, associada a outras matérias (geração espontânea).

Esses processos não ordinários de geração, em especial a geração espontânea, têm um significado teórico especial para a fundamentação de toda a teoria da geração de Maupertuis e os retomaremos no próximo capítulo.

Capítulo 17

A generalização do sistema

A formulação do princípio gerativo fundamental

Tendo explicado os principais fenômenos gerativos, Maupertuis generaliza o mecanismo proposto aplicando-o aos corpos organizados não vivos:

> Mas o sistema que propusemos limitar-se-ia aos animais? E por que a eles limitar-se-ia? Os vegetais, os minerais, os próprios metais, não possuem origens semelhantes? Sua produção não nos conduz à produção dos outros corpos mais organizados? Não vemos sob nossos olhos alguma coisa de semelhante ao que se passa nos germes das plantas e nas matrizes dos animais; quando as partes as mais sutis de um sal, espalhadas em algum fluido que lhes permite mover-se e unir-se, unem-se com efeito e formam esses corpos regulares, cúbicos, piramidais etc. que pertencem à natureza de cada sal? (O2, p. 166-7).

Maupertuis retoma a comparação da geração dos corpos vivos com a dos corpos cristalinos, já existente no *Vênus física*, mas que no *Sistema* ganha novos significados. O autor vê uma analogia entre a formação de cristais de certas substâncias em solução, mesmo cristais simples, e a geração de organismos vivos a partir dos líquidos seminais: ambos são fluidos com partículas que se unem e restituem a forma de um corpo organizado: "Triturai esses corpos, reduzi-os a pó, rompei a ligação que existe entre suas partes; essas partes divididas que nadam em um mesmo fluido cedo terão retomado seu primeiro arranjo, esses corpos regulares serão logo reproduzidos" (O2, p. 167). Pelo mesmo processo são produzidos corpos cristalinos mais complexos, as *árvores químicas*, já mencionadas no *Vênus física*, e que no *Sistema* são novamente comparadas à produção de organismos vivos:

> Mas se a figura muito simples desses corpos impede-vos de perceber a analogia que se encontra entre sua produção e aquela das plantas e dos animais, misturai conjuntamente partes de prata, de nitro e de mercúrio e verás nascer essa planta maravilhosa que os Químicos chamam *Árvore de Diana*, cuja produção não difere talvez daquela das árvores ordinárias a não ser que elas se fazem mais a descoberto (O2, p. 167).

Maupertuis faz ainda uma última comparação com consequências teóricas de grande importância: as vegetações químicas são análogas aos animais produzidos por processos não-ordinários de geração, especialmente por geração espontânea:

> Essa espécie de árvore parece ser para as outras árvores aquilo que são aos outros animais aqueles que se produzem fora das gerações ordinárias, como os pólipos, como talvez as tênias, os áscaris, as enguias da farinha dissolvida; se é verdade que esses últimos animais são apenas reuniões de partes que ainda não pertencem a animais da mesma espécie[a] (nota a: *Hist. nat.* de M. de Buffon, tome II. chap. 8 & 9, pages 303 & 322, Édition du Louvre) (O2, p. 167-8).

Cristais simples, árvores químicas e seres vivos simples são essencialmente gerados da mesma maneira: pela agregação espontânea de partes materiais presentes em algum tipo de líquido que garanta um estado de fluidez a essas partes. Conforme podemos ver na citação anterior à *História natural*, as teorias e observações de Buffon estão relacionadas aos resultados estabelecidos por Maupertuis em seu sistema. Os resultados de Buffon, por sua vez, foram obtidos com a colaboração teórica e experimental de Needham que, como vimos, também influenciou Maupertuis na composição do *Sistema*. Assim, trataremos desses dois autores, dando destaque maior a Buffon.

Na *Carta* XIV. *Sobre a geração dos animais*, Maupertuis comenta mais detalhadamente os trabalhos de Buffon e tece breves comentários sobre as observações de Needham: "Um autor [Buffon], tão grande físico quanto espírito vasto e profundo, acaba de provar por observações incontestáveis que o ovo da mulher e dos quadrúpedes era uma quimera e que o animálculo espermático não pode ser o feto" (O2, p. 302). Essas observações foram realizadas em 1748 no *Jardin du Roy* com a ajuda de Needham que, em 1746, viera a Paris para travar contatos com Réaumur e Buffon (cf. Roger, 1993, p. 194-5). As experiências realizadas por ambos tinham por objetivo dar uma sustentação empírica a uma teoria geral sobre a reprodução dos organismos que Buffon compusera em 1746, sobre a qual mais abaixo daremos um resumo. O resultado citado por Maupertuis foi apenas uma das conclusões a que chegou Buffon, mas ela é particularmente significativa para os dois autores, pois derrubam experimentalmente o sustentáculo fundamental tanto do ovismo quanto do animalculismo. Os vivíparos não possuem ovos e os animálculos espermáticos não são ou não contêm o feto em miniatura que, futuramente, originará um organismo da mesma espécie de seu portador. Mas, então, a que correspondem as estruturas observadas pelos anatomistas e microscopistas nos ovários das fêmeas e nos líquidos seminais dos machos? Para responder a esta questão devemos repassar os elementos gerais da teoria da reprodução de Buffon.

A *História dos animais*, publicada em 1749 no segundo volume da *História natural* de Buffon, contém duas séries de textos: os primeiros cinco capítulos contêm a teoria geral concluída em 1746;

os seis capítulos seguintes apresentam os resultados das experiências realizadas em 1748 (cf. Roger, 1993, p. 178).[1]

A teoria da reprodução de Buffon fundamenta-se em três noções básicas: as moléculas orgânicas, as forças penetrantes e os moldes interiores. Defendendo a unidade do mundo vivo, Buffon atribui propriedades comuns aos animais e vegetais que os separam radicalmente dos seres inanimados. As principais dessas propriedades são o crescimento e a reprodução, ambas bastante relacionadas no conjunto da teoria de Buffon. O autor constrói sua teoria tomando de maneira crítica os vários sistemas que trataram da geração e os organiza de uma maneira nova: "Para estudar a 'reprodução' é preciso começar onde ela é mais simples e Buffon critica aqueles que estudaram apenas a reprodução dos homens e dos mamíferos superiores, a mais complicada. É preciso começar pelos organismos mais simples, aqueles onde uma única parte é capaz de regenerar o organismo inteiro" (Roger, 1993, p. 180). É o caso de vários vegetais, alguns vermes e o pólipo. Para Buffon, se um fragmento desses organismos pode reproduzir um organismo completo é porque em cada fragmento há um germe do organismo inteiro. Um ormo ou um pólipo são uma reunião de pequenos indivíduos da mesma espécie. Esses germes são, por sua vez, também organizados e constituídos de partes orgânicas primitivas que Buffon designará posteriormente como moléculas orgânicas.

As moléculas orgânicas, comuns aos animais e vegetais, são indestrutíveis e constituem a matéria primeira da vida; elas retornam ao ambiente após a morte e são novamente incorporadas com o alimento. Deve, portanto, haver um processo interno aos organismos capaz de assimilar as partes orgânicas, separando-as da

---

1 A síntese sobre a teoria de Buffon que se segue foi tomada essencialmente de Roger (cf. 1993, p. 178-207). Para as ideias de Buffon, o autor muito bem identificou os problemas inerentes à sua teoria e os expõe de maneira bastante detalhada.

matéria bruta. Esse processo ocorre graças à existência de moldes interiores, noção que Buffon toma de Bourguet, mas inclui a ação de uma força penetrante. Relacionada à atração newtoniana, tal força tem por função integrar as moléculas orgânicas oriundas dos alimentos aos vários órgãos.

Nos organismos simples que se reproduzem a partir de fragmentos corporais, cada germe é um molde interior completo que tem a capacidade de reproduzir um outro organismo adulto. Nos organismos que se reproduzem sexuadamente, cada órgão contém associado seu próprio molde interior e separa as moléculas orgânicas que lhes são próprias ao crescimento; quando o crescimento orgânico estabiliza-se na maturidade sexual, há produção de moléculas orgânicas supérfluas que serão transferidas para os líquidos seminais dos dois sexos. Na cópula, os dois líquidos unem-se e as moléculas orgânicas agregam-se formando um embrião.

É essa, em linhas gerais, a teoria que Buffon procurou sustentar posteriormente através dos experimentos mencionados acima por Maupertuis. Segundo Roger, "Se, com efeito, há nos seres vivos 'uma infinidade de partes orgânicas', e se essas partes orgânicas reúnem-se em sua semente para a reprodução, nós devemos poder observá-las" (Roger, 1993, p. 194). Buffon pretende encontrá-las nos líquidos seminais masculinos e femininos; no primeiro caso, as moléculas orgânicas serão associadas aos animais espermáticos e, no segundo, ao líquido contido no interior das vesículas ováricas dos mamíferos que são comumente (e erroneamente, concluirá Buffon) tomadas por ovos. Os órgãos reprodutores das plantas também devem conter moléculas orgânicas e também deverão estar associadas à produção espontânea dos diversos vermes, animálculos e outros organismos simples observados ao microscópio nas infusões e sucos orgânicos.

No exame do esperma masculino humano e de vários animais os animálculos espermáticos foram observados "sob a forma de glóbulos que se desprendiam progressivamente de filamentos 'ramificados, arrastando atrás de si um fio muito fino e muito longo que impedia seus movimentos'" (Roger, 1993, p. 552-3). Esses glóbulos móveis foram encontrados igualmente no líquido interno aos corpos glandulares do ovário de mamíferos (folículos de Graff), com e sem cauda. Finalmente, eles foram vistos nas várias infusões preparadas para observação – infusões com a carne de diferentes animais e com sementes de vinte espécies de plantas diferentes (cf. Buffon, 1853, p. 84).

Obtidos todos os resultados, Buffon conclui que:

> Certifiquei-me, pois, pelas experiências que acabo de relatar, que as fêmeas possuem, como os machos, um líquido seminal que contém corpos em movimento; firmei-me cada vez mais na opinião de que esses corpos em movimento não são verdadeiros animais, mas apenas partes orgânicas viventes; convenci-me de que essas partes existem não apenas nos líquidos seminais dos dois sexos, mas na própria carne dos animais e no interior do germe dos vegetais [...] Todos os animais, machos ou fêmeas, todos aqueles que são providos dos dois sexos ou que deles são privados, todos os vegetais, sejam da espécie que forem, todos os corpos, em uma palavra, viventes ou vegetais, são portanto compostos de partes orgânicas viventes que se podem mostrar aos olhos de todo mundo (Buffon, 1853, p. 84-5).

Os animais espermáticos, no macho e na fêmea, não são animais, mas um primeiro estágio de reunião das moléculas orgânicas. Sobre isso, em aparente concordância com Buffon, diz Maupertuis:

> Para retornar a esses pequenos corpos animados que vemos no interior dos líquidos seminais, aqueles que primeiro os descobriram tomaram-nos por animais. A maneira pela qual eles

> parecem vegetar, a prontidão com a qual eles mudam de figura e de tamanho, compõem-se e decompõem-se, enfim, a diversidade das matéria nas quais são encontrados; todas essas circunstâncias levaram M. de Buffon a recusar-lhes o nome de *animais*; e o fizeram considerá-los como partes animadas de animais futuros ou como reuniões já iniciadas dessas partes (O2, p. 312).

Essa explicação está bem mais de acordo com o *Système* do que a sugestão feita no *Vénus physique*, de que os espermatozoides são agitadores das partes seminais. Mas Maupertuis fica em dúvida quanto à natureza de outras estruturas espermáticas observadas por Needham:

> Na semente de um certo peixe (do *calamar*) vemos corpos de uma estrutura mais singular e talvez mais singular apenas porque a vemos melhor. São espécies de bombas animadas que, após serem preenchidas por um fluido no qual elas nadam, esvaziam-se por uma rápida ejaculação[a] (nota a: *Nouvelles observations microscopiques* de M. Needham). Esses corpos não se parecem nem às moléculas de M. de Buffon, nem ao animal no interior do qual elas se encontram (O2, p. 312-3).

Needham mostrou essas bombas a Buffon durante as experiências que realizaram juntos. No final do capítulo VI do *História dos animais* (parágrafo XLVI), Buffon tece um longo comentário sobre elas e conclui:

> Eu vi em seu microscópio e com ele [Needham] essas mesmas máquinas do esperma do calamar e podemos assegurar-nos de que a descrição que ele oferece é muito fiel e exata. Essas observações fazem-nos ver portanto que a semente é composta de partes que procuram organizar-se, que ela produz com efeito dentro de si mesma um corpo organizado, mas que esses corpos

> organizados não são ainda animais semelhantes ao indivíduo que os produz (Buffon, 1853, p. 76).

Em princípio, essas estruturas, como outras quaisquer dotadas de movimento e de vida encontradas nos líquidos seminais, poderão ser interpretadas como reuniões iniciais de moléculas orgâncias que ainda não são semelhantes ao indivíduo parental, mas que virão a sê-lo. Mas, logo em seguida, Buffon associa uma outra função para as bombas do esperma do calamar: "Poderíamos ainda acreditar que esses corpos organizados são apenas espécies de instrumentos que servem para aperfeiçoar o líquido seminal e para impeli-lo com força, e que é por essa ação viva e interior que ele penetra mais intimamente no líquido da fêmea" (Buffon, 1853, p. 76); explicação bem semelhante àquela que Maupertuis estaria disposto a rejeitar, donde, talvez, sua dúvida quanto à verdadeira identidade dessas estruturas.

As enguias produzidas na farinha diluída, que Maupertuis mencionou anteriormente, "não possuem outra origem senão a reunião de moléculas orgânicas da parte mais substancial do grão" (Buffon, 1853, p. 110). Origem semelhante teriam os parasitas internos, como as tênias e os áscaris,[2] também mencionados por Maupertuis.

Os elementos que agregam as moléculas orgânicas para a produção de todos esses organismos são, para Buffon, os moldes interiores juntamente com a ação das forças penetrantes. Maupertuis refere-se a esse ponto, mas não o discute e remete o leitor ao

2 "Quando há algum defeito na organização do corpo, que impede o molde interior de absorver e de assimilar todas as moléculas orgânicas contidas nos alimentos, essas moléculas orgânicas superabundantes, que não podem penetrar no molde interior do animal para sua nutrição, procuram unir-se com algumas partículas da matéria bruta dos alimentos e formam, como na putrefação, corpos organizados; é essa a origem das tênias, dos áscaris, das fascíolas e de todos os outros vermes que nascem no fígado, no estômago, nos intestinos e até nos seios das veias de vários animais" (Buffon, 1853, p. 112).

texto *História dos animais*. A explicação de Maupertuis é bem diferente: os animais que se formam espontaneamente contam fundamentalmente com a percepção das partes seminais (que correspondem às moléculas orgânicas de Buffon). Como isso ocorreria? Explica Maupertuis no *Sistema*:

> há elementos tão suscetíveis de arranjo, ou nos quais a lembrança é tão confusa, que eles se arranjam com maior facilidade: e talvez veremos animais produzirem-se pelos meios diferentes das gerações ordinárias; como essas maravilhosas enguias que se pretende que se formem com a farinha dissolvida; e talvez tantos outros animálculos que pululam na maioria dos líquidos (O2, p. 161-2).

Nas gerações ordinárias, para que haja a produção repetida de uma mesma estrutura, as partes seminais envolvidas devem retomar também de maneira constante as posições ocupadas nos organismos; isso depende por sua vez da manutenção de uma mesma memória associada a essa estrutura. Mas o contrário também é verdadeiro, segundo reza a citação acima: elementos seminais que possuem uma memória confusa não conseguem reter sempre a mesma posição orgânica e, assim, produzem diferentes animais mais ou menos ao acaso, de forma irregular e de acordo com encontros fortuitos em diversas substâncias. A intensidade de união de tais elementos também deve ser maior, pois agregam-se de maneira menos seletiva, produzindo formas orgânicas bem variadas como as citadas.

Na teoria de Maupertuis, os organismos não contam com uma estrutura pré-organizada como o molde interno de Buffon e, assim, dependem inteiramente da fixação de um hábito para que uma mesma forma seja sempre reproduzida. Isso confere ao processo de geração espontânea em Maupertuis maior aleatoriedade, comparativamente à explicação de Buffon. Essa pode ser uma das razões para o assombro de Maupertuis ao ler na *História dos animais* que: "Na farinha dissolvida logo encontramos enguias grandes o bastante para serem apercebidas à vista simples: essas enguias estão repletas de outras pequenas enguias que elas dão à luz" (O3, p. 313).[3] Como é possível que organismos que acabam de ser produzidos de partes seminais com uma memória confusa possam prontamente gerar como animais vivíparos? Buffon não tem qualquer dificuldade em aceitar esse fato:

> as primeiras enguias que aparecem não são certamente produzidas por outras enguias; entretanto, embora elas não tenham sido engendradas, não deixam elas próprias de engendrar outras enguias viventes; podemos, cortando-as com a ponta de uma lanceta, ver as pequenas enguias saírem de seu corpo, e, mesmo em grande número, parece que o corpo do animal é apenas um envelope ou um saco que contém uma multidão de outros pequenos animais que são talvez eles próprios apenas envelopes da mesma espécie no interior dos quais a matéria orgânica é assimilada e toma a mesma forma das enguias (Buffon, 1853, p. 110).

Sempre haverá para Buffon um elemento pronto a organizar as moléculas orgânicas. Some-se a isso que essas moléculas são *vivas* e distintas da matéria bruta e, assim, já possuem uma afinidade com as forças penetrantes que atuam junto do molde interior. As partes seminais da teoria de Maupertuis não possuem qualquer qualidade vital especial exclusiva dos corpos vivos: tanto os cristais como os seres vivos mais complexos são dotados da

3 A essa observação acrescenta: "Vemos nos grãos do trigo alforrado, imersos em água, separarem-se filetes que logo se animam e apresentam aos olhos um pequeno peixe que, deixado a seco e sem vida durante anos inteiros, estão sempre prontos a reanimarem-se desde que lhes restituamos seu elemento. Onde estamos? Tudo isso não mergulha o mistério da geração em trevas mais profundas do que aquelas das quais queríamos tirá-lo?" (O3, p. 313).

mesma propriedade perceptiva elementar. Para Maupertuis, consistentemente com seu sistema, não há a menor distinção entre matéria viva e bruta. Buffon também utilizou, como Maupertuis, da analogia entre a organização dos cristais e dos seres vivos, mas ao criar o conceito de molécula orgânica Buffon distingue a produção de corpos organizados nos dois reinos, enquanto Maupertuis vale-se de um mesmo mecanismo para a produção de qualquer corpo organizado, vivo ou não.

Em resumo, os casos de geração espontânea dos animais, e mesmo a reprodução vegetativa dos pólipos, são considerados como análogos à geração de cristais complexos semelhantes a vegetais. A geração espontânea, ou, antes, a espontaneidade pela qual as partes seminais agregam-se para formar os corpos, é tomada como o processo de base da geração. Maupertuis utiliza ainda esse mecanismo geral para uma possível explicação da origem dos primeiros corpos existentes na Terra e estabelece um quadro físico das origens, que será discutido com mais detalhes no capítulo final. Segundo esse quadro, as substâncias que compõem os corpos terrestres estiveram dissolvidas ou fundidas no passado formando uma espécie de líquido seminal universal a partir do qual foram produzidos os corpos organizados. Os elementos seminais contidos nesse fluido teriam se agregado e formado desde cristais e metais até os animais e o homem, de forma bastante semelhante ao que ocorre na geração espontânea.

Exposto esse quadro, Maupertuis apresenta o que pode ser considerado o resultado final de suas investigações sobre a geração dos organismos:

> É assim que nós explicaríamos por um mesmo princípio todas essas produções sobre as quais nada poderíamos compreender atualmente. No estado de fluidez onde estava a matéria, cada elemento teria se colocado da maneira conveniente para formar esses corpos nos quais não mais concebemos vestígio de sua for-

> mação. É assim que um exército, visto de uma certa distância, poderia parecer a nossos olhos apenas como um grande animal; é assim que um enxame de abelhas, quando elas estão juntas e unidas em torno do ramo de alguma árvore, não oferece mais a nossos olhos senão um corpo que não possui qualquer semelhança com os indivíduos que lhes formou (O2, p. 170-1).

Muitas outras questões são ainda discutidas no *Sistema*, mas a apresentação de um único princípio para explicar todas as formas de geração constitui a conclusão de um projeto de pesquisa no âmbito das questões biológicas. O mistério da geração, aludido em mais de uma parte da obra, parece ter sido aqui resolvido: a ordem e a forma dos corpos organizados são o resultado da combinação de formas elementares diversas que, em um passado remoto, estariam desagregadas em um fluido universal.

A produção da percepção do todo a partir das percepções elementares

A agregação dos elementos seminais determina os atributos ou traços morfológicos do todo orgânico. O mesmo ocorreria com os seus atributos psíquicos? – "cada elemento, depositando sua forma e acumulando-se ao corpo que vai formar, depositaria ele também a percepção? Perderia ele o pequeno grau de sentimento que possuía ou o aumentaria pela união com os outros, em proveito do todo?" (O2, p. 171). Para Maupertuis, não pode haver verdadeira perda da percepção elementar, pois, "sendo uma propriedade essencial dos elementos, não parece que ela possa perecer, diminuir nem crescer. Ela pode bem receber diferentes modificações pelas diferentes combinações dos elementos; mas ela deve sempre, no Universo, formar uma mesma soma, conquanto nós não podemos nem segui-la nem conhecê-la" (O2, p. 171).

Como propriedade essencial, a percepção elementar não apresenta variação quantitativa: ela é análoga, por exemplo, à impenetrabilidade: um corpo elementar (rígido) não é mais ou menos penetrável do que outro; do mesmo modo, os elementos seminais não percebem mais ou menos em função das inúmeras combinações que estabelecem com outros elementos. Mas essas combinações produzem distintos efeitos orgânicos e, no que diz respeito à geração, os hábitos associados às estruturas orgânicas particulares são um desses efeitos. Sobre isso diz Maupertuis que, embora não se possa saber senão através de analogias o que ocorre com os demais animais, em nós "parece que todas as percepções dos elementos reunidas resultam em uma percepção única, muito mais forte, muito mais perfeita, que qualquer das percepções elementares e que talvez tenha a mesma relação que o corpo organizado tem com o elemento" (O2, p. 172). Essa percepção unitária e geral do todo orgânico é um produto da reunião das percepções elementares – portanto, algo que possui uma causa material. Mas com a produção da percepção do todo, perdemos as percepções elementares – delas não temos consciência: "Cada elemento, em sua união com os outros, tendo confundido sua percepção com as demais e perdido o sentimento particular de *si*, falta-nos a lembrança do estado primitivo dos elementos e nossa origem deve ser inteiramente perdida para nós" (O2, p. 172). A organização das partes na estruturação de um todo orgânico gera tanto uma nova forma como uma nova subjetividade, e ambas ficam ocultas na organização das partes.

Sobre a maneira pela qual as percepções elementares compõem a percepção do todo é "verdadeiramente um mistério que jamais penetraremos" (O2, p. 174). Conhecer essa reunião de percepções não apenas explicaria como nossas faculdades subjetivas são geradas, mas também poderia explicar materialmente como percebemos o mundo. Maupertuis ofereceu uma teoria para a geração do corpo, mas não avançou nos detalhes da geração do espírito. Nessa direção, apenas conjectura que algo semelhante ocorra tanto no homem como nos demais seres: "Nos animais cujos corpos têm maior relação com o nosso, é verossímil que se passe algo, eu não digo parecido, mas análogo . Essa analogia, diminuindo sempre, poderia estender-se até os zoófitos, às plantas, até os minerais, os metais e eu não sei onde ela pararia" (O2, p. 174). A cadeia dos seres, que para Maupertuis já é uma realidade fenomênica na natureza, poderia ainda incluir uma organização das propriedades psíquicas.

Maupertuis acredita ainda que a contribuição dos diversos elementos para a produção das propriedades e efeitos psíquicos do organismo não ocorre sempre da mesma forma, "seja porque os elementos são dotados originalmente de percepções de diferentes gêneros, seja que sua diferente disposição em suas diferentes reuniões produza essas diferenças" (O2, p. 173). As diferentes partes dos organismos, compostas de diferentes tipos de elementos e formados por diferentes formas de agregação manifestam diferentes propriedades:

> Alguma parte de nosso corpo parece conter a reunião de elementos cujas percepções fazem o pensamento; outras partes parecem encerrar apenas as reuniões de elementos destinados à sensação; em outras enfim não aparece qualquer reunião de percepções elementares que possa formar *para nós* qualquer gênero de percepção (O2, p. 173).

Maupertuis procura sustentar empiricamente essa diferenciação material das propriedades psíquicas: "mudanças imperceptíveis na disposição dos elementos de certas partes causam tão estranhas alterações sobre a faculdade intelectiva, enquanto a perda de um braço ou de uma perna não tem sobre ela mais influência do que o corte dos cabelos ou das unhas" (O2, p. 174). O paralelismo existente entre a estruturação morfológica e psíquica na teoria de Maupertuis é patente. Os elementos possuem percepções de diferentes gêneros e tal diferença pode ser atribuída à origem pangenética dos elementos: cada órgãos produz suas próprias partículas e a reunião de diferentes gêneros dessas partículas podem tanto produzir diferentes órgãos quanto diferentes faculdades psíquicas.

Outra consequência dessa relação entre geração corporal e psíquica reflete-se na hereditariedade. Maupertuis indaga nesse sentido: "Como as qualidades da alma do pai se encontram na alma do filho? Por que essas famílias de Geômetras, de Músicos etc.? Como o cão transmite à sua raça sua habilidade para a caça?" (O2, p. 174-5). Sua explicação para a herança desses traços psicológicos é, como podemos prever, a mesma que utiliza para a herança de traços biológicos: "De uma mesma quantidade, de uma mesma reunião de partes elementares devem resultar os mesmos concursos de percepções, as mesmas inclinações, as mesmas aversões, os mesmos talentos, os mesmos defeitos em indivíduos que nascem daqueles que os possuem" (O2, p. 175). Essa explicação somente é possível na medida em que a teoria de Maupertuis atribui às partes seminais o papel tanto de veículo de atributos morfológicos quanto psíquicos. A agregação da forma determina a estrutura e os traços orgânicos e, do mesmo modo, a agregação das percepções elementares estrutura traços da subjetividade. Como ambas possuem uma base material, elas podem ser transmitidas hereditariamente pelas partículas seminais.

O problema da causa das percepções aparece aqui claramente: as percepções que temos são causadas pelas percepções elementares. Que relação possui essa causa com os supostos objetos exteriores? Maupertuis faz um breve comentário a esse respeito:

> As percepções particulares dos elementos, não tendo por objeto senão a figura e o movimento das partes da matéria, a inteligência que disso resulta permanece em um mesmo gênero, com

> algum grau maior apenas de perfeição. Ela se exerce sobre as propriedades físicas e talvez se estenda até as especulações da Aritmética e da Geometria (O2, p. 176).

Existe uma identidade entre o comportamento das partes elementares e o objeto que elas percebem. Enquanto partes elementares da matéria, os elementos teriam como "universo" perceptivo apenas corpos simples em movimento. Partes materiais com formas diversas e seus diversos movimentos seriam as percepções básicas dos elementos. As percepções mais superiores seriam apenas graus mais perfeitos de organização dessas formas e movimento: o que vemos no mundo enquanto organismos completos nada mais são do que corpos em movimento, mas de uma maneira muito mais complexa do que aquela que se passa em nível elementar da matéria.

A teoria de Maupertuis trata, em princípio, da geração orgânica no sentido morfológico, mas acaba desdobrando-se em uma teoria sobre a origem e a base material das funções psíquicas. Isso decorre, em primeiro lugar, por não existir na teoria uma separação clara entre as partes orgânicas estruturais (soma) e as partes seminais ou reprodutivas (germe). Mas, além disso, as partes seminais combinam propriedades físicas e não físicas, o que permite um tratamento integrado da organização tanto do corpo quanto dos atributos psíquicos associados a esse corpo.

Maupertuis dá claramente um passo na formulação de uma explicação naturalizada das propriedades psíquicas: inclui as capacidades intelectuais junto das sensações como o efeito da organização da matéria. Contudo deixa um aspecto do psiquismo humano fora da esfera material, a saber, os atributos morais.

A ALMA E OS ATRIBUTOS MORAIS

No que diz respeito às propriedades psíquicas, o homem e os demais corpos organizados possuem em comum a inteligência particular necessária à formação dos corpos. Mas o homem difere em um aspecto, pois possui algo mais "que lhe faz conhecer Deus e no qual encontram-se as ideias morais de seus deveres" (O2, p. 176), a saber, uma alma imortal. Maupertuis não estende sua explicação naturalizada dos atributos psíquicos até os atributos morais do homem. A inteligência que se origina da reunião das percepções elementares pode atingir um certo grau de perfeição, mas ela "não poderia se elevar até esses conhecimentos de toda uma outra ordem, cuja fonte não existe nas percepções elementares" (O2, p. 176). Sobre esse assunto, "basta que saibamos que temos uma alma indivisível, imortal e inteiramente distinta do corpo, capaz de merecer penas ou recompensas eternas" (O2, p. 177).

Do mesmo modo que o autor titubeou quando sua física tocou o problema teológico da origem dos primeiros organismos, essa mesma física que claramente atribui uma base material para a inteligência não ousa estender a mesma base para a geração da alma humana e de seus atributos morais. Podemos dizer que reaparece aqui o dualismo sob outra forma: Maupertuis defendeu fortemente a atribuição de propriedades inteligentes e extensas conjuntamente na matéria, mas exigiu, para o homem, um princípio imaterial e incomunicável com o corpo, sede das qualidades morais. Essa separação poderia exigir uma série de esclarecimentos quanto à relação entre as entidades psíquicas de origem material – a memória das partículas, o hábito associado às estruturas orgânicas, a inteligência etc. – e a alma moral do homem.

De qualquer maneira, afirmar que o homem possui uma alma imortal e imaterial, sede dos atributos morais e relacionada exclusivamente a eles – sem associá-la com efeitos físicos mais imediatos –, não parece afetar grandemente a teoria da geração do *Sistema*. Talvez reconhecendo a fraqueza de sua estratégia, Maupertuis chama a atenção de que esse mesmo problema aparece igualmente nos outros sistemas da geração:

> No sistema do desenvolvimento, o animálculo que deve formar o homem, ou, antes, que já é homem completamente formado, já recebeu ele esse dom celeste que deve conduzir suas ações quando ele viver entre nós? Se ele já o recebeu, cada animálculo contido ao infinito deve tê-lo também: e todas essas almas contidas, por assim dizer, umas dentro das outras, serão elas mais fáceis de conceber do que a reunião de percepções elementares? Cada alma, mesmo sendo todas produzidas no momento da criação do primeiro homem, teria tido sua criação particular: e não teria isso sido ainda novo milagre ter suspendido durante tantos séculos as operações de tantas almas, cuja natureza é se conhecer e pensar? (O2, p. 177-8).

Mais do que simples especulação teológica, temos aqui uma clara recusa em atribuir à alma humana as qualidades de pensar e de conhecer. Elas, de fato, ficam ao encargo da reunião das percepções elementares. Dizer que a alma passa a existir ou vem a animar o corpo apenas após um certo nível de organização do embrião não resolve o problema, pois o processo é contínuo e não se saberia dizer quando há a troca de estado.

Capítulo 18

O problema das origens

No *Système* aparece uma questão que até então Maupertuis não explorara de maneira direta: a origem dos primeiros corpos organizados. Essa parece-nos a questão mais difícil e mais importante da obra biológica do autor e resolvemos discuti-la neste último capítulo. A teoria que expusemos até aqui explica como os corpos atuais são gerados segundo suas diversas modalidades e como ocorre a formação de novas espécies a partir de uma dada linhagem de organismos. Resta explicar como surgiram os primeiros organismos e as primeiras espécies.

A explicação apresentada por Maupertuis para essa questão é de difícil interpretação, pois o autor propõe dois quadros distintos para a origem dos seres que, em muito aspectos, são contraditórios. Em um deles, a ação de Deus tem um papel decisivo na produção dos primeiros organismos mas, no outro, vemos um quadro natural da origem semelhante ao esquema atomista. Tentaremos mostrar que há uma diferença importante entre a proposta de Maupertuis e a explicação atomista, mas podemos distinguir nitidamente no *Sistema* dois quadros das origens dos organismos. Doravante em nossa discussão designaremos esses dois quadros das origens como metafísico e físico, que serão o eixo de nossa discussão. Além de expô-los, iremos compará-los e, mais adiante, mostrar uma possível articulação entre ambos.

O quadro metafísico das origens

No *Figura dos astros*, após invocar a explicação dos fenômenos como papel central dos sistemas filosóficos, Maupertuis contrapõe o sistema do mundo newtoniano ao cartesiano como prova de que o princípio de atração cumpre tal papel muito mais satisfatoriamente. Seguindo a orientação metodológica de Newton, que esteve na base do argumento, a causa da atração não é um problema que deva ser necessariamente solucionado ou mesmo discutido para que essa força pudesse ser aplicada como princípio útil na explicação dos fenômenos. Mas o desenvolvimento posterior da física de Maupertuis voltou-se para o problema da origem ou fundamentação dos princípios e leis gerais da natureza. A conclusão desse desenvolvimento teórico teve como saldo final a formulação do princípio da mínima ação e a apresentação de uma prova da existência de Deus baseada nas leis gerais da física.

Algo semelhante ao que ocorreu na física ocorre no *Sistema*, mas de forma bem mais sintética. Como fez no *Figura dos astros* em relação à atração, Maupertuis poderia apenas mostrar que ao incluir o pensamento como propriedade dos corpos explica-se muito melhor os fenômenos da geração do que o fazem os demais sistemas em vigor. Que tais sistemas estavam repletos de problemas já havia sido demonstrado pelo autor no *Vênus física* e é reconfirmado no *Sistema*[1] e, assim, bastava que o autor mostrasse, como de fato o fez, como todas essas dificuldades aparentemente insuperáveis eram resolvidas com sua nova teoria. Contudo, antes de apresentar as explicações dos fenômenos gerativos que discutimos anteriormente, Maupertuis propõe uma origem das propriedades psíquicas da matéria que, como vimos, sustentam todas essas explicações. Sua proposta inclui ainda uma descrição de como os primeiros organismos teriam sido criados.

Retomando o desenvolvimento dos estudos em Física de Maupertuis, sabemos que ao tratar das questões mais teóricas que

1 Maupertuis faz aproximadamente as mesmas críticas à teoria da preexistência-pré-formação-embutimento que fez no *Vênus física*; na *Carta* XIV, essas críticas são reforçadas pelos resultados de Buffon.

levaram à formulação do princípio da mínima ação, as causas finais apareceram no cerne da questão. Resumidamente, Maupertuis propôs que há uma finalidade nas leis naturais como consequência da relação entre o princípio da mínima ação e os atributos de Deus. Dentro de certos limites, as causas finais poderiam também ser usadas em Física. Contra isso, o autor levantou e respondeu a uma possível objeção: se as leis físicas são uma consequência da natureza dos corpos, porque associar-lhes a ação de uma Providência? A mesma questão pode ser formulada agora para a explicação da geração dos organismos: mesmo valendo-se de propriedades não físicas como a percepção e a inteligência, não se poderia apenas a partir delas explicar *todas* as formas de geração? Se isso é possível, e a teoria do *Système* o sugere fortemente, não estariam os fenômenos gerativos (incluídas a origem da vida e das espécies) totalmente desvinculados da ação de uma Providência, podendo ser apenas uma consequência necessária da atuação das propriedades dos corpos?

Mesmo que o psiquismo, associável à vontade, ao instinto, à inteligência e à percepção, inclua alguma forma de finalidade, não se trata de uma finalidade transcendente, mas de um caráter teleológico dos corpos que se expressa autonomamente, uma espécie de finalidade natural. Na verdade, essa autonomia das propriedades psíquicas da matéria é interessante para os propósitos teóricos de Maupertuis, mas a essa finalidade inerente aos corpos deve vir associada uma finalidade transcendente. Pelo menos esse foi o fundamento e o objetivo do projeto físico e cosmológico de Maupertuis. Acreditamos que, por esses motivos, o autor articulou no *Sistema* a ação divina com a geração dos organismos:

> A Religião impede-nos de crer que os corpos que vemos devem sua primeira origem apenas às leis da Natureza, às propriedades da matéria. As divinas Escrituras nos ensinam como todos esses corpos foram primeiramente tirados do nada e

> formados: e estamos bem longe de ter a mínima dúvida sobre qualquer das circunstâncias desse relato [...] Mas esse mundo, uma vez formado, por quais leis ele se conserva? Quais são os meios que o Criador destinou para produzir os indivíduos que perecem? Aqui temos o campo livre e podemos propor nossas ideias (O2, p. 154-5).

Para Maupertuis, a primeira origem dos corpos que vemos atualmente foi sobrenatural e não ocorreu como efeito da ação das propriedades da matéria ou das leis da natureza. Além disso, junto dessa origem sobrenatural dos primeiros seres, as leis da natureza relacionadas com a geração dos corpos passaram a ter o papel de conservar o mundo criado e, portanto, ganharam uma finalidade de origem sobrenatural. Mesmo que essas leis atuem autonomamente na produção dos organismos (sem a intervenção direta de Deus), o farão para manter alguma forma de desígnio providencial estabelecido nas origens do mundo. Em outra passagem Maupertuis dá maiores detalhes de como essa ação divina teria ocorrido:

> [Deus] dotou cada uma das menores partes da matéria, cada elemento (eu chamo de elemento aqui as menores partes da matéria nas quais a divisão é possível, sem entrar na questão se a matéria é divisível ao infinito ou se ela não o é) de alguma propriedade semelhante àquilo que em nós chamamos desejo, aversão, memória; a formação dos primeiros indivíduos, tendo sido milagrosa, aqueles que lhes sucederam não são mais do que os efeitos dessas propriedades. Os elementos próprios para cada corpo, encontrando-se nas quantidades suficientes e nas distâncias de onde eles pudessem exercer sua ação, viriam se unir uns aos outros para reparar continuamente as perdas do Universo (O2, p. 157-8).

Os primeiros indivíduos foram produzidos sobrenaturalmente e a continuidade das próximas gerações é garantida por um segundo ato divino: Deus introduz as propriedades psíquicas na matéria e estas atuarão segundo um princípio gerativo fundamental, que é justamente aquele exposto no *Système*. A origem sobrenatural das propriedades psíquicas garante que uma finalidade, também sobrenatural, seja cumprida por leis autônomas:

> Deus, criando o mundo, dotou cada parte da matéria com essa propriedade, pela qual ele quis que os indivíduos que tinha formado se reproduzissem. E, dado que a inteligência é necessária para a formação dos corpos organizados, parece mais grandioso e mais digno da Divindade que eles se formem pela propriedade que ele uma vez espalhou nos elementos do que se esses corpos fossem a cada vez produções imediatas de sua potência (O2, p. 183).

Vemos aqui uma boa semelhança entre a forma pela qual o princípio gerativo e as demais leis da física (do movimento, do repouso e da óptica) são reguladas. A economia de ação na produção dos fenômenos naturais e a produção de organismos pela inteligência das partes seminais são reflexos distintos de um mesmo vínculo que Maupertuis estabelece entre Deus e a Natureza. Nos dois casos, uma mecânica cega cumpre os desígnios da vontade divina e torna a ação de Deus na Natureza mais digna do que se Ele o fizesse imediatamente. É também por um único milagre que Deus imprimiu na matéria forças que denotam sua potência e que são destinadas a executar efeitos que marcam sua sabedoria; como discutimos no capítulo 3, esse ato milagroso é fundamental para que se estabeleça um vínculo entre as leis gerais da natureza e os atributos da divindade; um outro milagre faz com que as partes seminais dos organismos apresentem uma propriedade perceptiva.

É grande a semelhança entre a física e a teoria da geração de Maupertuis tomada desse ponto de vista e, assim, parece-nos que esse quadro metafísico das origens tenha sido proposto com a intenção de fundamentar a teoria da geração nas mesmas bases filosóficas que sustentam a filosofia natural construída a partir da física e da cosmologia. Mas essa vantagem tem um ônus importante: no campo da física, a atuação das leis naturais produz um mundo regular e consideravelmente imutável no tempo; o mesmo não acontece no campo da geração, pois os corpos organizados modificam-se constantemente e os mesmos processos instaurados originalmente por Deus para conservar o mundo criado podem sofrer o efeito de mudanças fortuitas que levam ao aparecimento de novas espécies. A partir daqui começaremos a tratar dessa questão.

O primeiro problema a ser discutido diz respeito à natureza dos seres que tiveram uma origem sobrenatural. Para Maupertuis, pelo menos consistentemente com suas últimas declarações, as Escrituras ensinam como Deus formou o mundo. Mas se ele foi formado completo e, assim, os primeiros seres vivos foram igualmente formados completos como organismos adultos? Comparativamente à diversidade de espécies de seres vivos que vemos atualmente, como era a diversidade desses organismos primevos, ou seja, quais espécies estavam presentes na criação do mundo? As duas questões estão intimamente relacionadas, mas podem ser tratadas em separado: temos um conjunto inicial de organismos e pretende-se saber como eles foram formados; uma vez formados, podemos perguntar a que espécies eles pertenciam.[2]

---

2 Essas duas questões podem ser identificadas a dois dos mais importantes problemas da biologia: a origem da vida e a origem das espécies. Mesmo na posse de um mecanismo capaz de explicar como as espécies originam-se umas às outras, resta ainda explicar como apareceram o(s) primeiro(s) ser(es) vivos – ou a(s) primeira(s) espécie(s).

Para a primeira dessas questões temos, dentro do quadro metafísico, pelo menos duas respostas possíveis: (i) Deus criou os ancestrais de todas as espécies como indivíduos adultos ou (ii) Deus criou os elementos seminais que, tendo recebido de Deus as propriedades psíquicas, foram capazes de produzir naturalmente e sem a intervenção divina os primeiros organismos ancestrais.

A primeira possibilidade sustenta-se na intenção de Maupertuis permanecer fiel a uma interpretação literal do Gênese: "Nós não nos valeremos da licença que vários Filósofos hoje se dão de interpretar, segundo os sistemas que abraçaram, as expressões do texto sagrado, cujo autor, segundo eles, propôs-se antes falar de uma maneira popular do que dar das coisas um recitativo exato" (O2, p. 155). Para tanto, os organismos deveriam ter sido todos criados já adultos. A partir dessa produção milagrosa, a continuidade dos descendentes desses organismos poderia ser explicada naturalmente pela teoria de Maupertuis: cada um desses organismos já possuiria as partículas seminais dotadas de percepção em suas sementes[3] e da segunda geração em diante os organismos seriam produzidos de forma mecânica e natural.

Segundo essa interpretação, o sistema de Maupertuis torna-se semelhante àquele que mais combateu, a saber, o *Sistema dos desenvolvimentos*: na teoria da pré-formação-preexistência-embutimento Deus criou os primeiros ancestrais com séries de embriões pré-formados e embutidos e, na teoria de Maupertuis, Deus teria criado esses mesmos indivíduos com líquidos seminais dotados de partes seminais pré-formadas e, em um certo sentido, preexistentes.[4] Em resumo, temos duas interpretações

3 Diríamos que os organismos foram criados adultos e maduros.

4 Se os primeiros organismos foram produzidos milagrosamente como adultos, suas partes seminais não foram produzidas por pangênse; nas gerações posteriores, novas partes seminais poderão ser produzidas por esse processo, mas as partes seminais originalmente criadas por Deus poderão ser transmitidas aos descendentes por várias gerações. Os líqui-

distintas da ação milagrosa de Deus que se adaptam às exigências teóricas de dois mecanismos da geração distintos. Maupertuis não nega o vínculo de sua teoria com o *Sistema dos desenvolvimentos* quanto a essa particularidade. Para o autor, "A primeira produção, em todos os sistemas, é um milagre" (O2, p. 156-7), mas o seu economiza, por assim dizer, o recurso aos milagres e deles se utiliza para explicar apenas a primeira produção de organismos, deixando as demais ao encargo de processos naturais. No *Sistema dos desenvolvimentos*, "as produções de cada indivíduo são tantos milagres a mais" (O2, p. 157), visto que todos os embriões pré-formados que originam todas as gerações de organismos saíram diretamente das mãos de Deus.

Em resumo, parece que primeiro Deus criou os organismos e, em seguida, conferiu às suas partes seminais a propriedade inteligente que, por sua vez, garantiria que eles se reproduzissem naturalmente. Das duas possibilidades de resposta à questão inicialmente levantada, a primeira tem maior possibilidade de estar correta dentro do quadro metafísico que acabamos de discutir.

No texto, nada sugere que Deus teria criado apenas os elementos seminais dotados de percepção e que, posteriormente, eles teriam produzido naturalmente todas as gerações de organismos, inclusive a primeira. Excetuando-se a intervenção divina, essa situação seria semelhante, como veremos mais adiante, àquela descrita no quadro físico das origens.

Quanto à segunda questão, sobre a diversidade de espécies criadas diretamente por Deus, o texto também oferece muito pouco. Apenas uma informação, muito indireta, poderia ser obtida. Maupertuis afirmou que *todos* os corpos que vemos atualmente

---

dos seminais poderiam conter uma mistura de partes seminais naturais e criadas. Pode ser o caso das partes seminais responsáveis pela cor da pele dos indivíduos da raça branca que, no *Vênus física*, tiveram como primeiros ancestrais indivíduos criados diretamente por Deus.

tiveram uma primeira origem divina e que a inteligência atribuída às partes seminais tinham como propósito conservar o que foi criado. Disso pode-se deduzir que todas as espécies atuais já existiam desde a criação e que, de lá para cá, vem se perpetuando sem alterações. Em outras palavras, o quadro metafísico das origens proposto por Maupertuis vincular-se-ia a uma concepção fixista absoluta das espécies, inteiramente de acordo com a interpretação mais literal do Gênese bíblico. Embora essa interpretação seja plausível, ela contradiz diretamente um dos aspectos mais marcantes de sua teoria da geração, que é a possibilidade de produção de novas espécies. É possível enfraquecer o caráter fixo das espécies e, assim, garantir uma certa consistência entre o quadro metafísico das origens e as exigências oriundas da aplicação do mecanismo gerativo à explicação dos fenômenos. Deus cria um conjunto de espécies primordiais, mas os organismos pertencentes a cada uma delas podem sofrer modificações e produzir, segundo o mecanismo proposto por Maupertuis, novas espécies. Mas o aprofundamento dessa questão já exige elementos da origem física dos primeiros organismos, que passaremos a analisar.

O quadro físico das origens

No capítulo anterior, vimos que Maupertuis generalizou seu sistema teórico para todos os corpos organizados, vivos e não vivos, tomando a geração espontânea como mecanismo fundamental. A construção do quadro físico das origens fundamenta-se na aplicação desse mecanismo espontâneo de geração para explicar a produção de uma primeira série de organismos ancestrais que, talvez, poderiam ser considerados como os primeiros organismos existentes na Terra. Já podemos perceber como esse quadro opõe-se ao anterior e, assim, analisaremos com detalhe os passos dados por Maupertuis em sua elaboração.

Essa quadro começa a ser desenhado nas considerações feitas pelo autor sobre as mudanças ocorridas com a Terra em seu passado geológico. Essas mudanças são mencionadas já no *Figura dos astros*, na *Carta sobre o cometa* e na *Relato de uma viagem*, textos que trataram, como vimos no capítulo 6, das transformações planetárias provocadas pela interação dos cometas com a Terra: um encontro poderia causar grandes cataclismos, incêndios ou dilúvios; as águas elevar-se-iam e inundariam vastas regiões; apenas a passagem de um cometa próximo da Terra poderia ter mudado a inclinação de seu eixo, provocando profundas alterações climáticas; a cauda do cometa poderia inundar a atmosfera da Terra com vapores estranhos e com grande quantidade de calor.

Essas mudanças tiveram efeitos diversos sobre os seres que habitavam o planeta e, embora Maupertuis não tenha discutido muito a questão nesses primeiros textos, percebemos que ele aceita claramente que tanto a Terra como os seres vivos estiveram sujeitos a instabilidades em sua história. Mas havia uma dúvida sobre o significado dessas modificações; ora elas apareciam como tendo um efeito criativo e capazes de produzir maravilhas e coisas úteis à Terra, ora como o efeito da ira divina que destruía uma condição previamente perfeita e harmoniosa.

No *Ensaio de cosmologia* esse tema é retomado e o efeito das transformações planetárias sobre os seres vivos é aprofundado:

> Apenas a aproximação de corpos tão ardentes como são alguns cometas, desde que tenham passado muito perto do Sol, apenas a inundação de suas atmosferas ou de suas caudas, causariam grandes desordens sobre o planeta que a elas se encontrassem expostos.
>
> Não podemos duvidar que a maioria dos animais não pereceriam se acontecesse de eles serem obrigados a suportar calores tão excessivos ou a nadar em fluidos tão diferentes dos seus, ou a

> respirar vapores tão estranhos. Não haveria senão os mais robustos e talvez os mais vis que conservassem a vida. Espécies inteiras seriam destruídas e não encontraríamos mais entre elas a ordem e a harmonia que havia de início (Maupertuis, 1751, p. 168-70).

Está clara aqui a adesão do autor a uma interpretação catastrofista: as transformações ocorridas com a Terra modificariam um estágio anterior de perfeição. Devemos destacar que, pela primeira vez, Maupertuis fala claramente que as espécies podem extinguir-se, embora isso já pudesse ser deduzido de suas considerações anteriores.

Outra noção central que reaparece no *Ensaio de cosmologia* é a cadeia dos seres, sendo ela a que espelhava a harmonia perturbada pelas catástrofes:

> Anteriormente todas as espécies formavam uma sequência de seres que eram, por assim dizer, apenas partes contíguas de um mesmo todo: cada uma ligada às espécies vizinhas, da qual elas não diferiam senão por nuanças insensíveis, formava-se entre elas uma comunicação que se estendia desde a primeira até a última (Maupertuis, 1751, p. 170-1).

As catástrofes criam hiatos na cadeia dos seres interrompendo não apenas a ordem das coisas, como impedindo que possamos ter um conhecimento completo da ligação existente entre todos os seres:

> Mas essa cadeia, uma vez rompida, as espécies que apenas podemos conhecer por intermédio daquelas que foram destruídas, tornaram-se incompreensíveis para nós: vivemos talvez entre uma infinidade desses seres dos quais não podemos descobrir nem a natureza, nem mesmo a existência.

> Entre aqueles que podemos ainda perceber, encontram-se interrupções que nos privam da maioria dos recursos que poderíamos delas retirar: pois o intervalo que existe entre nós e os últimos seres não é para nossos conhecimentos um obstáculo menos invencível do que a distância que nos separa dos seres superiores. Cada espécie, pela universalidade das coisas, tinha vantagens que lhe eram próprias: e como de sua reunião resultava a beleza do Universo, da mesma maneira, de sua comunicação resultava a ciência (Maupertuis, 1751, p. 172-3).

Podemos relembrar que, no *Vênus física*, a distância entre as espécies fora considerada uma dificuldade para o conhecimento do mecanismo fundamental de geração comum a todos os seres. Se essa distância não pode ser preenchida porque certas espécies foram extintas, esse mecanismo único não poderia ser igualmente conhecido. Maupertuis leva bem longe as consequências dessa concepção catastrofista e mostra uma visão bastante pessimista da condição presente do mundo:

> Cada espécie isolada não pode mais embelezar nem fazer conhecer as outras: a maioria dos seres nos parece apenas como monstros e encontramos apenas obscuridade em nossos conhecimentos. É assim que o edifício mais regular, após ter sido acometido pelo raio, não mais oferece a nossos olhos senão ruínas, nas quais não podemos reconhecer nem a simetria, nem o desenho do Arquiteto (Maupertuis, 1751, p. 173-4).

Essa harmonia prévia das espécies faz-nos lembrar diretamente a origem metafísica do mundo: uma ordem originalmente produzida por Deus e garantida pelas leis naturais a serviço da Providência foi abalada pelos eventos anteriormente descritos. Se essa alteração pode ter sido igualmente causada pela vontade divina, Maupertuis não se pronuncia.

Mas essa visão vai mudar profundamente no *Sistema*. Publicado apenas um anos após o *Ensaio de cosmologia*, Maupertuis retoma a relação entre os cataclismos planetários e a geração dos organismos e escreve:

> Aqui não é o lugar de contar as mudanças que parecem ter ocorrido em nosso globo nem as causas que puderam produzi-las. Ele pode ter-se encontrado submerso no interior da atmosfera de um corpo celeste qualquer: ele pode ter-se encontrado queimado pela aproximação de algum outro: ele pode ter-se encontrado muito mais próximo do Sol do que ele está atualmente, fundido ou vitrificado pelos raios desse astro. Vemos bem que nas combinações de um grande número de globos nas quais uns atravessam os outros, todos esses acidentes são possíveis (O2, p. 168).

As causas de tais transformações não são consideradas e, assim, não há a associação anteriormente aceita pelo autor entre essas causas e a ação da Providência divina. Bem ao contrário, as interações entre a Terra e outros corpos celestes são chamadas de acidentes. As mudanças que se seguirão a partir desses acidentes serão refletidas diretamente na geração dos corpos organizados e, independentemente da identificação de suas causas, o autor ressalta que as mudanças aludidas realmente ocorreram e elas reuniram condições especiais para a produção desses corpos:

> Mas podemos partir do fato: tudo nos faz conhecer que todas as matérias que vemos sobre a superfície de nossa Terra foram fluidas, sejam aquelas que estiveram dissolvidas nas águas, seja que elas estiveram fundidas pelo fogo. Ora, nesse estado de fluidez no qual as matérias de nosso globo estiveram, elas encontraram-se no mesmo caso que esses líquidos nos quais nadam os elementos que devem produzir os animais (O2, p. 169).

Havia na superfície da Terra uma espécie de fluido seminal universal, análogo aos fluidos seminais encontrados no interior dos organismos e, a partir dele foram produzidos corpos organizados por geração espontânea: nesse estado de fluidez, "os metais, os minerais, as pedras preciosas foram bem mais fáceis de formar-se que o inseto menos organizado. As partes menos ativas da matéria teriam formado os metais e os mármores; as mais ativas os animais e o homem" (O2, p. 169).

As transformações que anteriormente causaram a morte de espécies são agora responsáveis pelo nascimento de organismos que, como veremos, fundarão as espécies através da reprodução.

É patente que a origem dos animais e do homem aqui descritas são radicalmente diferentes em comparação àquela apresentada no quadro metafísico. Mas essa descrição física corresponde efetivamente, como no caso anterior, a uma primeira origem dos seres organizados? Não poderia, ao contrário, esse estado de dissolução global das matérias terrestres ser posterior à criação especial, mesmo que nele tenha surgido a própria espécie humana? A questão é importante, pois é respondendo-a que poderemos decidir se um verdadeiro quadro das origens físico e natural opõe-se ao quadro metafísico e sobrenatural. Mas o que Maupertuis nos oferece no *Sistema* não permite chegar a uma conclusão precisa a esse respeito. Essas modificações podem ter ocorrido mais de uma vez; podem ter sido mais restritas ou coberto todo o planeta; podem ter levado à produção dos primeiros ancestrais de uma espécie como podem igualmente ter levado à extinção de espécies preexistentes, ou apenas produzir modificações menores que poderão tornar-se hereditárias e produzir uma outra espécie a partir de uma também já existente: "não seria impossível que, se nossa Terra se encontrasse ainda em qualquer um dos estados dos quais falamos no § XLVIII, após um tal dilúvio ou um tal incêndio, produzissem-se novas uniões de elementos, novos animais, novas plantas ou antes coisas completamente novas" (O2, p. 170).

É verdade que anteriormente o autor afirmou que, pelo menos em um desses estados, *todas* as matérias que atualmente compõem os corpos existentes no planeta estiveram no estado de fluidez. Mas não sabemos se essa fluidez de todas as matérias foi temporalmente simultânea ou sucessiva. Seria possível que uma catástrofe de proporções realmente globais tivesse destruído todos os corpos organizados e, a partir daí, um novo ciclo de gerações começaria. O texto não nos permite decidir a esse respeito e, mesmo que Maupertuis assim pensasse, teríamos um quadro físico das origens, mas que não seria necessariamente o primeiro.

Apesar dessas dificuldades, é certo que Maupertuis aceita a geração espontânea de organismos a partir de um fluido seminal que existiu na superfície do planeta. Mesmo que ele não tenha produzido os primeiros organismos que habitaram a Terra, sua existência já modifica bastante a situação do mundo criado por Deus.

Seres de complexidade estrutural tão distinta quanto os citados (mármores, metais, insetos, animais e o homem) podem ser originados espontaneamente, mas há uma diferença importante entre eles: "Toda a diferença que existe entre essas produções é que umas continuam pela fluidez das matérias onde se encontram seus elementos e que o endurecimento das matérias onde se encontram os elementos dos outros não permitem novas produções" (O2, p. 169). Se a condição de fluidez puder ser mantida, ocorrerá a reprodução dos corpos. Essa fluidez é encontrada antes de tudo nos líquidos seminais internos aos organismos vivos que, através da reprodução sexuada, produziram linhagens a partir de organismos gerados espontaneamente. A própria geração espontânea não é restrita a uma condição primordial e ela continua a ocorrer, em menor escala, a partir de matérias fluidas do ambiente, desde que as condições sejam satisfeitas. Os corpos organizados do reino mineral – cristais, mármores, metais etc. – endureceram quando primeiramente gerados e, assim, não retiveram fluidos internos com elementos seminais. Eles não podem se reproduzir a menos que os dissolvamos artificialmente em uma solução qualquer que restabeleça o processo de geração espontânea primordial.

Podemos resumir o quadro exposto em alguns pontos essenciais. Houve um estado primitivo da Terra onde todas as matérias e seus elementos estiveram em um estado de fluidez que reúne as condições básicas à geração dos corpos organizados. Organismos de diferentes ordens de complexidade puderam ser produzidos a partir desse líquido primordial. Inicialmente os corpos organizados poderiam ser produzidos da matéria em estado fluido a partir do mecanismo básico de geração espontânea, quando os elementos seminais encontram-se fora dos organismos. Alguns desses primeiros corpos produzidos – os organismos vivos – puderam reproduzir-se pela manutenção do estado de fluidez das partes seminais internas, outros continuariam a ser gerados espontaneamente a partir de fluidos seminais externos. Já os corpos organizados minerais não se reproduziriam devido à perda do estado de fluidez interna. O processo de desagregação dos corpos causado por fatores externos pode ocorrer mais de uma vez e novas espécies poderão surgir espontaneamente, bem como organismos e espécies preexistentes poderão extinguir-se. Os organismos vivos gerados a partir dos elementos dissolvidos no ambiente terrestre primitivo são os primeiros *ancestrais* dos organismos posteriormente existentes, pelo menos aqueles que se reproduzirão sexuadamente. É possível tomar esse quadro primitivo como uma descrição física da origem de organismos e de espécies sem necessariamente considerá-lo como uma primeira origem dos seres.

Antes de procedermos a uma comparação mais detalhada dos quadros metafísico e físico das origens, há ainda dois outros pontos importantes a serem discutidos. Ao que parece, Maupertuis tentou reconciliar no *Ensaio de cosmologia* esse dois quadros que, no *Sistema*, aparecem com diferenças marcantes; disso trataremos a seguir. Depois, analisaremos uma conjectura fundamental para o quadro das origens presente no *Système*: aparentemente Maupertuis acredita que todas as espécies de animais com reprodução sexuada teriam sido originadas a partir de um único casal de organismos.

O *Ensaio de cosmologia* E AS PROVAS DA EXISTÊNCIA DE DEUS A PARTIR DOS SERES VIVOS

No capítulo 3, examinamos a prova da existência de Deus que Maupertuis apresenta a partir das leis gerais da natureza, desenvolvida em 1746 no *As leis do movimento e do repouso deduzidas de um princípio metafísico*. Na primeira parte da obra, cujo título é *Exame das provas da existência de Deus derivadas das maravilhas da natureza*, Maupertuis analisa e critica a utilização de fenômenos muito particulares na elaboração de provas da existência de Deus, dando destaque especial ao problema da adaptação dos animais. Nesse exame, o autor assume posições de grande significado para a teoria da geração desenvolvida no *Sistema*.

A linha da crítica de Maupertuis às provas da existência de Deus, obtidas a partir das maravilhas da natureza, é resumidamente a seguinte: é muito grande o número de provas da existência de um Ser todo-poderoso e onisciente que podem ser obtidas examinando-se as particularidades dos fenômenos e, assim, deve-se fazer uma seleção no sentido de examinar quais são as provas mais fortes. Deve-se igualmente ser criterioso de modo a atribuir a cada prova apenas o peso que lhe é devido, pois "não podemos causar mais problema à verdade do que querendo apoiá-la sobre falsos raciocínios" (Maupertuis, 1751, p. 2-3). No limite, as provas mais verossímeis serão justamente aquelas que se fundamentam nos fenômenos mais gerais da natureza, pois é apenas por seu intermédio que podemos perceber a operação de leis universais capazes de revelar a ação da divindade no mundo. Maupertuis examina, então, algumas das pretensas provas baseadas em minúcias da natureza com o intuito de mostrar sua debilidade.

O autor enumera inicialmente uma série de provas que não pretende discutir, embora as considere convenientes. Podemos citar uma que guarda relação direta com o *Sistema*: a prova que procede da "inteligência que encontramos em nós mesmos, dessas centelhas de sabedoria e de potência que vemos espalhadas nos Seres finitos: e que supõem uma fonte imensa e eterna de onde elas tiram sua origem" (Maupertuis, 1751, p. 5-6). É fácil ver um paralelo entre essa fonte de inteligência em todos os Seres e a fonte de propriedades perceptivas nos elementos materiais e nos corpos organizados.

As provas que estão diretamente sob crítica estão associadas ao próprio desenvolvimento da Física: "[quanto mais] o estudo da Física progrediu, mais essas provas se multiplicaram" (Maupertuis, 1751, p. 7). Na verdade, as provas discutidas estariam mais próximas da Físico-Teologia ou da Teologia natural inspiradas, segundo o autor, nas reflexões de Newton sobre a questão: "Uma multidão de Físicos, após Newton, encontrou Deus nos Astros, nos Insetos, nas Plantas e na Água". A essas provas, critica o autor, foram dadas mais força do que deveriam ter, o que não se justifica sobretudo por existirem melhores provas, "em número grande o bastante para que possamos fazer o mais rígido exame e a escolha a mais escrupulosa" (Maupertuis, 1751, p. 8-9).

Maupertuis apontou Newton como a fonte inicial das provas que serão criticadas e, assim, "para melhor fazer conhecer o abuso que se fez das provas da existência de Deus, examinemos exatamente aquelas que pareceram tão fortes a Newton" (Maupertuis, 1751, p. 14-5). Primeiramente discute a prova baseada na regularidade dos movimentos planetários. A uniformidade pela qual os seis planetas giram em torno do Sol não seria, para Newton, "outra coisa senão o efeito da vontade de um Ser supremo" (Maupertuis, 1751, p. 12); essa uniformidade "prova necessariamente uma escolha", pois "Não seria possível que um destino cego os fizesse todos moverem-se em um mesmo sentido e em órbitas quase concêntricas" (Maupertuis, 1751, p. 15). Se Newton também considerasse "que todos eles [os planetas] movem-se quase no mesmo plano", a probabilidade de que a regularidade existente fosse fruto do acaso seria muitíssimo pequena. Mas, argumenta Maupertuis, por menor que fosse tal probabilidade, ela não poderia ser simplesmente excluída e, assim, "não se poderia dizer que essa uniformidade seja o efeito necessário de uma escolha" (Maupertuis, 1751, p. 18). Mais do que isso,

> a alternativa de uma escolha ou de um acaso extremo é fundada apenas sobre a incapacidade, na qual encontrava-se Newton, de dar uma causa física dessa uniformidade. Para outros filósofos que fazem os planetas moverem-se em um fluido que os carrega ou que apenas modera seu movimento, a uniformidade de seu curso não parece em nada inexplicável: ela não mais pressupõe esse singular golpe de sorte ou essa escolha, e prova a existência de Deus tanto quanto o faria qualquer outro movimento impresso à matéria (Maupertuis, 1751, p. 18-9).

Com a explicação cartesiana, a regularidade dos movimentos planetários não exige mais um milagre, podendo ser explicada fisicamente. É, então, na mesma linha de raciocínio que Maupertuis passa a tratar de outros tipos de uniformidade natural que nos interessam em particular: "A uniformidade observada na construção dos animais, sua organização maravilhosa e plena de utilidades" (Maupertuis, 1751, p. 13) e a "conveniência das diferentes partes dos animais com suas necessidades" (Maupertuis, 1751, p. 21-2). A organização dos animais, tal como a organização dos astros, também foram para Newton "provas convincentes da existência de um Criador todo-poderoso e onisciente" (Maupertuis, 1751, p. 13). Passando do âmbito da astronomia para o da história natural dos seres vivos, provas medíocres fundadas em minúcias da natureza multiplicaram-se e, por fim, Maupertuis passa a discuti-las diretamente.

A primeira crítica opõe diversidade e uniformidade observada entre os animais:

> Sem sair dos mesmos Elementos, comparemos uma Águia com uma Mosca, um Cervo com uma Lesma, uma Baleia com uma Ostra e julguemos essa uniformidade. Com efeito, outros autores quiseram encontrar uma prova da existência de Deus na variedade das formas e eu não sei quais estão mais bem fundados (Maupertuis, 1751, p. 20-1).

A utilidade das partes ou órgãos de um animal reflete-se na adaptação ao ambiente ou elemento onde vivem; se os animais são construídos segundo um plano providencial, necessidades semelhantes – impostas por um mesmo ambiente – deveriam ser atendidas por órgãos ou estruturas semelhantes; mas animais como a ostra e a baleia têm suas necessidades atendidas por estruturas totalmente diferentes.

No sentido oposto, poder-se-ia dizer que todas as necessidades dos animais são sempre atendidas e a estrutura dos órgãos, por mais diferentes que sejam entre si, é sempre convenientemente construída para um perfeito desempenho: "Suas patas não são feitas para caminhar, suas asas para voar, seus olhos para ver, sua boca para comer e outras partes para reproduzir seus semelhantes? Tudo isso não indicaria uma inteligência e um desígnio que presidiu à sua construção?" (Maupertuis, 1751, p. 22). Esse argumento fundado no Desígnio, que para Maupertuis parece mais forte que o anterior, "impressionou os Antigos como a Newton" (Maupertuis, 1751, p. 23), e "é em vão que o maior inimigo da Providência a ele responda [dizendo] que a utilidade não foi de modo algum o objetivo, que ele foi a consequência da construção das partes dos Animais: que o acaso, tendo formado os olhos, as orelhas, a língua, serviu-se deles para ver, para escutar e para falar" (Maupertuis, 1751, p. 24). O autor localiza essas ideias no Livro IV do *De rerum naturae* (*Da natureza das coisas*) de Lucrécio e, assim, podem representar a concepção atomista antiga para a geração e a origem dos organismos. O problema em exame é fundamentalmente o da relação entre forma e função nos organismos. Segundo o atomismo, a forma, produzida casualmente, precede e determina a função e, assim, não haveria sentido em atribuir quaisquer desígnios aos seres vivos. Mas a conveniência generalizada observada entre as formas e funções reclama o oposto: a função ou utilidade é anterior à forma que lhe está associada.

Interpretar adequadamente a posição de Maupertuis ante essas duas possibilidades constitui uma das principais dificuldades que encontramos no estudo das bases filosóficas de sua teoria da geração. Pela evidência textual do *Ensaio de cosmologia* até aqui examinada, percebe-se que, apesar de suas críticas, há uma tendência geral no autor em aderir mais à interpretação físico-teológica de Newton. Contudo, a passagem pode esclarecer a real posição do autor. Como alternativa a esse desígnio explícito, encontrado abusivamente nos ínfimos detalhas dos corpos e o acaso reclamado por Lucrécio, Maupertuis apresenta a seguinte conjectura:

> Mas não podemos dizer que, na combinação fortuita das produções da Natureza, como havia apenas aquelas onde se encontrassem certas relações de conveniência que pudessem subsistir, não é maravilhoso que essa conveniência encontre-se em todas as espécies que atualmente existem? O acaso, diríamos, teria produzido uma multidão inumerável de indivíduos; um pequeno número encontrar-se-ia construído de maneira que as partes do animal pudessem satisfazer suas necessidades; em um

> outro infinitamente maior, não havia nem conveniência nem ordem: todos estes últimos pereceram: animais sem boca não podiam sobreviver, outros que careciam de órgãos para a geração não podiam se perpetuar; os únicos que restaram são aqueles onde se encontravam a ordem e a conveniência: e essas espécies que vemos hoje são apenas a mínima parte daquilo que um destino cego havia produzido (Maupertuis, 1751, p. 24-6).

Aparentemente essa descrição da produção dos primeiros organismos é bem semelhante ao esquema atomista, pois os organismos são produzidos pela combinação fortuita das produções naturais. Mas acreditamos existir uma diferença sutil na conjectura de Maupertuis, pois, segundo ela, as estruturas produzidas de modo fortuito não satisfazem automaticamente às necessidades orgânicas; a maioria delas não se fixa no tempo através de geração por não exibir a combinação de partes ou de órgãos capazes de garantir o desempenho necessário à sobrevivência. O acaso pode produzir seres vivos, mas não é ele que estabelece quais serão as estruturas funcionalmente viáveis. Parece-nos que essa conjectura assume algum tipo de predeterminação com relação à composição conveniente de órgãos que engendraria um ser vivo. A existência prévia dessa composição regula ou seleciona as combinações fortuitas e, desse modo, produz como resultado maravilhoso o fato de que os organismos pertencentes a todas as espécies existentes exibam uma perfeita combinação de forma e função que se realiza na construção de uma estrutura que atendam a necessidades. Há uma seleção negativa aparentemente fortuita operando de modo a garantir a existência de apenas uma pequena quantidade dos corpos também produzidos fortuitamente; mas esse grupo de organismos que perpetua sua existência como seres integrados à natureza deve estar, por assim dizer, previamente selecionado por uma espécie de estrutura ideal imposta como necessária.

Essa interpretação da conjectura de Maupertuis parece-nos capaz de garantir a combinação de acaso e necessidade exigida por uma solução alternativa entre os modelos atomista e providencialista. Ela também é consistente com a proposta de inclusão de causas finais nas explicações físicas defendida por Maupertuis a partir de seus estudos em óptica. Conforme discutimos no capítulo 2, Maupertuis aceita um uso restrito das causas finais para explicar os fenômenos mecânicos, ao mesmo tempo em que critica seu uso indiscriminado. Praticamente a mesma posição aparece na sequência do texto com relação à finalidade nas estruturas orgânicas:

> Quase todos os Autores modernos que trataram da Física ou da História natural não fizeram outra coisa senão estender as provas que tiramos da organização dos Animais e das Plantas e levá-las até os menores detalhes da Natureza. Para não citar exemplos muito indecentes, que seriam muito comuns, eu falo apenas daquele que encontra Deus nas pregas da pele de um Rinoceronte, pois esse animal, estando coberto de uma pele muito dura, não poderia se mexer sem essas pregas (Maupertuis, 1751, p. 27-8).

São nessas formas de argumento que estaria o abuso aludido. A ação da Providência e a existência de uma finalidade nas obras da natureza pode ser percebida apenas no âmbito das leis mais gerais e não é possível segui-las até os mínimos detalhes dos fenômenos. Mesmo que a Providência e o Desígnio existam por toda parte, procurá-los nesses detalhes os tornariam ainda mais ocultos:

> Não é prejudicar a maior das verdades do que querer prová-la com tais argumentos? Que diríamos daquele que negasse a Providência porque a carapaça da tartaruga não possui pregas

> nem articulações? O raciocínio daquele que a prova pela pele do Rinoceronte tem a mesma força: deixemos essas bagatelas àqueles que nelas não percebem a frivolidade (Maupertuis, 1751, p. 28-9).

A esses exemplos seguem-se outros. Maupertuis passa a discutir as tentativas de explicar como uma ação providencial teria produzido com tanto engenho seres nocivos tais como as serpentes, as moscas e outros animais. Toda essa análise aponta para uma mesma ideia: mostrar que não podemos detectar a finalidade presente nas obras da natureza se focarmos o exame dos detalhes da morfologia e do modo de vida dos organismos, como vinha sendo feito por boa parte dos naturalistas da época. Como já mencionamos várias vezes, a finalidade que reflete a presença de Deus na natureza deve ser buscada nos fenômenos mais gerais e, assim, conclui finalmente Maupertuis, "Não é portanto nos pequenos detalhes, nessas partes do Universo que conhecemos muito pouco as ligações, que devemos procurar o Ser supremo; é nos Fenômenos cuja universalidade não sofra qualquer exceção e que sua simplicidade expõe-se inteiramente à nossa vista" (Maupertuis, 1751, p. 54-5). É exatamente isso que Maupertuis faz para o âmbito da Física: apresenta uma prova da existência de Deus a partir de leis gerais da natureza, exposta logo após a conclusão anterior. Mas faltava ainda estabelecer um vínculo entre a ação de Deus e os fenômenos da geração e da adaptação orgânicas. Acreditamos que isso foi preparado nas considerações de Maupertuis que estivemos examinando: mesmo que em sua primeira origem os organismos tenham surgido do encontro fortuito de partes materiais, havia uma finalidade a garantir que apenas aqueles bem adaptados poderiam estabelecer-se e, pela reprodução, formar a diversidade de espécies existente na Terra. O *Système*, então, completa essa quadro: um conjunto de organismos teria se formado espontaneamente a partir da matéria em estado de fluidez em uma condição primitiva da Terra. As diferentes atividades associadas às várias substâncias presentes no fluido teriam produzido fortuitamente vários tipos de corpos, mas somente aqueles cuja estrutura fosse capaz de atender às necessidades vitais continuariam a existir.

Poderíamos ainda acrescentar que a fonte dessa finalidade adaptadora emana originalmente de Deus e, assim, integraríamos os quadros físico e metafísico. Mas a própria origem metafísica dos organismos é completamente diferente e essa contradição talvez permaneça na teoria.

A amplitude do vínculo hereditário entre os organismos e as espécies

Não há dúvida de que a teoria da geração de Maupertuis aceita a produção de novas espécies. Desde o *Vênus física* temos um mecanismo relativamente consistente para explicar essa produção. Toda a nossa discussão anterior sobre as origens esteve ligada às condições iniciais desse processo, mas o problema pode ser tratado de outro ponto de vista. A teoria de Maupertuis aceitaria que todos os organismos são monogenéticos, ou seja, aparentados entre si em maior ou menor grau? Ou, ao contrário, esse conjunto seria poligenético, tendo os organismos mais de uma origem a partir de ancestrais que não estão ligados por laços de ancestralidade? Essas questões estão obviamente ligadas ao problema da origem dos primeiros organismos, mas por ora as discutiremos separadamente.

No capítulo XLV do *Sistema*, Maupertuis faz uma conjectura, aparentemente sem qualquer relação com a questão das origens, que assume inequivocamente a possibilidade de que grandes grupos de organismos estejam unidos hereditariamente; ou seja, de que, a partir do mecanismo gerativo que propõe, grandes grupos monogenéticos de organismos poderão ser produzidos. Logo após explicar como certos novos arranjos orgânicos mais potentes podem dominar arranjos mais antigos, o autor diz:

> Não se poderia explicar assim como de dois únicos indivíduos pôde surgir a multiplicação das mais diferentes espécies? Elas deveriam sua primeira origem a algumas produções fortuitas, nas quais as partes elementares não teriam retido a ordem que mantinham nos animais pai e mãe: cada grau de erro teria feito uma nova espécie: e à força de sucessivos desvios se constituiria a diversidade infinita dos animais que hoje vemos; que crescerá talvez ainda com o tempo, mas à qual a sequência dos séculos não traga senão acréscimos imperceptíveis (O2, p. 164-5).

Desde o *Vênus física*, está estabelecido que a partir de um casal podem surgir várias espécies, mas aqui parece haver algo mais: a partir de um casal poderia ter surgido a diversidade infinita dos animais que vemos atualmente. Isso significa que, para Maupertuis, seria possível que todas as espécies animais se originassem a partir de um único casal de animais?

Antes de tudo, devemos eliminar da generalização os animais gerados espontaneamente: apenas os que possuem reprodução sexuada possuem pais e, portanto, não têm como descendentes outros organismos. Em princípio, os organismos que se reproduzem vegetativamente, como o pólipo, também possuem ancestrais (não um casal, mas apenas um organismo), mas a conjectura não se aplica a organismos com tal processo de reprodução.[5]

---

5 A menos que espécies sexuadas tenham originado espécies assexuadas, algo que parece implausível dentro da teoria de Maupertuis. Há organismos que combinam os dois processos, como notou Maupertuis ser o caso dos pulgões; mas não há qualquer conjectura em toda a sua obra sobre a origem da reprodução sexuada, outro difícil problema biológico presente nas questões sobre a origem da vida e das espécies.

Feitas essas restrições, é possível que Maupertuis acreditasse na possibilidade de que todos os animais sexuados possuíssem um único casal como ancestral comum.

Há, contudo, uma outra maneira de interpretar a citação anterior. As mais diferentes espécies, mas não todas, poderiam surgir de um único casal e a diversidade infinita dos animais que hoje vemos poderia ter surgido da mesma maneira: vários casais produziriam várias espécies que, somadas, produziriam a diversidade atual. Maupertuis escreveu algo semelhante ao explicar a origem da hexadactilia: "em sua primeira origem, esses dedos supranumerários são apenas variações acidentais [que], uma vez confirmadas por um número suficiente de gerações, fundam espécies: e é talvez assim que todas as espécies se multiplicaram" (O2, p. 308); ou seja, todas as espécies podem surgir por um mecanismo semelhante ao que produziu indivíduos hexadáctilos a partir de um casal de indivíduos pentadáctilos. Essa interpretação também é mais coerente com os dois quadros das origens, pois tanto na criação especial como na geração espontânea a partir de um fluido seminal há uma origem poligenética. No segundo caso pode-se integrar a geração espontânea primordial à produção de novas espécies: de um fluido seminal presente no ambiente surgiram os primeiros organismos capazes de reproduzir-se sexuadamente – aqueles que, produzidos pela combinação fortuita de elementos, passassem a ter órgãos para a geração. Organismos portadores de uma estrutura orgânica semelhante teriam líquidos seminais internos compatíveis e poderiam formar casais[6] que seriam os primeiros ancestrais de linhagens monogenéticas. Pelo acúmulo de variações, cada linhagem produziria várias espécies, mas o conjunto de todas seria poligenético.

6 Novamente podemos perceber a dificuldade de conceber a origem da reprodução sexuada dentro do esquema teórico proposto por Maupertuis.

De qualquer forma, aceitar a produção natural de grupos monogenéticos de organismos que integram uma grande diversidade de espécies produzidas por acúmulo de alterações acidentais que se tornam hereditárias já é um resultado bastante original comparativamente às demais teorias presentes na época.

Articulação dos quadros metafísico e físico das origens

Os quadros físico e metafísico das origens possuem vários pontos em desacordo e não pretendemos integrá-los com o intuito de restituir uma possível coerência interna do pensamento de Maupertuis. Contudo, após termos destacado alguns dos pontos em conflito, apresentaremos uma conjectura final que, talvez, possa explicar por que o autor combinou visões e explicações tão distintas para a mesma questão.

Cada um dos quadros descreve a origem de uma primeira série de organismos: a partir da criação especial e a partir da geração espontânea pela combinação de partes materiais em um fluido seminal. Como descrição da primeira origem eles são irreconciliáveis, mas se o primeiro antecedeu o segundo, a incompatibilidade desaparece.

A série criada e seus descendentes exibiriam uma relação de harmonia que poderia se expressar na cadeia dos seres. Deus dotou as partes seminais com propriedades psíquicas subordinadas a uma lei de geração capaz de conservar a ordem e a perfeição da criação. Posteriormente, essa ordem teria sido perturbada por transformações ocorridas no planeta associadas principalmente à ação dos cometas. Alguns organismos teriam sofrido modificações somáticas que poderiam se tornar hereditárias, levando à produção de novas variedades. Mas espécies inteiras poderiam extinguir-se pela morte de todos os seus organismos representantes. A cadeia dos seres seria profundamente modificada, seja pela criação de hiatos entre as espécies, seja pela incorporação de novas formas em desarmonia com as demais.

Essas transformações poderiam também estar a serviço da divindade, mas, de qualquer maneira, a condição resultante final seria um mundo em ruínas e uma desordem entre os seres. Antes da composição do *Sistema*, acreditamos que Maupertuis não acreditasse que, apesar da continuidade da geração de novos organismos e de novas espécies, o mundo em ruínas e a desordem na Cadeia dos seres pudessem ser corrigidos. Mas, a partir do *Sistema*, a dissolução dos corpos poderia criar um ambiente fértil para um novo ciclo de gerações. Novos seres poderiam surgir espontaneamente e deles novas linhagens de organismos e novos grupos de espécies poderiam repovoar a Terra. Mas e a finalidade inicial de conservação do mundo criado metafisicamente? Existiria uma nova ordem natural que substituiria a anterior ou as propriedades psíquicas dos elementos seminais teriam retido sua tendência original e, assim, as novas produções iriam, na verdade, recompor a cadeia dos seres e restabelecer a harmonia primitiva?

No *Ensaio de cosmologia*, Maupertuis sugeriu que, dos organismos produzidos espontaneamente de partes seminais dissolvidas no ambiente, somente sobreviveriam e reproduzir-se-iam aqueles que apresentassem uma estrutura orgânica conveniente ao exercício de suas funções vitais. Essa tendência evitaria que seres mal adaptados integrassem a nova diversidade e, assim, um aspecto da harmonia e da perfeição dos seres estaria atendido por um componente teleológico do processo. Mas é difícil decidir, apenas a partir dos textos consultados, até que ponto esse componente seria autônomo em relação à finalidade sobrenatural. Sendo independente, teríamos uma espécie de finalidade natural capaz de produzir uma nova ordem, com a produção de novas espécies que efetivamente nunca teriam existido. Mas não sabemos que padrão natural poderia substituir a ordem fixa sobrenaturalmente determinada da cadeia dos seres. Ao contrário, se as propriedades psíquicas dos elementos seminais dissolvidos na superfície do planeta ainda retivessem algo de seu caráter finalista sobrenatural, a tendência das novas produções estaria orientada no sentido de reconstruir a cadeia dos seres.

Acreditamos que o *Sistema* deixa esse dilema em aberto. Maupertuis parece ter oscilado entre as duas possibilidades acima apresentadas. Segundo o *Vênus física*, a raça humana ancestral foi criada por Deus e, a partir dela, as demais raças humanas foram produzidas pelo acúmulo de modificações acidentais. Um mecanismo de seleção racial garantiu a continuidade das novas raças produzidas e algo semelhante teria ocorrido com muitas outras espécies, com formas distintas de seleção artificial. Mas, em todos esses casos, os traços ancestrais podiam sempre retornar e as novas variedades produzidas, mesmo que sejam garantidas artificialmente, tendiam a desaparecer se deixadas à mercê dos processos naturais. A tendência da cadeia dos seres em permanecer coesa e invariável era grande e, daí, as novas formas e espécies que surgiam eram ainda consideradas desvios a serem eliminados. No *Système*, as novas formas produzidas espontaneamente podem ter se transformado nas espécies que vemos atualmente. Se elas não são apenas o resultado do acúmulo de mudanças fortuitas, sem qualquer finalidade que governasse a sucessão de seu aparecimento no tempo, seria ainda mais difícil concebê-las como simples desvios da natureza.

Conclusão

Ao longo das investigações no âmbito da astronomia e da física teórica, Maupertuis desenvolveu uma filosofia natural com alguns elementos característicos. A explicação dos fenômenos deve ser a principal meta da filosofia e as propriedades dos corpos reveladas pela experiência são a principal fonte do conhecimento. Para ampliar o domínio explicativo de uma teoria, novas propriedades podem ser atribuídas aos corpos, desde que estejam fundadas na experiência e não sejam contraditórias com as propriedades já reveladas pelos fenômenos. Também não é preciso conhecer a causa primeira ou a essência das propriedades para integrá-las ao sistema. O conhecimento da essência dos corpos e do modo como suas propriedades estão intimamente conectadas são inacessíveis ao conhecimento humano.

Articula-se a essa filosofia natural uma epistemologia empirista, cujas noções centrais aparecem em seus estudos sobre a origem das línguas. A linguagem é construída através da análise e da combinação de percepções e estas são o início e o fundamento do conhecimento. Todo conhecimento teórico depende do modo particular pelo qual ocorreu a gênese da linguagem.

As propriedades dos corpos podem ser organizadas segundo uma hierarquia com três categorias: propriedades primordiais, propriedades de estado e propriedade variáveis. Os princípios e leis presentes na ciência também possuem uma hierarquia, com duas categorias: primeiros princípios e leis indutivas. A interação entre as propriedades de níveis diferentes produz as leis indutivas e os primeiros princípios são obtidos racionalmente.

A fundamentação racional dos primeiros princípios inclui um conhecimento não empírico no sistema teórico de Maupertuis. Entre eles está o princípio de simplicidade (a natureza, na produção de seus efeitos, age sempre pelas vias mais simples), designada como lei metafísica.

O princípio da mínima ação aparece como intermediário entre as leis indutivas e os primeiros princípios. Ele assevera que, quando ocorre alguma mudança na natureza, a quantidade de ação necessária para tal mudança é a menor possível; a quantidade de ação é o produto da massa do corpo por sua velocidade e pelo espaço percorrido. Como lei de economia natural, ela estabelece uma relação entre o princípio de simplicidade e as leis indutivas da ciência, conferindo a esse princípio metafísico, em virtude de sua fundamentação nos fenômenos, um estatuto científico. Isso introduz as causas finais no sistema teórico de Maupertuis que, com certos limites, podem ser utilizadas na construção de teorias físicas.

A validade científica do princípio de simplicidade leva à aceitação de uma finalidade na natureza, identificável apenas nos fenômenos e leis físicas mais gerais. Essa validade também serviu como fundamento para a elaboração de uma prova científica da existência de Deus. Mas, além dela, a prova também conta com afirmações de princípio sobre a relação dos atributos de Deus com a produção dos fenômenos naturais: todas as coisas estão reguladas por um Ser supremo que "imprimiu na matéria forças que denotam sua potência e destinou-a a executar efeitos que marcam sua sabedoria" (O4, p. 21). Assim, a finalidade presente nos fenômenos naturais é um reflexo dessa ação divina, exercida indiretamente a partir das leis naturais: uma mecânica (ou matemática) cega e necessária executa o que a inteligência mais iluminada e livre ordena.

Maupertuis utiliza alguns desses componentes metodológicos e filosóficos na construção das duas versões de sua teoria da geração dos organismos, sobretudo na última.

Na primeira versão, comparece principalmente a necessidade de adequação empírica como fundamento para a crítica das teorias rivais e para a defesa de sua nova proposta. A teoria é introduzida junto de uma crítica às teorias oficiais da época, fundadas nas noções de preexistência, pré-formação e embutimento dos germes. A esse esquema, Maupertuis contrapõe a utilização de duas concepções hipocráticas: a pangênese e a teoria da dupla semente. Nos líquidos seminais dos organismos há um conjunto de partículas produzidas a partir dos órgãos corporais. Na reprodução sexuada, os dois líquidos misturam-se e o embrião forma-se pela organização das partículas oriundas dos dois sexos. Segundo a ideia de pré-formação, apenas um sexo contribui para a formação do embrião e Maupertuis reuniu uma série de evidências empíricas contrárias a essa noção e que corroboravam a contribuição biparental na geração. Não há embriões pré-formados no interior dos organismos, pois os fenômenos exigem que ele seja formado parte por parte. Esse processo é frequentemente designado como epigênese e é contraposto à teoria da pré-formação. De origem aristotélica, a noção de epigênese foi adotada por Harvey, e Maupertuis utiliza suas observações como apoio à sua teoria. Mas há uma diferença fundamental entre a epigênese de Harvey e a de Maupertuis. Na primeira, a matéria seminal é completamente homogênea, enquanto na segunda ela é composta de partes dotadas de uma forma adquirida no processo de pangênese. Assim, essas partes estão pré-formadas antes da união dos líquidos seminais. Apesar de incompatíveis com a teoria de Harvey, suas observações foram interpretadas por Maupertuis conforme sua concepção particular do processo.

Já em sua primeira versão, a teoria da geração de Maupertuis aceita a produção de novas espécies a partir do acúmulo de variações nas linhagens de descendência. Esse acúmulo é obtido pelo aumento progressivo da quantidade de partes seminais modificadas (variação qualitativa) em relação às partes seminais "normais" ou pela modificação da quantidade de partes "normais" que entram na organização do embrião (variações quantitativas).

Processos de seleção artificial garantem a fixação dessas variações e a produção de novas raças e novas espécies. Mas a condição ancestral tende sempre a retornar e, assim, as novas espécies são consideradas como desvios da natureza. Há uma tendência de que a ordem natural expressa na Cadeia dos seres seja mantida.

A força de atração na forma de afinidades químicas foi inicialmente utilizada como agente organizador das partes seminais. Mas, posteriormente, a diversidade das afinidades químicas é considerada insuficiente para explicar a diversidade dos processos e das estruturas envolvida na geração orgânica. Uma atração uniforme e cega ou atrações que sigam outras leis não davam conta do comportamento dirigido a um fim exibido pelas partes seminais. Maupertuis atribui então, a essas partes, propriedades psíquicas para suprir as deficiências da atração. Primeiramente o instinto é sugerido como atributo, mas é posteriormente substituído pela percepção e pela inteligência. Esse passo inaugura a elaboração da versão final da teoria.

A introdução das propriedades psíquicas na matéria contou com a aplicação de outros elementos filosóficos e metodológicos oriundos da física. A introdução das propriedades psíquicas nos elementos seminais foi justificada pelo aumento do poder explicativo da teoria. A percepção, introduzida como propriedade primordial da matéria, não seria incompatível com as demais propriedades.

Estabelece-se igualmente um vínculo entre as causas finais e a geração dos organismos. Deus confere diretamente a percepção às partes materiais (tal como aplicou forças impressas para regular os fenômenos físicos mais gerais) e a geração passa a ser dirigida pela finalidade de conservar os seres criados. Essa criação expressaria igualmente uma ordem original associada à Cadeia dos seres. Mas, junto dessa origem sobrenatural dos organismos e de seus atributos, a teoria introduz uma origem natural de séries de organismos a partir de elementos materiais dissolvidos na superfície da Terra. O processo combina a geração espontânea de organismos ancestrais com a formação de linhagens monogenéticas de organismos que podem pertencer a várias espécies. O mecanismo de produção dessas linhagens é semelhante àquele proposto na primeira versão da teoria, mas dele difere por utilizar a geração de um hábito (ligado à memória) nas partículas como causa da fixação das espécies.

Uma possível ordem natural pode estabelecer-se a partir desse quadro, mas sua relação com a ordem sobrenatural original é ambígua. Identificam-se uma tendência e uma finalidade nas combinações aparentemente fortuitas dos elementos seminais presentes no processo espontâneo de geração dos ancestrais das várias linhagens: apenas os organismos com uma estrutura convenientemente adaptada às suas necessidades é que seriam capazes de sobreviver e reproduzir-se. Mas não é possível decidir se essa tendência é, para Maupertuis, ainda um reflexo da manutenção da ordem sobrenatural ou se é a expressão de uma finalidade natural capaz de construir uma nova ordem entre os seres organizados. O mais provável é que o autor tenha considerado as duas possibilidades, mas não tenha optado por nenhuma delas.

Referências bibliográficas

Adam, C. & Tannery, P. (Ed.). *Oeuvres de Descartes*. Paris: Vrin, 1986. v. 9, 11.

Aristóteles. Doxografia de Anaxágoras de Clazômenes. In: Souza, J. C. de. (Org.). *Os pré-socráticos*. Tradução P. F. Flor. São Paulo: Abril Cultural, 1973. p. 265. (Os Pensadores, 1).

Beaumelle, L. A. de la. *Vie de Maupertuis: lettres inédites de Frédéric le Grand et de Maupertuis*. Paris: Meyrueis, 1856.

Beeson, D. *Maupertuis: an intellectual biography*. Oxford: The Voltaire Fondation at the Taylor Institution, 1992.

Berryat, J. et al. *Collection académique*. Paris: Pancroucke, 1770. t. 4.

Bowler, P. J. *Evolution: the history of an idea*. Los Angeles: University of California Press, 1989.

Boylan, M. Galen's conception theory. *Journal of the History of Biology*, 19, 1, p. 47-77, 1986.

Brunet, P. *Maupertuis: l'oeuvre et sa place dans la pensée scientifique et philosophique du XVIII siècle*. Paris: Blanchard, 1929.

Buffon, G.-L. de. *Oeuvres, avec des extraits de Daubenton et la classification de Cuvier*. Paris: Furnet, 1853. v. 3.

Castañeda, L. A. *As ideias pré-mendelianas de herança e sua influência na teoria de evolução de Darwin*. Campinas, 1992. Tese (Doutorado em Ciências). Instituto de Biologia, Universidade Estadual de Campinas.

Corcos, A. F. Fontenelle and the problem of regeneration in the eighteenth century. *Journal of the History of Biology*, 4, p. 363-72, 1971.

Descartes, R. La description du corps humain. In: Adam, C. & Tannery, P. (Ed.). *Oeuvres de Descartes*. Paris: Vrin, 1986, v. 11-a. p. 216-90.

____. Les principes de la philosophie. In: Adam, C. & Tannery, P. (Ed.). *Oeuvres de Descartes*. Paris: Vrin, 1996. v. 9. p. 1-362.

Dinsmore, C. E. *A history of regeneration research*. Cambridge: Cambridge University Press, 1991.

Duchesneau, F. *La physiologie des Lumières: empirisme, modèles et theories*. Boston: The Hague, 1982.

Fischer, J.-L. *La naissance de la vie*. Paris: Pocket, 1991.

Foote, E. T. Harvey: spontaneous generation and the egg. *Bulletin of the History of Medicine*, 38, p. 139-63, 1964.

Gasking, E. B. *Investigations into generation 1651-1828*. London: Hutchinson, 1967.

Geoffroy, M. Table des différens rapports observés en Chimie entre différentes substances. In: Berryat, J. et al. *Collection académique*. Paris: Pancroucke, 1770. t. 4. p. 149-55.

Glass, B. Maupertuis and the beginning of genetics. *Quarterly Review of Biology*, 22, p. 196-210, 1947.

GOHAU, G. *Les sciences de la Terre aux XVIIe et vxiiie siècles: naissance de la géologie.* Paris: Albin Michel, 1990.

GREGORY, D. *The elements of physical and geometrical astronomy*. Londres: Midwinter, 1726.

GUEROULT, M. *Leibniz: dynamique et métaphysique suive d'une note sur le principe de la moindre action chez Maupertuis*. Paris: Aubier-Montaigne, 1967.

GUERRINI, A. James Keill, George Cheyne, and Newtonian physiology, 1690-1740. *Journal of the History of Biology*, 18, 2, p. 246- 66, 1985.

HARVEY, H. *Disputations touching the generation of animals.* Oxford: Blackwell Scientific Publications, 1981.

____. Of conception. In: ____. *Disputations touching the generation of animals*. Oxford: Blackwell Scientific Publication, 1981. p. 443-53.

HIPÓCRATES. On the sacred disease. In: HUTCHINS, R. M. (Ed.). *Great books of the western world: Hippocrates, Galen.* Chicago: Encyclopaedia Britannica, 1952. p. 154-60.

HUTCHINS, R. M. (Ed.). *Great books of the western world: Hippocrates, Galen.* Chicago: Encyclopaedia Britannica, 1952.

JOYAU, E. & RBEEK, G. (Org.). *Epicuro, Lucrécio, Cícero, Sêneca, Marco Aurélio.* Tradução e notas A. da Silva. São Paulo: Abril Cultural, 1973. (Os Pensadores, 5).

KIRK, G. S., RAVEN, J. E. & M. SCHOFIELD, M. *Os filósofos pré-socráticos*. Lisboa: Fundação Calouste Gulbenkian, 1994.

LAPORTE, J. *Le rationalisme de Descartes*. Paris: PUF, 1988.

LEIBNIZ, G. W. *A "Protogaea" de G. W. Leibniz (1794).* Tradução, introdução e notas N. Papavero; D. M. Teixeira & M. de C. Ramos. São Paulo: Plêiade, 1997.

LEMERY, M. Que les plantes contiennent réelement du fer, & que ce métal entre necessairement dans leur composition naturelle. *Mémoires de l'Academie Royale des Sciences*, p. 411-8, 1706.

LENHOFF, H. M. & LENHOFF, S. G. Abraham Trembley and the origins of research on regeneration in animals. In: DINSMORE, C. E. *A history of regeneration research*. Cambridge: Cambridge University Press, 1991. p. 47-66.

LITTRE, A. Observations sur les ovaires et les trompes d'une femme et sur un foetus trouvé dans l'un de ses ovaires. *Mémoires de l'Academie Royale de Sciences*, p. 11-4, 1701.

LUCRÉCIO. Da natureza. In: JOYAU, E. & RIBEEK, G. (Org.). *Epicuro, Lucrécio, Cícero, Sêneca, Marco Aurélio.* Tradução e notas A. da Silva. São Paulo: Abril Cultural, 1973. p. 31-140. (Os Pensadores, 5).

MAUPERTUIS, P-L. M. de. Observation et expériences sur une des espèces de salamandres. *Mémoire de l'Academie des Sciences*, p. 27-32, 1727.

____. Expériences sur les scorpions. *Mémoire de l'Academie des Sciences*, p. 223-9, 1731.

____. *Essai de cosmologie*. [s.l.]: [s.n.], 1751.

____. *Oeuvres*. Hildesheim: Georg Olms, 1974 [1768]. 4 v. (O).

____. Las leyes del movimiento y del reposo deducidas de un principio metafísico. In: ____. *El orden verosimil del cosmos*. Tradução, introdução e notas A. Lafuente & J. L. Peset. Madri: Alianza, 1985. p. 102-30.

____. *El orden verosimil del cosmos*. Tradução, introdução e notas A. Lafuente & J. L. Peset. Madri: Alianza, 1985.

____. Carta XIV: sobre a geração dos animais. Tradução M. de C. Ramos. *Scientiae Studia*, 2, 1, p. 129-34, 2004.

____. Vênus física. Tradução e notas M. de C. Ramos. *Scientiae Studia*, 3, 1, p. 103-65, 2005.

____. Lettre de Maupertuis à M. de la Condamine [24 Août, 1750]. *Archives d'Ille-et-Vilaine* (Manuscripts) *II24*, Saint-Malo. f.125B.

Mourão, R. R. de F., *Dicionário enciclopédico de astronomia e astronáutica*. Rio de Janeiro: Nova Fronteira/CNPq, 1987.

Ostoya, P. Maupertuis et la biologie. *Revue d'Histoire des Sciences*, 7, p. 60-78, 1954.

Papavero, N. *Introdução histórica à biologia comparada, com especial referência à biogeografia. II: a Idade Média: da queda do Império Romano do Ocidente à queda do Império Romano do Oriente.* Rio de Janeiro: Editora Universidade Santa Úrsula, 1989.

Papavero, N. & Abe, J. M. Funciones que preservan orden y categorias lineanas. *Publicaciones Especiales del Museu de Zoología*, 5, p. 39-74, 1992.

Papavero, N. & Balsa, J. *Introdução histórica e epistemológica à biologia comparada, com especial referência à biogeografia: do Gênese ao fim do Império Romano do Ocidente.* Belo Horizonte: Biótica/Sociedade Brasileira de Zoologia, 1986.

Papavero, N. & J. R. Pujol-Luz, J. R. *Introdução histórica à biologia comparada, com especial referência à biogeografia.* Rio de Janeiro: Universidade Rural, 1997. v. 4.

Pichot, A. *Histoire de la notion de vie*. Paris: Gallimard, 1993.

Platão. Doxografia de Anaxágoras de Clazômenes. In: Souza, J. C. de. (Org.). *Os pré-socráticos*. Tradução P. F. Flor. São Paulo: Abril Cultural, 1973. p. 265-6. (Os Pensadores, 1).

Pyle, A. J. Animal generation and the mechanical philosophy: some light on the role of biology in the scientific revolution. *History and Philosophy of Life Sciences*, 9, 2, 225-54, 1987.

Ramos, M. de C. Geração orgânica, acidente e herança na *Carta XIV* de Maupertuis. *Scientiae Studia*, 2, 1, p. 99-128, 2004.

Reippel, O. Atomism, epigenesis, preformation and pre-existence: a clarification of terms and consequences. *Biological Journal of Linnean Society*, 28, 4. p. 331-41, 1986.

Robert, P. *Le nouveau petit Robert.* Paris: Dictionnaires Le Robert, 1994.

Roger, J. *Les sciences de la vie dans la pensée du XVIIIe siècle: la generation des animaux de Descartes à l'Encyclopédie.* Paris: Albin Michel, 1993.

____. *Buffon*. Paris: Fayard, 1989.

Rossi, P. *Os sinais do tempo: história da Terra e história das nações de Hooke a Vico*. São Paulo: Companhia das Letras, 1992.

Rostand, J. *Maternité et biologie*. Paris: Gallimard, 1966.

Simplício. Doxografia de Anaxágoras de Clazômenes. In: Souza, J. C. de. (Org.). *Os pré-socráticos*. Tradução P. F. Flor. São Paulo: Abril Cultural, 1973. p. 264. (Os Pensadores, 1).

____. Doxografia de Demócrito de Abdera. In: Souza, J. C. de. (Org.). *Os pré-socráticos*. Tradução P. F. Flor. São Paulo: Abril Cultural, 1973. p. 317. (Os Pensadores, 1).

Solovine, M. & Morel, P.-M. (Org.). *Démocrite et l'atomisme ancien*. Paris: Pocket, 1993.

Souza, J. C. de. (Org.). *Os pré-socráticos*. Tradução P. F. Flor. São Paulo: Abril Cultural, 1973. (Os Pensadores, 1).

Tonelli, G. *La pensée philosophique de Maupertuis: son milieu et ses sources.* Hildesheim: Olms, 1987.

Vartanian, A. Trembley's polyp, La Mettrie and eighteenth-century french materialism. *Journal of the History of Ideas*, 11, 3, p. 259-86, 1950.

Índice de termos

Índice de autores

Este livro foi composto em filosofia
e impresso em papel pólen 80 g/m²
na Prol Editora Gráfica
em novembro de 2009